Der Autor

Prof. Dr. Horst Möller, geb. 1943 in Breslau, ist seit 1992 Direktor des Instituts für Zeitgeschichte, München, und Ordinarius für Neuere und Neueste Geschichte an der Universität Regensburg. Nach der Habilitation 1978 lehrte er an der Freien Universität Berlin und der Universität München. Von 1979 bis 1982 war er zugleich Stv. Direktor des Instituts für Zeitgeschichte, München, 1989–1992 war er Direktor des Deutschen Historischen Instituts in Paris. Zahlreiche Veröffentlichungen zur Geschichte des 17. bis 20. Jahrhunderts, u. a.: ›Aufklärung in Preußen‹ (1974); ›Exodus der Kultur. Schriftsteller, Wissenschaftler und Künstler in der Emigration nach 1933‹ (1984); ›Parlamentarismus in Preußen 1919–1932‹ (1985); ›Vernunft und Kritik. Deutsche Aufklärung im 17. und 18. Jahrhundert‹ (1986, 3. Aufl. 1993); ›Fürstenstaat oder Bürgernation. Deutschland 1763–1815‹ (1989). ›Theodor Heuss. Staatsmann und Schriftsteller‹ (1990); Herausgeber u. a. der ›Vierteljahrshefte für Zeitgeschichte‹ (mit K. D. Bracher u. H. P. Schwarz). Mitherausgeber u. a. von: ›Das Dritte Reich. Herrschaftsstruktur und Geschichte‹ (1983, mit M. Broszat); ›Deutschlands Weg in die Diktatur‹ (1983, mit M. Broszat u. a.); International Biographical Dictionary of Central European Emigrés 1933–1945. Bd. II, 1 und 2 (1983. General editors: W. Röder, H. A. Strauss).

Deutsche Geschichte der neuesten Zeit
vom 19. Jahrhundert bis zur Gegenwart

Herausgegeben von Martin Broszat,
Wolfgang Benz und Hermann Graml
in Verbindung mit dem Institut für Zeitgeschichte, München

Horst Möller:
Weimar
Die unvollendete Demokratie

Deutscher
Taschenbuch
Verlag

Originalausgabe
1. Auflage März 1985
4. durchges. u. erw. Auflage Juli 1993: 21.–24. Tausend

Umschlaggestaltung: Celestino Piatti
Vorlage: Plakat des Werbedienstes der Deutschen Republik,
1918, von Cesar Klein
Gesamtherstellung: C. H. Beck'sche Buchdruckerei,
Nördlingen
Printed in Germany · ISBN 3-423-04512-4

Inhalt

Das Thema

»Wir haben *den Krieg verloren.* Diese Tatsache ist keine Folge der *Revolution.*« Kein Zweifel, diese Feststellungen des Volksbeauftragten Friedrich Ebert in der Eröffnungssitzung der Nationalversammlung am 6. Februar 1919[1] trafen zu. Kein Zweifel aber auch, daß ein erheblicher Teil des deutschen Volkes nicht bereit war, diese Tatsachen anzuerkennen. »Sehr wahr! links. – Lebhafter Widerspruch rechts« – die Protokollnotiz charakterisiert die Situation, die Fronten waren klar. Die Republik aber war, ob sie wollte oder nicht, aus Kriegsniederlage und Revolution geboren, diese Erbschaft konnte sie nicht ausschlagen.

Schon der Versammlungsort der am 19. Januar 1919 nach allgemeinem, gleichem und geheimem Wahlrecht gewählten Verfassunggebenden Nationalversammlung ist symbolisch: das Nationaltheater im idyllischen thüringischen Städtchen Weimar, untrennbar verbunden mit einem Höhepunkt deutscher Kultur. Hier hatte deutscher Geist sich am weitesten über das Elend deutscher Politik erhoben.

Weimar – nicht Berlin: Gewiß war es kein Zeichen von Stärke, die Verfassungsberatungen aus der revolutionär erregten Millionenstadt, der preußischen Reichshauptstadt, dem Sitz von Reichstag, Reichsregierung und Reichsrat, in die Provinz zu verlegen. Auch noch im Januar 1919 standen alle genannten Institutionen zur Disposition, die während trüber Novembertage 1918 spontan aufflammende Revolution war noch nicht beendet. Zwar waren ihre Weichen in Richtung auf eine demokratische Republik gestellt, doch war diese Weichenstellung links wie rechts umstritten, die Nation zerrissener denn je. Die Reichshauptstadt war voller ausgemergelter, verstümmelter Soldaten, ein Millionenheer von Hungernden, Arbeitslosen, Unzufriedenen bevölkerte die deutschen Städte.

Welch ein Gegensatz zu jenen fieberheißen Augusttagen des Jahres 1914, als das deutsche Volk sich einig wie nie im Taumel der Kriegsbegeisterung verlor! Nur wenige standen damals abseits, Linke zumeist, Pazifisten allemal. »Ich kenne keine Parteien mehr, ich kenne nur noch Deutsche!« hatte der preußische

[1] Eduard Heilfron (Hrsg.), Die deutsche Nationalversammlung im Jahre 1919 in ihrer Arbeit für den Aufbau des neuen deutschen Volksstaates. Bd. 1, Berlin 1920, S. 4.

König und deutsche Kaiser Wilhelm II. damals ausgerufen, und alle kamen, auch die als »vaterlandslose Gesellen« diskriminierten Sozialdemokraten. Auch sie waren wie die meisten Deutschen überzeugt, es handele sich um einen Deutschland aufgezwungenen Verteidigungskrieg und stimmten am 4. August 1914 im Reichstag geschlossen für die Bewilligung der Kriegskredite, bis es seit 1915 über diese Frage zu einer Spaltung der SPD-Reichstagsfraktion kam und nur noch der Mehrheitsflügel bei dieser Linie blieb. Tatsächlich aber ging es im August 1914 führenden Staatsmännern und politisch einflußreichen Gruppen keineswegs nur um Verteidigung, sondern um zum Teil weitreichende Kriegsziele, die in den Kontext des europäischen Vorkriegsimperialismus und des Hegemonialstrebens des Deutschen Reiches gehören: Doch blieb diese Erkenntnis auch nach Ende des Krieges den Deutschen noch weitgehend verschlossen. Darum war die Empörung über den Kriegsschuldartikel des Versailler Friedensvertrages, der Deutschland – wenn auch aus durchsichtigen nationalistischen Gründen – die Alleinschuld am Weltkrieg zumaß, so groß.

Die vom 6. Februar 1919 bis zum 21. Mai 1920 tagende Weimarer Nationalversammlung stand von Beginn an vor der Notwendigkeit, mit Problemen der jüngsten deutschen Vergangenheit fertigzuwerden. Zu ihren Hauptaufgaben zählte nicht nur Beratung und Beschluß einer neuen Verfassung, sondern auch die Ratifizierung des dem Deutschen Reich von den Siegern aufgezwungenen Friedensvertrages von Versailles, der umfangreiche Gebietsabtretungen, finanzielle Reparationsleistungen sowie eine Reihe völkerrechtlicher Diskriminierungen enthielt.

Die Weimarer Republik ist bis zu ihrem Ende mit der Abtragung dieser existenzbedrohenden kriegsbedingten Hypotheken beschäftigt gewesen. Die Geschichte der Weimarer Republik könnte also ausschließlich unter dem Aspekt ihrer Vorbelastungen und Schwäche geschrieben werden. Aber ist eine so verengte Optik historisch angemessen, ist sie gerecht? Oder sollte nicht vielmehr auch die Leistung dieses Staates, der erste Versuch einer deutschen Demokratiegründung unter denkbar ungünstigen Umständen gewürdigt werden? Kein Zweifel, die Chancen der demokratischen Republik waren von Beginn an gering, doch war sie nicht zwangsläufig zum Scheitern verurteilt.

Die Geschichte von Weimar ist ein Thema, welches ohne das Wissen der Nachlebenden vom Scheitern dieser Republik zwischen Monarchie und nationalsozialistischer Diktatur und um die Folgen dieses Scheiterns nicht darstellbar ist. Sie ist also auch ein Lehrstück deutscher Zeitgeschichte, ein Lehrstück politischer Bildung von ungebrochener Aktualität über Möglichkeit und Gefährdung einer Demokratie. Von melancholisch stimmender Ambivalenz ist die Geschichte der Republik beherrscht. Und so stehen im Mittelpunkt der folgenden Darstellung Entstehung und Bewährungsproben des verfassungspolitischen Systems im Zusammenhang von Gesellschaft, Wirtschaft und Außenpolitik in der Kernzeit der Republik von 1919 bis 1930.

I. Zwei Reichspräsidenten – Chance und Scheitern

Zwei Reichspräsidenten hatte die Republik, Friedrich Ebert und Paul von Beneckendorff und von Hindenburg. Verkörpert der eine die Chance der Republik, so der andere ihr Scheitern.

Friedrich Ebert
Sozialdemokrat in Kaiserreich, Revolution und Republik

Als Sohn eines Schneidermeisters wurde Friedrich Ebert im Jahr der Bismarckschen Reichsgründung 1871 geboren. Er entstammte einer konfessionell gemischten Ehe, wurde aber katholisch erzogen. Der junge Ebert lernte das Sattlerhandwerk, ließ sich nach Wanderjahren 1891 in der Hansestadt Bremen nieder und wurde Gastwirt. Seit 1893 stand er in den Diensten der Sozialdemokratischen Partei Deutschlands: als Arbeitersekretär, Redakteur und schließlich als Sekretär des Parteivorstands der SPD. Wegen dieses Amtes übersiedelte er 1905 in die Reichshauptstadt und widmete sich ausschließlich der Parteiarbeit.

Eberts intensive Beratung von Arbeitern, beispielsweise in Fragen der Sozialversicherung, provozierte immer wieder den Unmut seiner Arbeitgeber. Entlassung folgte auf Entlassung. Aber auch in seinen unsteten frühen Jahren war Ebert kaum zu irritieren – er wollte den Menschen helfen, und er half ihnen, ganz gleich, welche Widerstände er damit heraufbeschwor. Sein ständiger Stellenwechsel war also keineswegs Folge eines unruhigen, vagabundierenden Charakters. Vielmehr hatte er während seiner Sattlerlehre Ungerechtigkeit im Arbeitsleben erfahren, und von da an kämpfte er für die Rechte der Arbeiter. Das war zunächst noch nicht Parteiarbeit, sondern Gewerkschaftsarbeit, die ihn nicht wenige materielle Opfer kostete; oft genug stand er beruflich vor dem Nichts. Erst als Redakteur der ›Bremer Bürgerzeitung‹, wie paradoxerweise die Zeitung der Bremer Sozialdemokraten hieß, gewann er, nach dem Fehlschlag einer von ihm organisierten Genossenschaftsbäckerei, Boden unter den Füßen; endlich konnte er seine sozialpolitische Arbeit verbinden mit dem Erwerb des Lebensunterhalts. Nun erhielt er 25 Mark Wochenlohn, aber das reichte nicht aus zu wirtschaftlicher Selbständigkeit, zur Gründung einer Familie. Und so wurde Friedrich Ebert auf Drängen seiner künftigen Frau Luise Rump – die Hochzeit fand am 9. Mai 1894 statt – Gastwirt.

Das war ein Beruf, der ihm eigentlich nicht besonders lag, hatte er doch keine Neigung, mit seinen Gästen zu trinken, kaum Neigung auch zu zwang- und zweckloser Geselligkeit. Trotzdem wurde seine Gastwirtschaft in Bremen bald zu einem Zentrum sozialpolitischer Arbeit für Gewerkschaft und Partei. Bei sozialdemokratischen Arbeitern sprach es sich schnell herum, daß der Wirt ein stets hilfsbereiter und rechtskundiger Berater seiner Gäste war. Ohne diese Bezeichnung zu führen, entstand hier eine Art »Arbeitersekretariat« – ein Indiz für den praktischen Sinn Eberts und seine Neigung zur Organisierung von Selbsthilfe für die Arbeiter. Eine solche Tätigkeit interessierte ihn schon damals mehr als marxistische Theorie. Zwar hatte auch er, wie viele aufstrebende junge Parteigenossen, seinen Karl Marx gelesen, bildungsbeflissen dessen schwieriges Hauptwerk ›Das Kapital‹ durchgearbeitet, aber zum Marxisten in streng ideologischem Sinn war er dadurch kaum geworden. Schließlich war für die konkrete, hier und heute zu leistende Gewerkschaftsarbeit, um die es ihm zu tun war, mit dem nationalökonomisch-philosophischen Buch auch nicht viel anzufangen. Der gedrungen wirkende, kräftig gebaute kurznackige Mann mit dem mächtigen Kopf stand eben mit beiden Beinen auf der Erde.

Und das blieb auch so, als er allmählich über seinen sozialpolitischen Wirkungskreis hinauswuchs und erst zu lokaler, dann zu überregionaler politischer Tätigkeit gelangte. Nie hat er sich durch aufdringlichen Ehrgeiz hervorgetan. Friedrich Ebert war ein Mann, der unter keinem erkennbaren, durch kleinbürgerliche Herkunft bedingten Aufstiegstrauma litt, obwohl ihm die ersehnte Gymnasial- und Universitätsbildung verschlossen geblieben war; ein Mann, der sich in ungezählten Stunden autodidaktisch das notwendige Wissen erarbeitet hatte und dessen politisches Augenmaß zweifellos dem der meisten seiner akademisch gebildeten Zeitgenossen weit überlegen war; ein Mann schließlich, dem für seine Überzeugungen kein persönliches Opfer zu groß war, der Mut und Verantwortungsbereitschaft besaß und all seine hohen Ämter mit natürlicher Würde und mit Takt ausübte.

Parlamentarische Erfahrung hatte er bereits seit 1900 als Mitglied der Bremer Bürgerschaft gesammelt, bevor er beim großen Wahlerfolg seiner Partei im Jahre 1912 in den Reichstag einzog. Damals hatte die SPD, trotz der ungerechten und sie benachteiligenden Wahlkreiseinteilung, 27,7 Prozent der Stimmen erreicht und war damit zur weitaus stärksten Partei geworden: wegen des konstitutionellen Regierungssystems und der Parteienkonstellation im Reichstag half ihr das jedoch nicht. Doch stärkte der gegenüber der vorhergehenden Reichstagswahl von 1907 erzielte extreme Zugewinn von 16,9 Prozent bei Ebert und seinen Freunden die Überzeugung, die Partei werde früher oder später auf evolutionär-parlamentarischem Wege ihre Ziele erreichen, zumal wenn es ihr gelänge, das Wahlsystem zu reformieren. Verhältniswahlsystem zur echten Repräsentation des Volkswillens wurde so zu einem Credo der Partei – aus Überzeugung und aus politischem Interesse[1].

Als Gegner der Parteilinken, die zum Teil Anhänger des politischen Massenstreiks waren, wurde Friedrich Ebert einer der beiden Nachfolger des schon legendären Parteivorsitzenden August Bebel. Ebert, ein ausgleichender und undoktrinärer Kopf, wurde neben dem intellektuelleren, eher zum linken Parteiflügel tendierenden Rechtsanwalt Hugo Haase 1913 auf dem Parteitag der SPD in Jena zum Mitvorsitzenden gewählt. Haase erhielt von 473 abgegebenen Delegiertenstimmen 467, Ebert 433[2].

Nach dem sich 1915/16 verschärfenden Dissens innerhalb der SPD-Fraktion über die Bewilligung der Kriegskredite, gegen die der Minderheitenflügel um den Partei- und Fraktionsvorsitzenden Hugo Haase gestimmt hatte, wurde Ebert am 11. Januar 1916 als Haases Nachfolger zu einem der drei Fraktionsvorsitzenden gewählt; am 14. Juni 1918 schließlich wurde er Vorsitzender des Hauptausschusses des Reichstags, der Nationalliberale Gustav Stresemann sein Stellvertreter. In das Oktoberkabinett des Prinzen Max von Baden 1918 war Ebert selbst nicht eingetreten, hatte aber die Regierungsbeteiligung in einer großen Reichstagsrede vom 22. Oktober begründet: »Es wäre für uns gewiß bequemer gewesen, draußen zu stehen und unsere

[1] Vgl. Eberts Reichstagsrede v. 22. 10. 1918. In: Friedrich Ebert, Schriften, Aufzeichnungen, Reden. Bd. 2, Dresden 1926, S. 85f.

[2] Protokoll über die Verhandlungen des Parteitages der Sozialdemokratischen Partei Deutschlands, abgehalten in Jena vom 14. bis 20. September 1913. Berlin 1913, S. 549.

Hände in Unschuld zu waschen ... Wir sind in die Regierung hineingegangen, weil es heute um das ganze deutsche Volk, um seine Zukunft, um Sein oder Nichtsein geht ... Wir wissen, was wir mit unserem Schritt gewagt haben.«[3]

Der erfahrene Parlamentarier und Parteifunktionär wußte nur zu gut, welches Erbe die Sozialdemokraten anzutreten sich anschickten, hatte er doch seine Rede mit dem Hinweis darauf begonnen, eine nüchterne Prüfung der militärischen und politischen Lage müsse die neue Regierung dazu führen, ein Waffenstillstandsgesuch abzusenden, hatte er doch bereits hier prophylaktisch die »demagogische Verlogenheit« zurückgewiesen, daß die Demokratie auf Kosten deutscher Interessen zur Macht gelange[4].

Dies war Eberts letzte Rede im alten, 1912 gewählten Reichstag des Kaiserreichs. In ihr skizzierte Ebert sowohl die künftige Situation Deutschlands im internationalen Kräftefeld angesichts der unabwendbaren Niederlage als auch die innenpolitische Perspektive nach dem bevorstehenden Kriegsende. Von den »englischen und französischen Chauvinisten und Imperialisten« erwartete er nichts Gutes, um so mehr versuchte er den amerikanischen Präsidenten Wilson, unter Berufung auf dessen 14-Punkte-Programm, auf einen gerechten Frieden ohne Demütigung des niedergerungenen Gegners zu verpflichten; Ebert vermied in seiner Rede das Wort »Feind«. Er appellierte an Wilson, für einen Frieden einzutreten, der »keinen Rachegeist, keinen Revanchegedanken zurückläßt«. Ebert schlug einen Völkerbund vor, der notfalls mit Machtmitteln garantiere, daß »an Stelle der Gewalt das Recht« ins Völkerleben trete. Er bedauerte, daß die Deutschen während des Krieges das Selbstbestimmungsrecht anderer Völker angetastet hatten, und bemängelte, daß die Demokratie in Deutschland erst in dem Augenblick realisiert werde, in dem sich der »militärische Vorteil auf Seiten unserer Gegner« zeige.

Die mit der Oktoberregierung des Prinzen Max eingeleitete Entwicklung sah Ebert als Wendepunkt in der deutschen Geschichte: »Es ist der Geburtstag der deutschen Demokratie ... Im alten Deutschland waren ganze Klassen, Nationen und Konfessionen von der schaffenden Mitwirkung im Staate nahezu vollständig ausgeschlossen ... Für Volk und Reich ist die

[3] Ebert, Schriften, Bd. 2, S. 90f.
[4] Ebd., S. 72.

Demokratisierung zur Lebensnotwendigkeit geworden. Hier gilt das bekannte Wort: Wenn die Völker fortschreiten und die Verfassungen stillstehen, kommen die Revolutionen. Die besitzenden Klassen Deutschlands können froh sein, wenn der deutsche Volksstaat sich im Wege der politischen Entwicklung durchsetzt. Blicken Sie nach Rußland, und Sie sind gewarnt!«[5]

Der Kernpunkt des von Ebert so bezeichneten »Systemwechsels von großer Tragweite« lag in der Institutionalisierung des Prinzips der Volkssouveränität. Die Parlamentarisierung der Reichsleitung, die mit der neuen Regierungsbildung faktisch, wenngleich noch nicht staatsrechtlich, akzeptiert worden war, bedeutete für Ebert den ersten Schritt in Richtung auf eine Staatsform, in der »das Volk durch seine freigewählten Vertreter seine Zukunft gestalten« sollte.

Von Sozialismus war in dieser Rede Eberts wenig zu spüren; zwar ließ er das sozialdemokratische Fernziel einer »Aufhebung der Klassengegensätze« und der »Beseitigung der wirtschaftlichen Ausbeutung« anklingen, sah aber als Nahziel eine Demokratisierung der Verfassung im Rahmen der »bestehenden Wirtschaftsordnung« an.

Auch die von ihm anvisierten Verfassungsänderungen erwuchsen aus der politischen Erfahrung der letzten Jahre, nicht einer Reißbrettkonstruktion. Er prangerte das »persönliche Regiment« des Monarchen ebenso an wie die »ganz absolutistische Stellung des Großen Generalstabs, der verfassungsmäßig weder dem Reichskanzler noch dem Reichstage verantwortlich ist«. Zweifellos traf er damit einen neuralgischen Punkt der unter dem Einfluß des Krieges modifizierten Reichsverfassung. Ebert verlangte eine umfassende Verantwortlichkeit des Reichskanzlers und der Reichsminister gegenüber dem Reichstag und eine Unterordnung der militärischen Führung unter die politische. Der Frage der Demokratisierung von Wahlrecht und Regierungssystem Preußens widmete Ebert besondere Aufmerksamkeit. Auffällig ist, wie eindeutig er Preußen von der heftig kritisierten preußischen Führungsschicht trennte und die Überlebensfähigkeit des deutschen Hegemonialstaats von seinem Modernisierungspotential abhängig sah.

Eberts Reichstagsrede ließ analytischen Scharfsinn und programmatischen Anspruch erkennen, sie bestach nicht durch Rhetorik, sondern durch Augenmaß und Nüchternheit. Sie ent-

[5] Ebd., S. 76.

hielt scharfe Kritik, riß aber für Einsichtige und Reformwillige keine unüberwindlichen Gräben auf, da er bei aller Härte in der Sache moderat im Ton blieb, die Rede eines Mannes – auch das muß hier gesagt werden –, den der Krieg schreckliche Opfer gekostet hatte: zwei seiner Söhne starben auf dem Schlachtfeld. Trotzdem ließ er sich durch persönlichen Schmerz nicht zum unversöhnlichen Haß gegenüber denjenigen hinreißen, die zweifelsfrei Mitverantwortung an diesem Krieg trugen. Ein Mann, für den patriotische Loyalität keine Phrase war, ein Mann, der Phrasen nicht mochte. Er mochte auch keine Demagogie, so wenig er die Unordnung vertrug, in der sie am besten gedeiht. Zur sozialen Demokratie, aber in geordneten Reihen – so lautete sein Programm.

Was eigentlich hätte den Deutschen in diesen verwirrten, aufgeregten Zeitläufen von Kriegsniederlage und Revolution Besseres widerfahren können als dieser Friedrich Ebert? Haben die Deutschen gewußt, welches Kapital ein solch besonnener Mann mit klarem Blick für das Notwendige und Sinn für das Machbare bedeutete? Vieles, allzu vieles spricht dafür, daß nur eine Minderheit dies erkannt hat. Theodor Heuss sagte in einer Gedenkrede über Eberts Tod: »Als vor einem Vierteljahrhundert der vierundfünfzigjährige Mann starb, da spürte die Nation in einem jähen Erschrecken, mancher auch in Scham, was die Nation an ihm besessen hatte, um freilich diese Einsicht bald genug wieder zu vergessen. Es soll und darf nicht vergessen werden.«[6]

Was hatte eine große Zahl von Deutschen gegen diesen Friedrich Ebert einzuwenden? »Der akademischen Weihe nicht teilhaftig, die auch im kaiserlichen Deutschland die Tore in die obere Gesellschaft öffnete, konnte ... Ebert nicht mehr als ein einzelner emporsteigen, sondern nur noch in seiner Klasse und durch seine Klasse«, bemerkte ein Ebert-Biograph[7]. Und hier liegt wohl ein Schlüssel zum Verständnis für das Verhältnis der Deutschen zu ihrem ersten Reichspräsidenten. Wäre sein Aufstieg über die üblichen Wege erfolgt, die in der Gesellschaft des Kaiserreichs möglich waren, weil sie innerhalb derjenigen gesellschaftlichen Normen verliefen, die die soziale Herkunft sekundär werden ließen, etwa über die akademische Bildung, wäre wohl auch ein Friedrich Ebert akzeptiert worden, wie Gustav

[6] Theodor Heuss, Die großen Reden. München 1967, S. 119 (28. 2. 1950).
[7] Michael Freund, Friedrich Ebert. In: Hermann Heimpel, Theodor Heuss, Benno Reifenberg (Hrsg.), Die großen Deutschen. Bd. 4, 2. Aufl. Berlin 1961, S. 421.

Stresemann akzeptiert wurde. Allerdings hätte dies eine politische Orientierung im Rahmen des konservativ-liberalen Parteienspektrums vorausgesetzt. Ebert aber war in den Augen der Gesellschaft nicht als Individuum, sondern als Typus emporgekommen, über Partei und Gewerkschaft. Er war Exponent sozialer Schichten und politischer Organisationsformen, die im Kaiserreich nichts galten oder doch Außenseiter blieben.

Beständig und willensstark wie Ebert war, konnte es kaum zweifelhaft sein, welchen Kurs der geschickte Taktierer steuern würde, als er seit dem 9. November 1918 vor der Alternative stand, die Radikalisierung der Revolution zuzulassen oder auf ihre schnelle Beendigung durch Begründung einer parlamentarischen und demokratischen Republik hinzuwirken. Durch sein Handeln bezog Ebert Stellung in dem die SPD charakterisierenden Zwiespalt zwischen programmatischem Sozialismus und pragmatischem Reformismus – ohne je dieses Problem durch prinzipielle Reflexion lösen zu können oder auch nur lösen zu wollen. Man mag darin Eberts Grenze sehen, erwies sich der Parteivorsitzende doch auch hier als Praktiker und Pragmatiker. Tatsächlich hat er die Partei unbeirrt geführt, ideologisch beherrscht aber hat er sie nie. Eberts Aufstieg in der SPD stand unter dem Zeichen eines zunehmenden Widerspruchs zwischen Theorie und Praxis der Sozialdemokratie, und doch sah es so aus, als berühre ihn diese Problematik kaum, denn er war stets ein Mann der Praxis. Er teilte weder die Ängste noch die weitreichenden geschichtsphilosophisch begründeten Hoffnungen der Sozialdemokratie, hatte weder das Trauma der Bismarckschen Sozialistengesetze, noch die marxistisch gefärbten Zukunftserwartungen.

Ebert war unverkennbar ein Mann der zweiten Generation, zwar ein loyaler Mitarbeiter August Bebels, aber ideologisch bereits weit von ihm entfernt. Als der ältere Parteigenosse Hermann Molkenbuhr Ebert 1905 in sein neues Amt als Sekretär des Parteivorstands einführte, packte ihn Entsetzen, wollte der junge Mann doch allen Ernstes Schreibmaschine und Telefon anschaffen. Wußte der junge Genosse denn nichts von den Verfolgungen, an die sich ältere Parteigenossen nur zu gut erinnerten, war er nicht in der Lage, konspirativ zu denken? Nun war das am 21. Oktober 1878 erstmals erlassene Reichsgesetz »wider die gemeingefährlichen Bestrebungen der Sozialdemokratie« nach dem 30. September 1890 nicht mehr verlängert worden – und das war immerhin eineinhalb Jahrzehnte her. Trotzdem dachte die zum Teil überalterte Parteiführung zu dieser Zeit noch kaum an aktive Einflußnahme auf die Staatsgeschäfte zum Zwecke allmählicher Demokratisierung und konnte realistischerweise auch noch nicht daran denken. Doch wurde dies immer mehr die Perspektive Eberts, wenngleich auch er sich kaum der Einsicht entziehen konnte, die SPD stehe in einem gefährdeten Abseits: Am 30. Juli 1914 beschloß der Parteivorstand, Ebert und Otto Braun mit der Parteikasse in die Schweiz zu schicken, damit die Partei, wenn sie bei Kriegsausbruch in Deutschland verboten werden sollte, aus der Emigration weitergeführt werden könnte. Die Vorsichtsmaßnahme erwies sich als überflüssig, Friedrich Ebert kehrte schon nach wenigen Tagen zurück, die SPD stimmte der Bewilligung der Kriegskredite zu.

Solche Vorsicht stammte aus historischer Erfahrung und zeigte die aus ihr resultierenden Ängste der Sozialdemokraten, zeigte auch, wie fundamental sich die Situation 1918 veränderte: Die Partei, die nahezu ein halbes Jahrhundert Oppositionspartei gewesen und zeitweilig in die Illegalität getrieben worden war, wurde nun plötzlich zur Regierungspartei – im Gefolge einer Revolution, die nicht ins theoretische Konzept paßte und die man nur zögernd akzeptierte. War es verwunderlich, daß die SPD die Regierungsverantwortung während der Weimarer Republik oft nur halbherzig mittrug? Auch hier bedeutete Ebert eine Chance, zählte er doch zu den wenigen zur Regierung befähigten und die Regierungsbeteiligung der SPD bejahenden Sozialdemokraten. Zudem vermittelte er der sozialen Basis der Partei eine weite Perspektive: er konnte die Arbeiterschaft aus dem politischen Getto führen, in dem sie seit Jahrzehnten lebte, er war ein Symbol für die Möglichkeit politischen Aufstiegs ohne Verleugnung der Herkunft.

Ebert personifizierte die von Max Weber so genannte Verantwortungsethik, er übernahm diese schwere politische Rolle, obwohl er wußte, daß sie persönlich und politisch Opfer kosten würde. Den Zwiespalt der Partei zwischen der reinen sozialistischen Lehre und praktischer, Kompromisse und Koalitionen erfordernder Politik zur Meisterung der Staatskrise mußte er in seiner Person ertragen, und er ertrug ihn. Wäre er der Programmatiker gewesen, den man zuweilen an ihm vermißt, er hätte diesen Weg nicht gehen können. Sicher fehlte es ihm an Brillanz und Glanz, aber auch darin war er typisch für die Partei, die er vertrat. Tatkraft, Willensstärke, Besonnenheit, ein klares Konzept, ein Ziel – auf diese Eigenschaften kam es im Winter 1918/1919 an, und Friedrich Ebert besaß sie.

Geheimrat von Schlieben stürzte bleich ins Vorzimmer des Reichskanzlers Prinz Max von Baden: »Die Revolution marschiert. Die Massen sind von Norden her von den Borsigwerken nach dem Stadtinnern zu in Bewegung und haben soeben fast kampflos die Kaserne der Garde-Füsiliere besetzt.« Das war um 10 Uhr 30 am 9. November 1918, einem Samstag[8]. Pausenlos war in den letzten Tagen und Stunden beraten worden: Wie kann der Ausbruch der Revolution auch in der Reichshauptstadt vermieden werden? Die Lage war äußerst brenzlig, dieses Mal würde es so glimpflich nicht abgehen wie beim politischen Massenstreik Ende Januar/Anfang Februar 1918, an dem zwar in Berlin rund 300000, im Ruhrgebiet rund 500000 Arbeiter teilnahmen, der aber von der SPD nicht gewollt wurde und über dessen Form auch in der USPD Uneinigkeit bestand. Damals hatte das Streikprogramm der Berliner Arbeiterräte zwar durchgehende Demokratisierung der gesamten Staatseinrichtungen und das gleiche, direkte und geheime Wahlrecht für alle Männer und Frauen über 20 Jahre in Preußen gefordert, nicht aber die Republikanisierung oder den Thronverzicht des Kaisers. Damals waren die Sozialdemokraten Friedrich Ebert, Philipp Scheidemann und Otto Braun in die Streikleitung eingetreten, um die Führung der Massen nicht den Linksradikalen zu überlassen, obwohl sie den Massenstreik als politisches Kampfmittel ablehnten.

Nun, im November, stand alles auf dem Spiel: Das Heer der Unzufriedenen war um ein Vielfaches größer, die USPD eindeutig für die Revolution, die in mehreren Städten des Reiches bereits ausgebrochen war.

Am 30. Oktober verhinderten Matrosen das – militärisch sinnlose und ohne Absprache mit der Reichsleitung und der Obersten Heeresleitung angeordnete – Auslaufen der Hochseeflotte und setzten damit ein unübersehbares Signal. Nur wenige Tage später ergriff die Matrosenmeuterei Kiel, am 4. November war die Hafenstadt in der Hand von Arbeiter- und Soldatenräten. Am 7. November verschärften die Mehrheitssozialdemokraten, die seit dem 4. Oktober in der Reichsregierung des Prin-

[8] Die Regierung des Prinzen Max von Baden. Bearb. v. Erich Matthias und Rudolf Morsey. Düsseldorf 1962, S. 619.

zen Max von Baden vertreten waren, ultimativ ihre Forderung nach Thronverzicht des Kaisers. Nur so glaubte die Parteiführung um Friedrich Ebert und Philipp Scheidemann die revolutionäre Bewegung steuern zu können: Die allgemeine Stimmung im Volke sehe im Kaiser den Schuldigen, ob mit Recht oder mit Unrecht, sei jetzt gleichgültig, hatte der Parteivorsitzende Ebert am 6. November dem Vertreter der Obersten Heeresleitung, General Groener, erklärt[9]. Am 7./8. November begann die Revolution in München, der Linkssozialist Kurt Eisner rief die Republik aus, König Ludwig III. entfloh mit unbekanntem Ziel, am 8. November unterzeichnete der Herzog von Braunschweig für sich und seine Nachkommen den Thronverzicht. Die Ereignisse überstürzten sich.

Alle dem Interfraktionellen Ausschuß des Reichstags und dem Kriegskabinett angehörenden Mitglieder der Mehrheitsparteien – Nationalliberale, Zentrum und Fortschrittliche Volkspartei – waren sich in dieser Situation mit ihren sozialdemokratischen Kollegen einig, daß weitere gravierende Verfassungsänderungen nach der am 28. Oktober erfolgten faktischen Parlamentarisierung der Reichsleitung notwendig seien. Das galt vor allem für den Hegemonialstaat Preußen, wo die seit langem überfällige Abschaffung des Dreiklassenwahlrechts erst in letzter Minute, am 24. Oktober, die Zustimmung des Herrenhauses gefunden hatte, aber noch nicht durchgeführt worden war, da verfassungsgemäß mehrere Lesungen erfolgen mußten. Demokratisches Wahlrecht, Parlamentarisierung und Regierungsbeteiligung der SPD auch in Preußen, Verstärkung des sozialdemokratischen Einflusses in der Reichsregierung: all das wollten die übrigen Parteien der Mitte, die mit der SPD im Reichstag die Mehrheit bildeten, akzeptieren. An der »Kaiserfrage« aber schieden sich die Geister, ungeachtet der Feststellung des Zentrumspolitikers Fehrenbach, der unter dem Eindruck des sozialdemokratischen Ultimatums am 8. November erklärte: »Ich stehe unter der Empfindung, daß wir über etwas debattieren, was um 4 Uhr vielleicht nicht mehr wichtig ist. Bis heute nachmittag hat die Abdankung des Kaisers zu erfolgen.«[10]

Doch erfolgte die Abdankung an diesem Freitag nicht mehr, und auch am folgenden Vormittag lag trotz ständiger Telefonate

[9] Ebd., S. 560.
[10] Ebd., S. 593.

zwischen der Reichshauptstadt und dem Großen Hauptquartier im belgischen Spa, wo der Kaiser sich in diesen Tagen aufhielt, keine Abdankungserklärung vor. Den Sinn einer solchen Erklärung sahen sowohl die Reichskanzlei als auch die Parteien des Interfraktionellen Ausschusses, soweit sie sie für notwendig hielten, keineswegs in der Abschaffung der Monarchie. Vielmehr meinten sie, nur durch einen Thronverzicht Wilhelms II. die Monarchie retten zu können. Auch General Groener, der noch in seiner Besprechung mit Vertretern der sozialdemokratischen Reichstagsfraktion und der Generalkommission der Gewerkschaften am 6. November in Berlin »kurz und scharf« erklärt hatte, von einer Abdankung des Kaisers könne keine Rede sein, da man unmöglich der Armee im letzten Ringen mit dem Feind den Obersten Kriegsherrn und damit ihren »autoritativen Halt« nehmen könne, hatte binnen weniger Tage seinen Sinn geändert: Als er am Morgen des 9. November Vortrag hielt, beendete er seinen Bericht, in Übereinstimmung mit dem Chef der Obersten Heeresleitung, von Hindenburg, mit der nachdrücklichen Empfehlung sofortiger Abdankung[11]. Die in den Noten des amerikanischen Präsidenten Wilson unverhohlen geforderte Abdankung hatte Staatssekretär Philipp Scheidemann in einem Brief an Reichskanzler Prinz Max von Baden am 29. Oktober 1918 mit der Begründung aufgenommen, »daß die Aussicht, zu erträglichen Bedingungen des Waffenstillstands und des Friedens zu gelangen, durch das Verbleiben des Kaisers in seinem hohen Amte verschlechtert wird«[12]. Doch noch am 1. November erklärte der Kaiser dem Staatsminister Drews, der ihm im Auftrag des Reichskanzlers eingehend und realistisch Vortrag über die militärisch und politisch aussichtslose Lage gehalten hatte: »Nun, ich will Ihnen gleich erklären: ich danke nicht ab.«[13]

Nach dramatischer Zuspitzung der Situation und dem sozialdemokratischen Ultimatum vom 7. November, rang sich der vom Reichskanzler und schließlich auch von der Militärführung gedrängte Kaiser zu einer Bereitschaftserklärung durch, die der Reichskanzlei am 9. November gegen 14 Uhr übermittelt wurde: »Um Blutvergießen zu vermeiden, sind Seine Majestät be-

[11] Ernst Rudolf Huber, Deutsche Verfassungsgeschichte seit 1789. Bd. 5, Stuttgart 1978, S. 679.

[12] Ernst Rudolf Huber (Hrsg.), Dokumente zur deutschen Verfassungsgeschichte. Bd. 2, Stuttgart 1964, S. 495.

[13] Die Regierung des Prinzen Max, S. 461.

reit, als Deutscher Kaiser abzudanken, aber nicht als König von Preußen.«[14]

Nicht aber als König von Preußen! 9. November, 14 Uhr: zu spät, wie alle anderen Reformversuche auch, das Deutsche Kaiserreich und das Königreich Preußen zu retten. Kein gefährlicherer Augenblick für eine schlechte Regierung als der, in dem sie sich zu reformieren beginnt, so hatte Alexis de Tocqueville über eine andere Revolution, die Französische von 1789, geurteilt[15]. Einsicht in die militärisch ausweglose Situation, Reform der zunehmend ungerechten Wahlkreiseinteilung im Reich, Parlamentarisierung des Reiches, Wahlrechtsreform in Preußen – immer fand sich die preußische Führungsschicht erst zu Konzessionen bereit, wenn die Entwicklung nicht mehr aufzuhalten und nichts mehr zu retten war. Nichts ist symptomatischer dafür als der Kampf um die Beseitigung des Dreiklassenwahlrechts zum Preußischen Abgeordnetenhaus, für das sich die konservative Mehrheit noch bis Anfang Oktober 1918 der Unterstützung der Obersten Heeresleitung versichern wollte. Erst als diese Unterstützung aus Gründen militärpolitischen und – wie sich später zeigen sollte – weitsichtigen innenpolitischen Kalküls versagt wurde, stimmte man einer Wahlrechtsänderung zu, zu einem Zeitpunkt, als bereits Millionen deutscher Soldaten gefallen waren, als alle Einsichtigen diese Opferbereitschaft und Pflichterfüllung als Kehrseite der Gleichberechtigung in der Ausübung staatsbürgerlicher Rechte ansahen.

So bedeutend die Verdienste der adlig, militärisch, protestantisch, ostelbisch und auch etatistisch geprägten konservativen Führungsschicht in der Geschichte Preußens auch waren, so kläglich war ihr Versagen in den letzten Jahren der Monarchie, so belastend ihr allzulanger Abschied von der Macht, die sie nicht teilen wollte und die sie auch deshalb verlor. Schon die Mitbeteiligung der lange Zeit diskriminierten »Reichsfeinde« – vor allem der Sozialdemokraten, in geringerem und sich abschwächendem Maße aber auch des katholischen Zentrums und der Fortschrittler – hätte, zur rechten Zeit, noch ausgereicht. Denn auch die Sozialdemokraten waren in ihrer Mehrheit, wie sich spätestens im August 1914 gezeigt hatte, keine unpatriotischen Revolutionäre mehr, wenn sie es je gewesen

[14] Huber (Hrsg.), Dokumente, Bd. 2, S. 510.

[15] Alexis de Tocqueville, L'Ancien régime et la révolution. In: Œuvres complètes. Hrsg. v. J. P. Mayer, Bd. 2, Paris 1952, S. 223.

waren. So ist dem württembergischen Liberalen Conrad Haußmann, Reichstagsabgeordneten und Staatssekretär im Kriegskabinett des Prinzen Max und späteren Vorsitzenden des Verfassungsausschusses der Weimarer Nationalversammlung, zuzustimmen: »Der Geburtsfehler der Oktoberregierung war, daß sie erst *Oktober*regierung war. Eine Septemberregierung und vor allem eine Märzregierung hätte noch handeln können.«[16]

Noch einmal Samstag, 9. November 1918: Gegen 14 Uhr traf die Bereitschaftserklärung des Kaisers in Berlin ein. Was konnte sie noch bewirken? Nichts mehr. Der Reichskanzler, ein Prinz von Geblüt und alles andere als ein Revolutionär, nicht einmal ein Anhänger des Parlamentarismus, aber ein in dieser Situation einsichtiger Mann, glaubte nach der am Vormittag eingehenden Ankündigung der Erklärung nicht mehr auf ihren definitiven Wortlaut warten zu können; Reichskanzler Prinz Max von Baden hielt es für seine staatsbürgerliche Pflicht, den als feststehend mitgeteilten Entschluß des Kaisers bekanntzugeben, so lange es noch einen Sinn hatte[17]. Konsequent ließ er über Wolffs Telegraphisches Büro gegen 12 Uhr die seit Tagen[18] erwartete und nun nicht mehr vermeidbare – von Geheimrat Simons formulierte – Nachricht verbreiten: »Der Kaiser und König hat sich entschlossen, dem Throne zu entsagen. Der Reichskanzler bleibt noch so lange im Amte, bis die mit der Abdankung des Kaisers, dem Thronverzicht des Kronprinzen des Deutschen Reiches und von Preußen und der Einsetzung der Regentschaft verbundenen Fragen geregelt sind. Er beabsichtigt, dem Regenten die Ernennung des Abgeordneten Ebert zum Reichskanzler und die Vorlage eines Gesetzentwurfs wegen der sofortigen Ausschreibung allgemeiner Wahlen für eine Verfassunggebende deutsche Nationalversammlung vorzuschlagen, der es obliegen würde, die künftige Staatsform des deutschen Volkes ... endgültig festzustellen.«[19]

Nicht aber als König von Preußen ... Die kaiserliche Absichtserklärung war also bereits Makulatur, als sie in der Reichskanzlei einging. Die zwei Stunden früher veröffentlichte Bekanntmachung des Prinzen Max ging in allen Punkten über sie hinaus: sie kündigte den Thronverzicht nicht an, sondern erklärte ihn.

[16] Die Regierung des Prinzen Max, S. 631.
[17] Zit. bei Huber, Deutsche Verfassungsgeschichte, Bd. 5, S. 684.
[18] Die Regierung des Prinzen Max, S. 617f.
[19] Huber (Hrsg.), Dokumente, Bd. 2, S. 510.

9. November 1918: Um 9 Uhr hatten die mehrheitssozialdemokratischen Mitglieder des Reichskabinetts, Scheidemann und Bauer, endgültig ihren Austritt aus der Regierung erklärt, nachdem der Parteivorstand Verhandlungen mit den Unabhängigen Sozialdemokraten beschlossen und die SPD unter dem Eindruck der immer mehr um sich greifenden revolutionären Massenbewegung zu dem Entschluß gelangt war, »bei einer notwendigen Aktion *gemeinsam* mit den Arbeitern und Soldaten vorzugehen. Die Sozialdemokratie solle dann die Regierung ergreifen, gründlich und restlos, ähnlich wie in München, aber möglichst ohne Blutvergießen.«[20]

Aber auch der Versuch des Prinzen Max, durch eigenmächtiges Vorpreschen für die Monarchie noch zu retten, was zu retten war, erwies sich als verspätet, wurde durch Ereignisse überholt, an denen er selbst unmittelbar beteiligt war: In der sich zuspitzenden revolutionären Situation, in der der sozialdemokratische Parteivorstand sich in letzter Minute an die Spitze der Bewegung stellte, um sie steuern zu können, gelangte der Reichskanzler zu der Einsicht, daß er die Einsetzung einer Regentschaft nicht mehr abwarten könne und dem Vertreter der stärksten Partei sofort das Amt des Reichskanzlers anbieten müsse.

Ob Ebert nun lange gezögert hat oder nicht, schließlich akzeptierte er, er schätzte wie der Prinz den von solcher Amtsübergabe ausgehenden staatsrechtlichen Effekt positiv ein. Allerdings konnte es nur ein Effekt sein, staatsrechtlicher Prüfung hielt eine solche Amtsübergabe nicht stand, war doch nach der noch geltenden Reichsverfassung der amtierende Reichskanzler keineswegs befugt, sein Amt selbständig an einen Nachfolger zu übergeben. Aber Legalitätseffekte haben manchmal größere politische Wirkung als die Legalität selbst, und politische Plausibilität besaß der Vorgang zweifellos, hatte doch die stärkste politische Partei in ihrem Ultimatum vom 7. November eine Verstärkung ihres Einflusses im Reichskabinett gefordert: nur mit ihrer Hilfe konnte eine weitere Radikalisierung der Revolution vermieden werden. Als die sozialdemokratische Deputation am 9. November um 12 Uhr 35 beim Reichskanzler erschien, erklärte denn auch Friedrich Ebert: Die Sozialdemokraten hielten es zur Wahrung von Ruhe und Ordnung und zur Vermeidung von Blutvergießen unbedingt für erforderlich,

[20] Die Regierung des Prinzen Max, S. 613.

»daß die Regierungsgewalt an Männer übergehe, die das volle Vertrauen des Volkes besitzen«. Er forderte für seine Partei das Amt des Reichskanzlers und des Oberstkommandierenden in den Marken[21]. Im weiteren Verlauf der Unterredung erklärte der Reichskanzler: »Da wir nicht die Macht in Händen haben, da die Situation so ist, und die Truppen versagt haben, so schlage ich vor, daß der Abgeordnete Ebert den Posten des Reichskanzlers annimmt.« Nach einem »Moment des Bedenkens« antwortete Ebert: »Es ist ein schweres Amt, aber ich werde es übernehmen.«[22]

Während noch in der Reichskanzlei unter Vorsitz Eberts mit Vertretern der USPD verhandelt wurde und diese wegen der Abwesenheit ihres Vorsitzenden Hugo Haase keine bindenden Erklärungen über den Eintritt in die Regierung machen konnten, hatte sich die Lage auf den Straßen Berlins weiter zugespitzt: gleich zweimal wurde in dieser Situation die Republik ausgerufen. Philipp Scheidemann war auf die Nachricht hin, daß Karl Liebknecht vom Balkon des Berliner Stadtschlosses rede und beabsichtige, die »Sowjetrepublik« auszurufen, aus der Kantine auf den Balkon des Reichstagsgebäudes geeilt; der wartenden Menge hielt er – in solchen Augenblicken um zündende Worte nie verlegen – eine improvisierte Rede: »Das deutsche Volk hat auf der ganzen Linie gesiegt; das Alte, Morsche ist zusammengebrochen. Der Militarismus ist erledigt. Die Hohenzollern haben abgedankt. Ebert bildet die neue Regierung. Alle sozialistischen Richtungen werden ihr angehören. Jetzt besteht unsere Aufgabe darin, diesen glänzenden Sieg, diesen vollen Sieg des deutschen Volkes, nicht beschmutzen zu lassen ... Es lebe die deutsche Republik.«[23] Tatsächlich war Scheidemann damit den Radikalen zuvorgekommen, denn der Linkssozialist Karl Liebknecht hielt seine Rede erst ungefähr zwei Stunden später, gegen 16 Uhr: »Ich proklamiere die freie sozialistische Republik Deutschland, die alle Stämme umfassen soll, in der es keine Knechte mehr geben wird, in der jeder ehrliche Arbeiter

[21] Die Regierung der Volksbeauftragten 1918/19. Eingel. v. Erich Matthias, bearb. v. Susanne Miller unter Mitwirkung v. Heinrich Potthoff. Düsseldorf 1969, Teil I, S. 4.

[22] Ebd., S. 6.

[23] Huber, Dokumente, Bd. 3, S. 1f.; z.T. abweichender Wortlaut, vgl. etwa Cuno Horkenbach, Das Deutsche Reich von 1918 bis heute. Berlin 1930, S. 31f.; Philipp Scheidemann, Memoiren eines Sozialdemokraten. Bd. 2, Dresden 1928, S. 311f. Vgl. auch die kürzere Fassung in: Die Regierung des Prinzen Max, S. 630f.

den ehrlichen Lohn seiner Arbeit finden wird. Die Herrschaft des Kapitalismus, der Europa in ein Leichenfeld verwandelt hat, ist gebrochen. Wir rufen unsere russischen Brüder zurück. Sie haben bei ihrem Abschied zu uns gesagt: ›Habt ihr in einem Monat nicht das erreicht, was wir erreicht haben, so wenden wir uns von euch ab.‹ Und nun hat es kaum vier Tage gedauert.«[24]

Die Konstellation, unter der die Republik ins Leben gerufen worden ist, wurde durch Liebknechts Rede klar erkennbar: Die Republik hatte von ihrem Beginn an mit zwei Gegnern, ja Feinden, zu rechnen – sie standen rechts und links: Die abgelösten politischen Kräfte und Führungsschichten standen ihr ebenso feindselig gegenüber wie die Linkssozialisten, die sich als Agenten der Weltrevolution verstanden und eine Republik nach sowjetischem Vorbild wollten, die »Diktatur des Proletariats« – eine Diktatur von Parteifunktionären nach dem Motto: Alles für das Volk, nichts durch das Volk.

Was wollte das Volk an diesem denkwürdigen Novembertag? Wer ist »das Volk«? Das deutsche Volk bildete so wenig wie irgendein anderes eine politische oder gesellschaftliche Einheit, es bildete auch keine Einheit im Hinblick auf Konfession, Bildung und Vermögen. Wenn Scheidemann oder Liebknecht von Volk sprachen, dann hatte das wie bei allen Revolutionären einen polemischen und einen reduzierenden Sinn: Sie meinten die sozialen Unterschichten oder, noch eingeschränkter, die Proletarier. Aber zum deutschen Volk gehörten 1918 alle Gesellschaftsschichten, zählten Offiziere und Soldaten, Angestellte und Arbeiter, Handwerker und Händler, Unternehmer und Landwirte, Politiker und Beamte, Professoren und Studenten. Wollten sie politisch dasselbe, konnten sie überhaupt dasselbe wollen?

Und noch einmal, ein letztes Mal in dieser Geschichte, 9. November 1918: »Als der trübe Novembertag anbrach, zeigte sich nichts, was ihn von anderen Tagen abhob. Die Verkehrsmittel waren vollständig im Betrieb und die Arbeitermassen strömten wie sonst in die Fabriken, Bureaus und Geschäftshäuser. Der Spießer konnte ruhig seinen gewohnten Morgenkaffee trinken. Revolutionsstimmung war äußerlich nirgends sichtbar.«[25]

[24] Nach Richard Müller, Die Novemberrevolution. Berlin 1925 (Neudruck Berlin 1976), S. 13.

[25] Ebd., S. 11.

Nicht nur »der Spießer« verhielt sich an diesem Samstagmorgen wie gewohnt, es gab auch revolutionäre Arbeiter, die mit dem Ruf geweckt werden mußten, »Steh auf, Arthur, heute ist Revolution«,[26] die sich dann den Schlaf aus den Augen rieben und fragten, ob die Revolution noch Traum oder schon Wirklichkeit sei. Als Arthur sich von letzterem überzeugt hatte und von den Genossen bewaffnet worden war, stürzte er sich jedoch sofort mit dem Ruf »Mach's gut Cläre!« ins revolutionäre Getümmel. Der 9. November blieb nicht so friedlich wie er scheinbar begonnen hatte, schließlich hatte die SPD-Führung um 8 Uhr den Generalstreik ausgerufen, die zum linken Flügel der SPD zählenden »revolutionären Obleute« hatten wegen der am Vortag erfolgten Verhaftung ihres Mitglieds Ernst Däumig zum Kampf für die sozialistische Republik aufgefordert, Hunderttausende waren auf den Straßen der Reichshauptstadt, Demonstrationen, Aktionen bewaffneter Revolutionäre, Besetzungen von Schlüsselstellungen, Schießereien, Tote und Verletzte bestimmten das Bild.

Am Sonntag den 10. November habe in Berlin der »volle Umsturz« gesiegt, berichtete ein Chronist, dabei sei u. a. »der kaiserliche Marstall, in dem kaisertreue Offiziere sich zur Wehr gesetzt haben sollen (gefunden hat man keine), der Schauplatz einer heftigen Schießerei« geworden. »Im ganzen verlief der Umsturz indessen unter ungeheurem Aufmarsch der Arbeiter unblutig.«[27] Was diese Arbeitermassen bewegte, war wohl in erster Linie die Hoffnung, mit dem Umsturz das Deutsche Reich dem Frieden nähergebracht zu haben: Brot und Frieden dürften zu ihren wichtigsten Motiven gezählt haben, als sie auf die Straße gingen.

Und wie sahen adlige und bürgerliche Chronisten das Ende der Monarchie? Der liberale Harry Graf Kessler ging am Schöneberger Ufer vorbei zum Kriegsministerium: »Durch die Königgrätzer Straße zog eine Demonstration gegen den Potsdamer Platz ... An der Ecke der Königgrätzer und Schöneberger Straße wurden Extrablätter verkauft: ›Abdankung des Kaisers‹. Mir griff es doch an die Gurgel, dieses Ende des Hohenzollernhau-

[26] Cläre Casper-Derfert, »Steh auf, Arthur, heute ist Revolution!« (Berlin, Anfang Nov. 1918). In: Wolfgang Emmerich (Hrsg.), Proletarische Lebensläufe. Autobiographische Dokumente zur Entstehung der zweiten Kultur in Deutschland. Bd. 2: 1914–1945. Reinbek 1975, S. 174.

[27] Gottlob Egelhaaf, Historisch-politische Jahresübersicht für 1918. Stuttgart 1919, S. 21f.

ses; so kläglich, so nebensächlich, nicht einmal im Mittelpunkt der Ereignisse. ›Längst überholt‹, sagte Ow schon heute morgen. Ich zog mir zu Hause Zivil an, weil Offizieren die Achselstücke und Kokarden abgerissen wurden . . . In der Wilhelmstraße sah ich das erste rotbeflaggte Auto, ein feldgraues mit dem kaiserlichen Adler.«[28] Und Theodor Wolff wunderte sich im ›Berliner Tageblatt‹ vom 10. November, daß »eine so fest gebaute, mit so soliden Mauern umgebene Bastille so in einem Anlauf genommen worden ist. Es gab noch vor einer Woche einen militärischen und zivilen Verwaltungsapparat, der so verzweigt, so ineinander verfädelt, so tief eingewurzelt war, daß er über den Wechsel der Zeiten hinaus seine Herrschaft gesichert zu haben schien . . . eine riesige Militärorganisation schien alles zu umfassen, in den Ämtern und Ministerien thronte eine scheinbar unbesiegbare Bureaukratie. Gestern früh war, in Berlin wenigstens, das alles noch da. Gestern nachmittag existierte nichts mehr davon.«[29]

Wo aber stand des Kaisers Heer, als seine Abdankung diskutiert, Revolutionsgefahr und sozialdemokratisches Ultimatum im Großen Hauptquartier zu Spa erörtert wurden? War dieses Heer einsatzbereit, den Kaiser und die Monarchie zu retten? Wo stand seine Führung, als der Monarch erklärte, friedlich an der Spitze des Heeres in die Heimat zurückkehren zu wollen? War das Heer bereit, trotz aussichtsloser Lage weiterzukämpfen, wäre es gegen die revolutionäre Heimat einsatzfähig gewesen?

General Groener sagte zu seinem Kaiser und König am Morgen des 9. November: »Das Heer wird unter seinen Führern und kommandierenden Generalen in Ruhe und Ordnung in die Heimat zurückmarschieren, aber nicht unter dem Befehl Ew. Majestät, denn es steht nicht mehr hinter Ew. Majestät.«[30] Am Abend desselben Tages konstatierte der Chef der Obersten Heeresleitung, Generalfeldmarschall von Hindenburg, in realistischer Einschätzung der Lage: »Ich kann es nicht verantworten, daß Ew. Majestät von meuternden Truppen nach Berlin verschleppt und der revolutionären Regierung als Gefangener ausgeliefert werden.«[31] In widerstrebender Anerkennung seiner

[28] Harry Graf Kessler, Tagebücher 1918–1937. Hrsg. v. Wolfgang Pfeiffer-Belli, Neuaufl. Frankfurt a. M. 1971, S. 23.
[29] Zit. nach Müller, Die Novemberrevolution, S. 17.
[30] Horkenbach, Das Deutsche Reich, S. 31.
[31] Ebd.

Ohnmacht flüchtete der Kaiser, dem Rat seiner engsten Umgebung folgend, in der Dunkelheit des folgenden Morgens nach Holland. Das war das Ende einer mehr als fünfhundertjährigen Geschichte der Hohenzollernmonarchie, es war ein klägliches Ende, und so verwundert es kaum, daß ihre Anhänger mit diesem Ende nichts zu tun haben wollten und wiederum die Fehler nicht in der eigenen Politik suchten.

Wie sah der neue Reichskanzler, der binnen weniger Stunden von einem quasi kaiserlichen zu einem republikanischen Regierungschef wurde, diese Wendung? Er hörte von einigen Arbeitern und Soldaten, die mit Scheidemann wieder in die Reichstagskantine zurückkehrten: »Scheidemann hat die Republik ausgerufen!« Ebert lief dunkelrot an, schlug die Faust auf den Tisch, schrie: »Ist das wahr?« und dann: »Du hast kein Recht, die Republik auszurufen! Was aus Deutschland wird, ob Republik oder was sonst, das entscheidet eine Konstituante!«[32] Verwunderlich, daß der Vorsitzende einer republikanisch-sozialistischen Partei so reagierte, und Scheidemann fragte sich erstaunt, wie ein »solch kluger Mensch« so reagieren könne, der noch am Vormittag des 9. November Regentschaft, Reichsverweserschaft und ähnliches als »total erledigtes monarchisches Gerümpel« bezeichnet hatte.

Eberts Reaktion war keineswegs nur Theaterdonner, vielmehr hatte er immer wieder gefordert, die künftige staatsrechtliche Gestaltung Deutschlands ausschließlich einer aus allgemeinen, gleichen und geheimen Wahlen hervorgehenden Konstituante als Repräsentation des Volkswillens zu übertragen.

»Die Revolution war in erster Linie eine Militärrevolution, sie ist gleichzeitig an weit auseinanderliegenden Stellen der Front und in der Heimat aufgeflammt. Ihr Verlauf war überall derselbe: ein kampfloses Zusammenbrechen, ein Verschwinden der Offiziere, eine Herrschaft der Soldatenräte und dann ein Durcheinander, während die Soldaten und Matrosen zunächst nur eine Art vergnügten Feriengefühls zeigten.« Das notierte am 30. Dezember 1918 ein kluger zeitgenössischer Beobachter, Ernst Troeltsch[33]. Jetzt die Regierung zu übernehmen hieß, den Tanz auf einem Vulkan wagen. Die Zahl der existenzbedrohen-

[32] Scheidemann, Memoiren, Bd. 2, S. 313.

[33] Ernst Troeltsch, Spektator-Briefe. Aufsätze über die deutsche Revolution und die Weltpolitik 1918/22. Hrsg. v. H. Baron, Tübingen 1924, Neudruck Aalen 1966, S. 26.

den Probleme des Reiches war unübersehbar: Stabilisierung der Revolutionsregierung, Friedensschluß, Sicherung der Reichseinheit, Sicherung der Versorgung, Rückführung des Millionenheers von Soldaten, Wahrung der Rechtsstaatlichkeit, Bestandsaufnahme der durch den Krieg entstandenen unübersehbaren wirtschaftlichen und sozialen Folgen, Umstellung der Kriegs- auf Friedenswirtschaft, Vorbereitung einer neuen staatlichen und gesellschaftlichen Ordnung ... Schon diese wenigen Stichworte zeigen: Keine der vorangegangenen Reichsregierungen hatte vor einer solchen Fülle von Problemen gestanden, keine auch auf machtpolitisch und verfassungspolitisch derart schwankendem Grund. »Wer heute imstande ist, Ordnung zu schaffen und zu bewahren, der ist der Retter des Vaterlandes ...«, meinte einer der führenden Politiker des zusammengebrochenen Kaiserreichs[34]. Friedrich Eberts Verdienst ist die Rettung des Deutschen Reiches in diesen Monaten gewesen, aber die Republik ist schließlich gescheitert, nicht mehr zu seinen Lebzeiten, nicht mehr zu seinen Amtszeiten zwar, doch nur wenige Jahre später. Die Frage also ist unabweisbar: War Eberts Weichenstellung in der gegebenen historischen Situation richtig oder hätte eine andere Politik größere Chancen gehabt, die Republik zu stabilisieren?

Historische Gerechtigkeit verlangt eine erste Einschränkung: Wir Nachlebenden wissen um das Scheitern der Republik, wir kennen wesentliche Ursachen ihres Scheiterns, das seit Jahrzehnten mit zunehmender Intensität erforscht wird. Diese historische Erfahrung konnten die Zeitgenossen von 1918/19 nicht für ihre Entscheidungen verwerten. Es ist wohlfeil, nach 70 Jahren Abstand Ratschläge zu geben. Auf der anderen Seite dürfen und können wir auf die historische Erfahrung nicht verzichten, wir müssen nach den Ursachen fragen und können uns vor historischen Urteilen nicht drücken. Neben dem tatsächlichen Geschehen muß berücksichtigt werden, was im zeitgenössischen Horizont als möglich und praktikabel angesehen wurde.

Was war zur Sicherung der Regierungsgewalt zunächst nötig? Es war Nacht im Hauptquartier des Großen Generalstabs in Spa. Der Erste Generalquartiermeister studierte die Waffenstillstandsbedingungen, die der französische Marschall Foch der

[34] Zit. bei Werner Blumenberg, Kämpfer für die Freiheit. Berlin, Bonn, Bad Godesberg, 1955, S. 116.

deutschen Delegation unter Leitung des Zentrumspolitikers Matthias Erzberger am 8. November übergeben hatte. Sie liefen auf eine Entwaffnung Deutschlands hinaus und forderten eine Räumung nicht nur der von deutschen Truppen besetzten Gebiete einschließlich Elsaß-Lothringens, sondern überdies die Einnahme strategisch wichtiger Brückenköpfe im Reichsgebiet durch Frankreich und die übrigen Westalliierten: Mainz, Koblenz, Köln[35]. Ihre Annahme war gleichbedeutend mit dem Eingeständnis, daß das Reich militärisch am Ende war. Der General wußte, daß die Lage militärisch ausweglos war. In Berlin war am Mittag die Revolution ausgebrochen, ihre Radikalisierung stand zu befürchten, schließlich gab es Vorbilder: erst ein Jahr war es her, seit die bolschewistische Revolution in Rußland gesiegt hatte und dort eine »Diktatur des Proletariats« errichtet worden war. Karl Liebknecht betrachtete die Bolschewisten als seine Brüder, er hatte es ja selbst vor wenigen Stunden gesagt. Der General war über die Lage in der Reichshauptstadt informiert. Schließlich griff er zum Telefon, rief über den geheimen Draht, der Hauptquartier und Reichskanzlei verband, in Berlin an: »Hier Groener«, »Hier Ebert.«

Ergebnis dieses Gesprächs war der für Revolution und Republik folgenreiche »Pakt« zwischen Ebert und Groener. Zu diesem Zeitpunkt handelten beide aus eigenem Entschluß: Weder hatte Groener den Chef der Obersten Heeresleitung von Hindenburg konsultiert – das geschah erst am folgenden Tag –, noch hatte Ebert Parteivorstand oder Revolutionsregierung befragt – letztere wurde wenige Stunden später, am gleichen 10. November, von SPD und USPD gebildet. Das Bündnis zwischen der OHL und Ebert war also der erste machtpolitisch entscheidende Akt zur Stabilisierung der Regierungsgewalt. Die Motive der ungleichen Bündnispartner sind klar: Der Reichskanzler besaß zu diesem Zeitpunkt noch keine wirkliche Machtbasis, er wäre sowohl gegenrevolutionären Bestrebungen von rechts – etwa von seiten des Militärs – als auch linksradikalen Umsturzversuchen des marxistischen Spartakusbundes oder der revolutionären Obleute mehr oder weniger schutzlos ausgeliefert gewesen. Da Ebert aber möglichst rasch die aus der Revolution entstehende Republik parlamentarisch legitimieren wollte und zur Lösung der anstehenden Probleme auf die Mitarbeit der bestehenden Institutionen staatlicher Herrschaft angewiesen war,

[35] Horkenbach, Das Deutsche Reich, S. 30.

mußte ihm das Angebot Groeners, die OHL stelle sich der neuen Regierung unter bestimmten Bedingungen zur Verfügung, äußerst gelegen kommen.

Groener seinerseits ging von der Notwendigkeit des Waffenstillstands aus, der politisch legitimiert und verantwortet werden mußte. Ein gleichrangiges Motiv lag für ihn darin, um jeden Preis eine Revolution nach bolschewistischem Muster verhindern zu wollen. Dieses Ziel aber war nur mit Ebert erreichbar. In diesem Sinne schrieb er am 17. November an seine Frau: »Der Feldmarschall und ich wollen Ebert, den ich als geraden, ehrlichen und anständigen Charakter schätze, stützen, solange es geht, damit der Karren nicht noch weiter nach links rutscht. Wo aber ist der bürgerliche Mut geblieben? Daß eine verschwindende Minderheit das ganze Deutsche Reich samt den Einzelstaaten glatt umwerfen konnte, ist eine der traurigsten Erscheinungen der ganzen Geschichte des deutschen Volkes ... Wenn in Berlin die Radikalen mit Liebknecht die Oberhand bekommen sollten, dann ist der Bürgerkrieg unausbleiblich. Dann ist auch kein Frieden zu erwarten. Weder Amerika noch England können mit einer Liebknecht-Regierung Frieden schließen ...«[36]

Das Bündnis wurde durch verschiedene Telegramme zwischen Ebert und der OHL sowie entsprechende Aufrufe besiegelt[37]. Die Forderungen der OHL waren nicht unbillig, sie betrafen die Aufrechterhaltung des Gehorsams in der Truppe, die Dienstregelungen und die Sicherung der Verpflegung.

Auf der Grundlage dieses Bündnisses war es Ebert in den nächsten Monaten möglich, seine politischen Ziele konsequent zu verfolgen und die staatsrechtliche Revolutionierung des Reiches zu sichern. Insofern erfüllte das Bündnis seinen Zweck. Und doch hatte es einen Pferdefuß, der sich erst später deutlicher zeigte: Die Bereitschaft zur Zusammenarbeit mit der Revolutionsregierung war einer der geschicktesten Schachzüge, den die OHL in dieser Situation machen konnte. Die OHL ging von der Tatsache aus, daß der Kaiser vor seiner Flucht nach Holland Generalfeldmarschall von Hindenburg die militärische Kommandogewalt übertragen hatte, sie leitete ihre Legitimation also vom Kaiser und damit der alten Verfassung her, nicht aber von den neuen Machthabern. Für die Argumentation der

[36] Dorothea Groener-Geyer, General Groener. Soldat und Staatsmann. Frankfurt a. M. 1955, S. 117.

[37] Huber (Hrsg.), Dokumente, Bd. 3, S. 9–13.

OHL war es hilfreich, daß der letzte kaiserliche Reichskanzler sein Amt auf Ebert übertragen hatte: So wenig dieser Akt verfassungsrechtlich haltbar war, so wichtig wurde er doch für die politische Legitimierung Eberts gegenüber den bestehenden Behörden und dem Militär – man lebte mit der Fiktion einer quasi-legalen Amtsübertragung. Die OHL beanspruchte in dieser Konstellation weiterhin, neben der Revolutionsregierung eigenverantwortlich zu handeln, nicht aber politisch weisungsgebunden zu sein. Angesichts der faktischen Machtkonstellation blieb die schon während des Krieges weitgehend extrakonstitutionelle Stellung der OHL bestehen, wenngleich Ebert in der oben zitierten großen Reichstagsrede vom Oktober 1918 selbst auf die verfassungspolitische Problematik aufmerksam gemacht hatte.

Natürlich hätte Ebert auch anders handeln können, dann aber hätte er erstens einen mehr oder weniger eindeutigen Linkskurs steuern müssen, um sich der marxistischen Kräfte sicher zu sein, und zweitens Bürgerkrieg und totales Chaos, möglicherweise auch den Zerfall des Reiches, in Kauf nehmen müssen. Jede dieser Gefahren schien ihm größer als diejenigen, die sich aus dem Bündnis mit der OHL ergaben. Auch mochte er denken, er könne sein im Oktober 1918 in der Reichstagsrede erklärtes Ziel, die extrakonstitutionelle Stellung der Militärs zu beseitigen, auf verfassungsmäßig-parlamentarischem Wege erreichen, wenn die Republik erst einmal etabliert sein würde. Als zwangsläufig mußte Ebert die künftige Entwicklung der Reichswehr und die mangelnde Unterordnung unter die politische Führung nicht ansehen.

Ein zweites, nicht weniger bedeutsames Bündnis wurde wenige Stunden später, am 10. November, geschlossen: die Regierungskoalition zwischen SPD und USPD. Dieser Pakt war kurzlebiger, aber kaum weniger folgenreich als der zwischen Ebert und Groener und stand zu diesem gleichsam in einem dialektischen Verhältnis. Zwar waren nicht, wie Scheidemann verkündet hatte, alle sozialistischen Richtungen in der aus je drei Mitgliedern der Unabhängigen und der Mehrheitssozialdemokraten gebildeten Regierung vertreten – die sich »Rat der Volksbeauftragten« nannte –, aber doch die beiden wichtigsten. Die Parteivorsitzenden Ebert und Haase übernahmen gemeinsam den Vorsitz, doch erwies sich bald, daß der ungleich energischere Ebert unbestritten Primus inter pares der Revolutionsregierung war, wobei ihm gegenüber den staatlichen Instanzen zugute kam, was ihm bei der revolutionären Linken schadete: die nur einen Tag wirksame Ernennung zum Reichskanzler. Ebert scheute sich keineswegs, neben der Bezeichnung Volksbeauftragter auch den Titel Reichskanzler weiterhin zu führen, obwohl die am 10. November gebildete Regierung ihre Legitimation aus Volkssouveränität und Revolution herleitete. Der am 12. November 1918 veröffentlichte »Aufruf des Rats der Volksbeauftragten an das deutsche Volk« begann daher auch mit dem Satz: »Die aus der Revolution hervorgegangene Regierung, deren politische Leitung rein sozialistisch ist, setzt sich die Aufgabe, das sozialistische Programm zu verwirklichen.«[38] Es existierte also gleichsam eine doppelte Legitimation: die durch die alten Gewalten und die Selbstlegitimation der Revolutionäre. In staatsrechtlicher Hinsicht war die eine so fragwürdig wie die andere.

In Berlin hätte sich eine reine SPD-Regierung wohl kaum halten können, da Hunderttausende von Revolutionsstimmung ergriffen waren und der Einfluß der USPD auf die hauptstädtischen Massen – zumindest zeitweise – größer war als der der Mehrheitssozialdemokratie. Bedenkt man außerdem, wie stark die auf eine »Diktatur des Proletariats« hinarbeitenden Kräfte um Karl Liebknecht und Rosa Luxemburg waren, die ein Zusammengehen mit den »Regierungssozialisten« strikt ablehnten, dann wird klar: Zwar war gegen die SPD als stärkste politische Partei mit beträchtlichem Massenanhang und Unterstützung der OHL nicht zu regieren, sie bedurfte aber ihrerseits der Koalitionäre, um nicht von der einen oder anderen Seite zerrieben zu werden. Die Taktik Eberts, sofort auf Bündnisse nach beiden Seiten zuzusteuern, erwies sich als erfolgreich.

Dabei hinderten ihn die Differenzen zum neuen Koalitionspartner nicht am unverzüglichen Abschluß, hatte er doch keine Zeit zu verlieren, wenn er die revolutionäre Entwicklung noch kanalisieren wollte. Einig waren sich die Partner über die Aufhebung des Belagerungszustandes und die Gewährung von Grundrechten, ferner über eine Reihe sozialpolitischer Maßnahmen, beispielsweise die Festsetzung des Acht-Stundentags, sowie die Einführung des allgemeinen, gleichen, geheimen, direkten Verhältniswahlsystems für alle Deutschen über 20 Jahre – einschließlich der bisher vom Wahlrecht ausgeschlossenen Frauen – für sämtliche Wahlen zu öffentlichen Körperschaften.

[38] Ebd., S. 6.

Diese Programmpunkte finden sich denn auch in dem zitierten Aufruf der Volksbeauftragten vom 12. November.

Uneinig waren sich die Partner demgegenüber in der Grundsatzfrage: Sollte die Revolutionsregierung auf die baldige Wahl einer Verfassunggebenden Nationalversammlung hinarbeiten, die souverän über die künftige Verfassung der Deutschen Republik zu entscheiden haben würde? Oder sollte die Revolutionsregierung zunächst Ziele eines revolutionären Sozialismus verwirklichen, beispielsweise die Sozialisierung großer Wirtschaftsunternehmen, die Etablierung des während der Revolution entstandenen Systems von Arbeiter- und Soldatenräten in allen gesellschaftlichen Sektoren – Verwaltung, Wirtschaft, Justiz, Militär – und schließlich im politischen Entscheidungsprozeß? Um diese Alternative wurde während der nächsten Wochen gerungen, doch brachte es die revolutionäre Situation mit sich, daß die Regierung eine Grundsatzentscheidung von solcher Tragweite nicht autonom fällen konnte, stand sie doch unter ständigem Druck der Straße, die immer wieder durch revolutionäre Gruppen mobilisiert wurde.

Die scheinbar klare Alternative komplizierte sich durch verschiedene Faktoren: Die Fronten verliefen quer durch die beiden Koalitionsparteien und ihre Anhängerschaft, es gab also auch zahlreiche Befürworter des Rätesystems innerhalb der SPD, ja es amtierten sogar einige bürgerliche Räte. Von den Rätemodellen zu unterscheiden sind die während des Jahres 1918 in Betrieben und beim Militär spontan entstandenen Arbeiter- und Soldatenräte, die während der Revolution politische Funktionen, z. B. auch in den staatlichen und kommunalen Behörden, erhielten.

Was aber war dieses Rätesystem? Es gab kein allgemein verbindliches Rätemodell, auf das alle Anhänger festzulegen gewesen wären, vielmehr vermengten sich präzise Vorstellungen über einzelne Wirkungsfelder und Funktionen der Räte mit höchst diffusen Zielen. Außerdem existierten konkurrierende Rätemodelle, und es blieb umstritten, wie weit der Einfluß der Räte gehen sollte: Sollten sie als gesamtgesellschaftlich konstitutiver und integrativer Bestandteil des künftigen politischen Systems organisiert oder sollten sie sektoral begrenzt werden?

Die damals radikalsten Rätemodelle liefen darauf hinaus, das Wahlrecht auf eine politisch und sozial definierte Klasse zu beschränken: auf den »werktätigen Teil« der Bevölkerung oder auch nur auf Arbeiter und Soldaten. Die Gewählten sollten demgemäß ein imperativ gebundenes Mandat ausüben. Sie waren also nicht Repräsentanten mit eigener, wenn auch zeitlich befristeter Entscheidungskompetenz – einem freien Mandat –, sondern an Weisungen und Aufträge der Wähler gebunden und ihnen zu unmittelbarer Rechenschaft verpflichtet. Die in Demokratien übliche Gewaltenteilung zwischen legislativer, exekutiver und judikativer Gewalt sollte beseitigt, Beamte, Richter und Offiziere sollten gewählt werden. Hierdurch wurden sie zu rechenschaftspflichtigen politischen Mandatsträgern, für deren Wahl fachliche Kompetenz zumindest nicht ausschlaggebend gewesen wäre.

Neben diesen Kernpunkten eines strikten Rätesystems wurde auch die Alternative eines wirtschaftlichen und eines politischen Rätesystems diskutiert. Keinem Zweifel unterliegt, daß das politische Rätesystem trotz sog. direktdemokratischer Elemente schon wegen der klassenmäßigen Beschränkung des Wahlrechts unvereinbar mit Demokratie ist. Umstritten hingegen ist auch noch in der heutigen Forschung, ob die parlamentarische Demokratie mit einem auf die Wirtschaft beschränkten Rätesystem vereinbar ist. Bis heute gibt es eine solche Kombination in der Realität nicht; massive Zweifel sind jedenfalls angebracht.

Ein durchaus unklares Konzept stellte der von Hugo Haase verfochtene »dritte Weg« dar: Zwar akzeptierte er ein politisches Parlament nach demokratischem Wahlrecht als Repräsentationsorgan, wollte aber seine Kompetenz durch eine Zweite Kammer – eine Art Räte-Parlament, die nur den werktätigen Teil der Bevölkerung vertreten sollte – einschränken. Nach den Spielregeln der Demokratie hätte indes eine solche Rätekammer lediglich berufsständische Interessenvertretung ohne allgemeinpolitisches Mandat sein dürfen. Die Frage stellt sich, mit welchem Recht anderen sozialen Schichten eine zusätzliche, mit politischer Kompetenz ausgestattete Interessenvertretung vorenthalten werden sollte.

Eins jedenfalls steht heute fest: Ein auch nur auf der politischen Linken von SPD bis Spartakus akzeptiertes Rätesystem war weder als Organisationsmodell noch als politisch eindeutig zuzuordnende Verfassungskonzeption erkennbar. Das besagt auch, daß die Identifizierung von Räten und Bolschewisten keineswegs der Realität entsprach. Tatsächlich amtierten Räte, die die russische Oktoberrevolution von 1917 als Vorbild ansahen und denen die Rätekonzeption als Vehikel zur Errichtung einer »Diktatur des Proletariats« diente, aber ebenso unzweifelhaft gab es Verfechter von Rätemodellen, die sozialdemokratisch orientiert waren und mit der Attachierung von Räten in den Institutionen staatlicher Herrschaft die Absicht verfolgten, eine »Republikanisierung« und »Demokratisierung« zu erreichen. Sie hielten etwa die zeitlich begrenzte Volkswahl von Richtern oder die Wahl von Offizieren durch die Soldaten für unerläßlich, um den monarchischen Geist zu vertreiben und den republikanischen zu etablieren. In vielen staatlichen Verwaltungen war in den ersten Revolutionswochen so verfahren worden. Man hatte Räte als Überwachungsorgane eingesetzt und damit häufig genug nicht nur die Organisationsstruktur der Verwaltung durcheinandergebracht, sondern auch ihre Effektivität stark vermindert, da republikanische Gesinnung allein noch nicht verwaltungsjuristische oder sonstige Kompetenz garantiert.

Auf der anderen Seite gab es Bereiche politischer Entscheidungen, in denen es tatsächlich eine äußerst belastende Hypothek für die Begründung der Republik gewesen wäre – und häufig genug auch wurde –, Monarchisten ohne politische Kontrolle durch die neuen Instanzen weiterarbeiten zu lassen. Auch hier mußte die Revolutionsregierung oft einen Weg zwischen Scylla und Charybdis steuern, und häufig entzogen sich lokale Instanzen ihrer Befehlsgewalt – ganz gleich, ob sie rechtsorientiert eine Restauration anstrebten oder linksorientiert die künftige sozialistische Staatsordnung vorbereiteten.

Die Streitfrage lautet: Konnte man sich für den Bau der demokratischen Republik der Räte bedienen oder stellten sie für diese eine Gefahr dar – sei es durch Chaotisierung oder Diktaturgelüste? Ebert kam es auf Wirkung und Ziel an: Er wollte keine unkontrollierte Räteherrschaft und hielt sie wohl auch aufgrund des Bolschewismus-Traumas jener Jahre für tatsächlich oder potentiell diktatorisch – jedenfalls für unvereinbar mit einem demokratischen Weg zum Neuaufbau des Reiches. Bolschewismus und Rätesystem: sehr groß schien für Ebert der Unterschied nicht zu sein. War nicht Liebknecht ein Verfechter des Rätesystems, und gab es nicht zweifelsfrei Bolschewisten unter seinen Anhängern? Allerdings kam auch Ebert um die Räte so schnell nicht herum, zu sehr war die Revolution an sie gebunden, zu sehr waren Teile seiner eigenen Partei und des Koalitionspartners in die Räte-Diskussion verstrickt. Man mußte zunächst mit den Räten ins Geschäft kommen, wenn man sie ausschalten wollte.

Die Revolutionsregierung tat zweierlei: Sie rief die Behörden auf, weiterhin ihren Dienst zu tun, stellte aber zugleich die während der Revolution entstandenen Arbeiter- und Soldatenräte nicht prinzipiell in Frage, forderte sie allerdings zur Mäßigung auf: »Die Arbeiter- und Soldatenräte, überhaupt alle durch den Übergang der Regierungsgewalt in die Hände des Volkes entstandenen politischen Organe werden aufgefordert, in die bestehende Organisation der Kohlewirtschaft nicht einzugreifen, sondern deren etwa erforderliche Umgestaltung der zentralen Volksregierung zu überlassen. Nur so kann das schwerste Unheil von dem Volke und dem zurückkehrenden Heere abgewendet werden.«[39] Und was für die Kohlewirtschaft galt, galt für alle Einrichtungen, die der Versorgung oder überhaupt der staatlichen Ordnung dienten. Dieser von Ebert und Haase gemeinsam unterzeichnete Aufruf stammte vom 12. November. Schon zwei Tage später, am 14. November, gingen die Volksbeauftragten noch einen Schritt weiter, indem sie selbst zur Bildung von Räten aufforderten: »Die neue deutsche Reichsregierung ruft hiermit alle Schichten der ländlichen Bevölkerung ohne Unterschied der Parteirichtung auf zu gemeinsamer freiwilliger Bildung von Bauernräten, um die Volksernährung, die Ruhe und Ordnung auf dem Lande sowie die ungehinderte Fortführung der ländlichen Betriebe sicherzustellen.«[40]

Ziel dieses Aufrufs war in erster Linie die Aufrechterhaltung landwirtschaftlicher Produktion und ihre Auslieferung an die städtische Bevölkerung. Die Revolutionsregierung mußte von vornherein dagegen ankämpfen, daß Großgrundbesitzer und Landwirte die Revolution dadurch boykottierten, daß sie die Versorgung der Städte einstellten, und daß andererseits ein derartiges Verhalten zu spontanen und unkontrollierbaren Eingriffen örtlicher Revolutionäre führte. Boykott und unqualifizierte Eingriffe bargen gleichermaßen die Gefahr, daß Erzeugung und Auslieferung der notwendigsten Lebensmittel ganz unterblieb – eine katastrophale Aussicht angesichts der schon bestehenden Ernährungsprobleme. Auf der anderen Seite versuchte man mit dieser Taktik die ständige Radikalisierung der Räte zu verhindern, sowie sie parteipolitisch und sozial auf eine breitere Basis zu stellen. Ebert bemühte sich außerdem mit Unterstützung

[39] Ebert, Schriften, Bd. 2, S. 95f.
[40] Ebd., S. 99.

von Parteifreunden erfolgreich, die politischen Organe der Rätebewegung durch Einschleusung von Sozialdemokraten zu mäßigen und damit USPD, Spartakus und Revolutionäre Obleute auszumanövrieren. Bis zum Allgemeinen Kongreß der Arbeiter- und Soldatenräte Deutschlands, der vom 16. bis zum 21. Dezember 1918 im Abgeordnetenhaus zu Berlin tagte, war dieses Ziel erreicht.

Arbeiter- und Soldatenräte Deutschlands? Da die Räte spontan auf lokaler oder betrieblicher Ebene entstanden, brauchte es naturgemäß Zeit, bis sie überregional organisierbar waren. Zu Beginn der Revolution nahm deshalb – ohne weitere Legitimation – der Berliner Arbeiter- und Soldatenrat das Recht in Anspruch, in Vertretung aller deutschen Räte zu sprechen und im Namen der Revolution auch die Revolutionsregierung zu kontrollieren. Eine solche Usurpation war nicht nur im Sinne der alten Ordnung illegal, sondern hatte auch mit Demokratie nichts zu tun: die Repräsentierten waren nicht befragt worden und konnten schon aus technischen Gründen einstweilen noch nicht um ihre Meinung befragt werden. Auch hier entschied über Erfolg oder Mißerfolg solch revolutionärer Selbsternennung politischer Entscheidungsorgane nicht Recht oder Unrecht, sondern Macht. Wer aber hatte die Macht? Die Revolutionsregierung oder die Berliner Arbeiter- und Soldatenräte?

Noch am 10. November wollten die radikalen Berliner Arbeiter- und Soldatenräte einen Vollzugsrat bilden, der ausschließlich aus Parteigängern von USPD und Spartakusbund bestehen sollte, doch mobilisierte Otto Wels sozialdemokratische Soldatenräte und erreichte eine paritätische Besetzung des Vollzugsrats durch SPD und USPD. Dieser Berliner Vollzugsrat bestätigte noch am gleichen Tag den Rat der Volksbeauftragten und nahm damit für sich in Anspruch, das höchste revolutionäre Organ zu sein. Am 12. November erklärte der »Vollzugsrat der Arbeiter- und Soldatenräte von Groß-Berlin«: »Alle kommunalen, Landes-, Reichs- und Militärbehörden setzen ihre Tätigkeit fort. Alle Anordnungen dieser Behörden erfolgen im Auftrage des Vollzugsrats des Arbeiter- und Soldatenrats. Jedermann hat den Anordnungen dieser Behörden Folge zu leisten.«[41] Damit unterlag, wenn der Vollzugsrat sich machtpoli-

[41] Herbert Michaelis, Ernst Schraepler, Günter Scheel (Hrsg.), Ursachen und Folgen. Vom deutschen Zusammenbruch 1918 und 1945 bis zur staatlichen Neuordnung Deutschlands in der Gegenwart. Berlin o. J., Bd. 3, S. 12.

tisch durchsetzen konnte, auch die Arbeit der Revolutionsregierung den Weisungen und der Kontrolle des ungleich radikaleren, von Richard Müller dominierten Vollzugsrats, damals auch Vollzugsausschuß genannt.

Am 23. November bekräftigte der Vollzugsrat diese Position, indem er feststellte: »Der Vollzugsausschuß des Groß-Berliner Arbeiter- und Soldatenrats hat nach Verständigung mit den Volksbeauftragten des Reichs und Preußens diesen die exekutive Regierungsgewalt übertragen. Er hat sich aber das weitestgehende Kontrollrecht über die Regierung vorbehalten.«[42] Zugleich betonte der Vollzugsrat das Recht der Arbeiter- und Soldatenräte, in ihrem jeweiligen Tätigkeitsbereich die volle Kontrolle auszuüben, warnte aber die lokalen Räte, durch direkte Eingriffe die Verwaltungsmaßnahmen der Volksbeauftragten zu durchkreuzen. Auch hier zeigte sich, daß der Kompetenzkampf zwischen Vollzugsrat und Rat der Volksbeauftragten noch nicht ausgetragen war, obwohl beide am Vortag in einer offiziellen Vereinbarung das Terrain abgesteckt hatten. Beide hatten konstatiert: »Die Revolution hat ein neues Staatsrecht geschaffen.« Die Vereinbarung sollte das Verfassungsrecht der Übergangszeit in den Grundzügen festlegen. »Die politische Gewalt liegt in den Händen der Arbeiter- und Soldatenräte der deutschen sozialistischen Republik. Ihre Aufgabe ist es, die Errungenschaften der Revolution zu behaupten und auszubauen sowie die Gegenrevolution niederzuhalten.«[43] Dem Berliner Vollzugsrat wurden bis zur Wahl eines allgemeinen deutschen Vollzugsrats durch eine reichsumspannende Delegiertenversammlung aller Räte einstweilen dessen Kompetenzen zugestanden. Doch erhielt der Rat der Volksbeauftragten insofern eine gegenüber dem Vollzugsrat eigene Legitimation, als auf seine Bestätigung durch die am 10. November im Zirkus Busch tagenden Berliner Arbeiter- und Soldatenräte verwiesen wurde. Die Übertragung der Exekutive, die der Vollzugsrat immer wieder als seine Kompetenz reklamierte, war tatsächlich von der Berliner Räteversammlung ausgegangen; insofern war der Rat der Volksbeauftragten nicht einfach ein vom Vollzugsrat abhängiges Organ. Andererseits erkannte der Rat der Volksbeauftragten das Recht des Vollzugsrats an, die Mitglieder des »entscheidenden Kabinetts« des Reiches und Preußens zu berufen und

[42] Ebd., S. 20.
[43] Ebd., S. 19.

zu kontrollieren. Die Lage war ungeklärt, was schon durch die Tatsache deutlich wird, daß der Vollzugsrat und nicht der Rat der Volksbeauftragten den lokalen und sektoralen Räten die Richtlinien gab[44].

Der Rat der Volksbeauftragten und ihr Mitvorsitzender Ebert standen also in einem komplexen machtpolitischen Geflecht von Institutionen, Personen, Konzeptionen und Ereignissen. Ebert wollte die Demokratie, wollte sie so schnell wie möglich, und mußte doch akzeptieren, daß das »Staatsrecht der Revolution« die revolutionären Organe nicht durch den Willen aller Bevölkerungskreise legitimierte, sondern ausschließlich durch Arbeiter und Soldaten. Und auch sie hatten vorerst keine Gelegenheit, ihre Repräsentanten demokratisch zu wählen. Doch betrachteten die sozialdemokratischen Volksbeauftragten ihr Mandat in zeitlicher und sachlicher Hinsicht als begrenzt. Über diese doppelte Begrenzung, in bezug auf die sich SPD und USPD in ihrer Koalitionsvereinbarung – die in Briefform erfolgt war – nicht hatten einigen können, entbrannte der zentrale innenpolitische Streit der nächsten Wochen. Diesen Streit entschied der Rat der Volksbeauftragten schließlich durch allmählichen Ausbau seiner Stellung für sich – war er doch im Besitz der Exekutivfunktionen und der mittelfristig stärkeren Machtmittel im Bündnis mit den alten Institutionen. Überdies hatte er, wie sich mehr und mehr zeigte, die breitere Basis in der Bevölkerung.

Die Kontroverse zeichnete sich bereits in den erwähnten Briefen zwischen SPD und USPD ab. Am 9. November antwortete der SPD-Vorstand auf die Forderung der USPD: »Deutschland soll eine sozialistische Republik sein.« »Diese Forderung ist das Ziel unserer eigenen Politik. Indessen hat darüber das Volk durch die konstituierende Versammlung zu entscheiden.«[45] Man mag darüber spotten, daß eine Partei, die während einer Revolution die Macht in Händen hält, sie nicht zur sofortigen Realisierung ihrer Ziele einsetzt und das Votum einer Konstituante abwarten will. Aber in dieser Kernfrage die souveräne Entscheidung des Volkes einholen zu wollen, war ein untadeliger demokratischer Entschluß. Das gilt auch dann, wenn man unterstellt, daß die SPD-Führung mit einem Wahlsieg gerechnet hat. Sie war jedenfalls um ihrer demokratischen

[44] Ebd., S. 20ff., 22f.
[45] Ebd., S. 5f.

Überzeugung willen bereit, das Risiko einer Niederlage einzugehen. Im übrigen handelte es sich um eine politische Entscheidung mit dem Ziel, den Bürgerkrieg zu vermeiden. Er stand für den Fall zu befürchten, daß man die bürgerlichen Kräfte und die militärische Führung total ausschaltete. Die Entscheidung der SPD-Führung demonstriert aber auch, daß die Partei zu diesem Zeitpunkt in ihrer Mehrheit entschieden reformerisch und nichtrevolutionär geworden war.

Die Antwort des USPD-Vorstandes ließ ebenfalls an Klarheit nichts zu wünschen übrig: »Die Frage der Konstituierenden Versammlung wird erst bei einer Konsolidierung der durch die Revolution geschaffenen Zustände aktuell und soll deshalb späterer Erörterung vorbehalten bleiben.«[46] Dieser Satz belegt zweifelsfrei: Bevor sie eine demokratische Entscheidungsbildung der Gesamtbevölkerung herbeiführen wollte, beabsichtigte die USPD alle fundamentalen Entscheidungen selbst zu fällen. Mit Demokratie hatte das nichts zu tun, mag die Befürchtung schleichender oder putschistischer Konterrevolution auch noch so berechtigt gewesen sein. Einen »verkehrten Obrigkeitsstaat« nannte denn auch der demokratische Verfassungsrechtler Hugo Preuß ein solches System.

Aber Ebert setzte darauf, ohne prinzipielle Entscheidung des Konflikts die USPD durch Einbindung in die Regierung entweder von ihrer Politik abbringen oder aber eine Zeitlang von einem Zusammengehen mit den Radikalen abhalten zu können. Diese zeitweilige Neutralisierung der USPD in der sich ständig verschärfenden Auseinandersetzung zwischen Sozialdemokratie und Linkssozialisten reichte tatsächlich aus, den Kurs der SPD-Führung durchzusetzen. Eberts Politik war zumindest mittelfristig erfolgreich.

Was wollte die radikale Linke? Die Spartakusgruppe erklärte schon in ihrem Aufruf vom 10. November 1918, daß für sie ein Zusammengehen mit »Scheidemännern« und »Regierungssozialisten« nicht in Frage komme. Sie werde kämpfen, bis die bestehende Reichsregierung und alle Parlamente beseitigt wären und alle Macht bei den Arbeiter- und Soldatenräten läge, die künftig vom »werktätigen Volk« zu wählen seien. Sie wollte die »Diktatur des Proletariats«, sie wollte – wie aus der Grußbotschaft der ›Roten Fahne‹ an die »Sozialistische Sowjetrepublik« vom 10. November ablesbar ist – eine bolschewistische Revolu-

[46] Ebd., S. 7.

tion[47]. Diese Position hatte die Spartakusgruppe bereits auf ihrer Reichskonferenz vom 7. Oktober eingenommen – mehr als vier Wochen vor dem Ausbruch der Revolution und dem Bündnis zwischen Ebert und Groener[48].

Die Demokratisierung war also seit der Geburtsstunde der Republik von Anhängern des Bolschewismus bedroht. Friedrich Ebert hat diese Bedrohung nicht erfunden, mag er sie auch überschätzt und mag er auch alle Sozialisten links von der SPD sowie der USPD-Mitte unterschiedslos für Bolschewisten gehalten haben. Sein Pakt mit Groener ist nicht unabhängig von der linksradikalen Bedrohung der eben erst eingeleiteten Demokratisierung zu beurteilen. Ebert als Mann der Mitte mußte zwangsläufig Verstärkung bei den kooperationswilligen bürgerlichen Kräften suchen, wenn er vor bolschewistischer Bedrohung stand. Manche dieser Bundesgenossen stellten nur zu bald eine ebenso große Gefährdung der Demokratie dar. Aber Ebert mußte in seiner Lage Entscheidungen für heute treffen, wollte er morgen noch erleben; seine Tragik und damit die Tragik der deutschen Republik bestand darin, daß sein Einfluß nicht bis übermorgen reichte.

Die Entscheidung fiel schließlich auf dem Kongreß der Arbeiter- und Soldatenräte im Dezember, nachdem Ebert die Weichen in Richtung auf eine Verfassunggebende Nationalversammlung gestellt hatte und alle Vorbereitungen, beispielsweise der Erlaß einer Wahlordnung am 30. November 1918, getroffen waren. Dieser Kongreß, dessen Rückendeckung Eberts Politik benötigte, brachte das gewünschte Ergebnis, nachdem die SPD-Führung eine Mehrheit sozialdemokratischer Delegierter hatte durchsetzen können. Zweifellos eine bedeutende politische Leistung der mehrheitssozialdemokratischen Führung: Ebert, alles andere als ein Biedermann, war seinen politischen Feinden und Gegnern, aber auch seinen Freunden durch taktisches Geschick und Klarheit der Konzeption weit überlegen.

Am 18. Dezember war der gnadenlose Machtkampf jedenfalls in verfassungspolitischer Hinsicht entschieden. Auf Antrag des sozialdemokratischen Delegierten Lüdemann beschloß der Reichskongreß der Räte, »der die gesamte politische Macht repräsentiert«, bis zur anderweitigen Regelung durch die Natio-

[47] Ebd., S. 7ff.

[48] Spartakusbriefe. Hrsg. v. Institut für Marxismus-Leninismus beim Zentralkomitee der Sozialistischen Einheitspartei Deutschlands. Berlin (Ost) 1958, S. 469ff., insbes. S. 470f.

nalversammlung die gesetzgebende und vollziehende Gewalt dem Rat der Volksbeauftragten zu übertragen[49]. Vor die Alternative gestellt, sich für eine Verfassunggebende Nationalversammlung oder ein politisches Rätesystem zu entscheiden, folgte der Kongreß ebenfalls dem sozialdemokratischen Antrag des Vollzugsratsmitglieds Max Cohen-Reuß: »Die Wahlen zur deutschen Nationalversammlung finden am Sonntag, den 19. Januar 1919, statt.«[50] Ein schlichter Satz, aber welch epochaler Inhalt! Das erste Mal in der tausendjährigen Geschichte des deutschen Reiches sollten die Deutschen aufgefordert werden, in allgemeiner, gleicher und geheimer Wahl Repräsentanten zu wählen, die in ihrem Namen die deutsche Verfassung berieten und beschlossen. Mit überwältigender Mehrheit von 400 gegen 50 Stimmen entschieden sich die Delegierten für die Wahl zur Konstituierenden Nationalversammlung am 19. Januar[51].

Friedrich Ebert und die SPD-Führung hatten einen glanzvollen Sieg errungen – er war um so eindrucksvoller, als die Entscheidung für die Nationalversammlung nun durch die Revolution selbst, durch das höchste Repräsentationsorgan der deutschen Räte, erfolgte. Damit war auch das Ende der revolutionären Übergangsphase anvisiert – einer Phase, in der sich die revolutionären Institutionen ausschließlich aus eigenem, revolutionärem Recht legitimieren konnten. Der Kongreß rief allerdings noch ein quasi-parlamentarisches Überwachungsorgan, den vom 19. Dezember 1918 bis zum 8. April 1919 amtierenden und aus 27 sozialdemokratischen Mitgliedern bestehenden Zentralrat der deutschen sozialistischen Republik, ins Leben. An seiner Wahl hatte sich die USPD nicht mehr beteiligt und sich dadurch endgültig ins politische Abseits manövriert, obwohl sie noch dem zentralen exekutiven und legislativen Gremium, dem Rat der Volksbeauftragten, angehörte. Doch war nach dieser spektakulären Niederlage im Konflikt mit dem Koalitionspartner das Ende der gemeinsamen Revolutionsregierung ohnehin absehbar. Die Drohung einiger radikaler Delegierter nach der Gründung des Zentralrats verhieß nichts

[49] Allgemeiner Kongreß der Arbeiter- und Soldatenräte Deutschlands. Vom 16. bis 21. Dezember 1918 im Abgeordnetenhause zu Berlin. Stenographische Berichte. Hrsg. v. Zentralrat der sozialistischen Republik Deutschlands, Berlin 1919, Sp. 176f.

[50] Ebd., Sp. 224.

[51] Ebd., Sp. 282.

Gutes; sie riefen: »Wir sprechen uns wieder! Wir gehen noch einmal auf die Straße!«[52]

Der Revolutionskalender zeigt, daß dieses Ende der sozialistischen Koalition ein Ende mit Schrecken war, ein Ende, das tiefe Risse innerhalb der sozialistischen Parteien und Gruppen hinterließ. Die fundamentale Unvereinbarkeit der Standpunkte in der Kernfrage – »Demokratie hier und heute? Ja oder nein?« – war aber nicht zu überbrücken, ohne daß die streitenden sozialistischen Gruppierungen ihre Identität aufgegeben hätten. Die »Einheit der Arbeiterbewegung« war längst politisch illusionär geworden. Gemeinsamkeit von Tradition und sozialer Lage konnte nicht über die wachsenden politischen Divergenzen hinwegtäuschen.

Am 29. Dezember 1918 schließlich traten die USPD-Mitglieder Haase, Dittmann und Barth aus dem Rat der Volksbeauftragten aus, am 3. Januar 1919 schlossen sich ihre preußischen Kollegen widerwillig diesem Schritt an. Die machtpolitisch durch die SPD-Führung ausmanövrierte USPD war kaum noch kompromißfähig zur Mitte hin, ihre vergleichsweise gemäßigte Führung um Hugo Haase geriet unter immer stärkeren Druck ihres linken Flügels sowie der Spartakisten. Dem Austritt waren blutige Straßenkämpfe in Berlin vorausgegangen. Die radikale Linke verstärkte ständig den Druck auf die Volksbeauftragten, sie hatte die zu Beginn der Revolution zum Schutz der Regierung von Cuxhaven nach Berlin geholte Volksmarinedivision unterwandert und von ca. 700 auf ca. 1800 Mann verstärkt. Am 23. und 24. Dezember weigerte sich die Division, das Berliner Schloß und den Marstall zu räumen, wo sie seit dem 9. November untergebracht war. Dies war von der Preußischen Regierung und der Stadtkommandantur als notwendig angesehen worden, nachdem in den letzten Wochen ständig Plünderungen im Schloß stattgefunden hatten und bereits unschätzbare Vermögenswerte verloren waren. Schon einmal war die Volksmarinedivision zur Verminderung ihrer Stärke und zur Räumung des Schlosses aufgefordert worden, und sie hatte dies gegen Zahlung der Löhnung in Höhe von 125000 Mark auch zugesagt. Die Auszahlung erfolgte, die Räumung aber unterblieb.

Der sozialdemokratische Stadtkommandant Otto Wels weigerte sich gemäß dem Auftrag der Reichsregierung, die ausstehende Löhnung in Höhe von 80000 Mark auszuzahlen, bevor

[52] Ebd., Sp. 300f.

die Division nicht das Schloß verlassen habe. Die Anweisung enthielt auch die Ankündigung, ab 1. Januar 1919 werde überhaupt nur noch an 600 Mann Gehalt gezahlt[53]. Die Matrosen übergaben schließlich die Schlüssel des Schlosses dem USPD-Volksbeauftragten Barth, zwangen danach Wels zur Auszahlung, brachten ihn von der Kommandantur zum Marstall, wo sie ihn und einige Mitarbeiter festsetzten, bedrohten und mißhandelten. Zur gleichen Zeit besetzten die für die Bewachung des Reichskanzler-Palais zuständigen Matrosen die Telefonzentrale und sperrten trotz der Proteste der Volksbeauftragten den Zugang zur Reichskanzlei. Über den geheimen Draht wurden nun regierungstreue Truppen zum Reichskanzler-Palais gerufen. Ein Zusammenstoß schien unausweichlich, vor der Universität fielen Schüsse, zwei Matrosen wurden getötet; bis heute ist ungeklärt, von wem. Doch einen Moment sah es so aus, als ob ein Kampf zwischen regierungstreuen und meuternden Truppenteilen vermeidbar sei; Matrosen und Regierungstruppen zogen nach entgegengesetzten Richtungen ab, Friedrich Ebert hatte ihr sofortiges Eingreifen noch einmal verhindert[54]. Die Verhandlungen der Volksbeauftragten mit den Matrosen am 23. Dezember schienen erfolgreich[55]. Dann aber, zwischen 1 und 2 Uhr nachts, teilte der Kommandant der Volksmarinedivision, Fritz Radtke, mit, er sei nicht mehr Herr seiner Leute im Marstall und könne für das Leben von Otto Wels nicht mehr garantieren[56]. Jetzt erst gaben die noch anwesenden Volksbeauftragten Ebert, Scheidemann und Landsberg an den Kriegsminister Scheüch den Befehl, das »Erforderliche zu veranlassen, um Wels zu befreien«[57]. Hatten die Sozialdemokraten den Befehl wirklich so formuliert? Oder lautete ihr Auftrag, »rücksichtslos mit militärischer Gewalt den Widerstand der Matrosen zu brechen, um die Autorität der Regierung zu wahren«, wie der Kriegsminister selbst nachträglich behauptete[58]? Diese Frage ist, wie so manche Einzelheit dieser Tage, nicht mehr definitiv zu klären, die Berichte der Beteiligten widersprechen sich, ihre jeweiligen Motive sind klar erkennbar, nicht aber die Wahrheit.

[53] Die Regierung der Volksbeauftragten, Teil II, S. 18f.
[54] Ebd., S. 22, 28f., 79f., 92.
[55] Ebd., S. 23ff.
[56] Ebd., S. 82.
[57] Ebd.
[58] Ebd., S. 133.

Der vom Kriegsminister beauftragte General Lequis stellte kurz nach 7 Uhr 30 der Volksmarinedivision ein zehnminütiges Ultimatum, Schloß und Marstall zu räumen und die weiße Fahne zu hissen. Die Matrosen kamen dieser Aufforderung nicht nach, daraufhin gab der General Feuerbefehl für Artillerie und Maschinengewehre. Der Beschuß begann gegen 8 Uhr und endete gegen 9 Uhr 30. Herbeieilende Menschenmassen und republikanische Soldatenwehr stellten sich gegen die Truppen des Generals. Im Namen der Volksbeauftragten ordnete Ebert die Einstellung des Feuers an, das in ihrer Gegenwart geführte Telefongespräch erweckte den Eindruck, daß er über die Art des militärischen Vorgehens nicht informiert gewesen war[59]. Schließlich wurden Verhandlungen eingeleitet, die schnell zur Aufgabe der Matrosen und zur Freilassung von Wels führten: mehrere Tote, zahlreiche Verwundete, beträchtlicher Sachschaden waren der Preis für die Freilassung des mit dem Tode bedrohten Stadtkommandanten.

So klar die Vorgänge scheinen, so unbeantwortet blieben während der folgenden Auseinandersetzung zwischen SPD- und USPD-Volksbeauftragten – die vor dem kurz zuvor gewählten Zentralrat ausgetragen wurde – die entscheidenden Fragen[60]. Mit Recht bemängelten die zur USPD zählenden Volksbeauftragten Haase und Dittmann, daß sie nicht hinzugezogen worden seien, als die sozialdemokratischen Volksbeauftragten dem Kriegsminister in der Nacht vom 23. zum 24. Dezember den Befehl zum Eingreifen gaben; mit Recht auch kritisierten sie, daß sie bei der am Vormittag des 24. Dezember stattfindenden Kabinettssitzung nicht von ihren Kollegen informiert worden seien und Ebert sogar den Eindruck erweckt habe, von der Aktion nichts zu wissen. Dittmann bestritt nicht prinzipiell die Notwendigkeit des militärischen Eingreifens, bezweifelte aber mit guten Gründen, daß ein Beschuß dieser Art zur Erreichung der Freilassung von Wels sinnvoll gewesen sei, gefährdete er doch sein Leben erst recht. Und auch Dittmanns Kritik daran, daß offenbar dem Kriegsminister völlig freie Hand in der Art des Vorgehens eingeräumt worden sei, war berechtigt. Es sei denn, den sozialdemokratischen Volksbeauftragten kam es auf eine Demonstration ihrer Stärke an. Sie bestritten das, wiesen jedoch zu Recht immer wieder darauf hin,

[59] Ebd., S. 30.
[60] Ebd., S. 73ff. (Sitzung vom 28. 12. 1918).

daß sich eine Regierung nicht ständig durch radikale Gruppen, auch nicht durch sozialistische, erpressen lassen könne. Berechtigt erscheint auch eine weitere USPD-Kritik: Ein zehnminütiges Ultimatum war geradezu lächerlich. Keineswegs überzeugend war die Feststellung des Generals, das Ultimatum habe nur den Schlußakt der die ganze Nacht andauernden Verhandlungen dargestellt und die Matrosen seien über die Vorbereitungen zum Beschuß die ganze Zeit informiert gewesen. Das traf zwar zu, doch ist ein Ultimatum nur dann sinnvoll, wenn es auch einzuhalten ist.

Trotz unterschiedlicher Schilderungen der Vorgänge stehen genügend Fakten fest, die eine politische Beurteilung erlauben: In der Tat sollte die Regierung erpreßt werden. Unerheblich ist, wie geschickt oder ungeschickt sich Otto Wels verhalten hat, wie berechtigt oder unberechtigt die Maßnahmen der Volksbeauftragten gegenüber der Volksmarinedivision im einzelnen waren. Ebert, Scheidemann und Landsberg standen seit längerem unter linksradikalem Beschuß und wurden als »Mörder, Bluthunde, Schufte, Verräter« bezeichnet. Auch die permanente Drohung des Spartakusbundes, die Volksbeauftragten aus dem Amt zu jagen, um eine sozialistische Republik zu begründen, muß in diesem Zusammenhang berücksichtigt werden. Die Regierung stand machtpolitisch noch immer auf schwachen Füßen, ihre Autorität wurde ständig in Zweifel gezogen und häufig mißachtet. Über das geeignete Vorgehen waren sich die SPD- und die USPD-Führung uneinig, wenngleich über die Tatsache ständiger Rechtsverletzungen linker Gruppierungen, auch die der Volksmarinedivision, kaum Dissens bestand. Insofern korrespondierten die Unruhen auf den Straßen Berlins den inneren Auseinandersetzungen im Kabinett, das sich auch darüber uneinig war, ob die alte Generalität überhaupt zur Stützung der Regierung eingesetzt werden dürfe, oder ob eine solche Unterstützung nicht vielmehr die Konterrevolution begünstige. Die Unruhen der Vorweihnachtstage führten zu einem Punkt, an dem sich die Regierung nicht mehr mit Deklamationen begnügen konnte, sondern handeln mußte.

Und handelnd wurden die sozialdemokratischen Volksbeauftragten schuldig. Geschickt wird man ihr Vorgehen wohl nur nennen dürfen, wenn das Ziel der Bruch der Koalition mit der USPD gewesen sein sollte – was ebenfalls nicht zu belegen ist, aber später vom USPD-Volksbeauftragten Dittmann behauptet wurde. Auch hätte der militärischen Führung Art und Umfang des Einsatzes nicht allein überlassen bleiben dürfen: Das Militär hat immer wieder den Einsatz in kritischen Situationen politisch ausgenutzt, rechtsgerichtete Soldaten und Offiziere warteten auf jede Gelegenheit zum Draufschlagen. Gerade jetzt aber kam es darauf an, den Militäreinsatz auf eine Aktion zur Durchsetzung staatlichen Gewaltmonopols zu begrenzen. Auf der Strecke blieb nun das Ansehen der sozialdemokratischen Führung bei erheblichen Teilen der Arbeiterschaft. Wieder rächte sich die vom Kaiserreich weitgehend erzwungene militärpolitische Abstinenz der SPD. Für diesen Sektor hatte sie keine Experten, und die immer wieder geplante Aufstellung republikanischer Verbände kam über Anfänge nicht hinaus. Mehr und mehr war die sozialdemokratische Revolutionsführung auf Truppenteile angewiesen, die nur scheinbar und zeitlich begrenzt das Geschäft der republikanischen Regierung besorgten, im Kern aber monarchistisch-restaurativ blieben und auf ihre Stunde warteten.

Die Anhörung der Volksbeauftragten durch den Zentralrat demonstrierte die subjektiv aufrichtige Argumentation von Haase und Dittmann, die allerdings nur in der Kritik ihrer sozialdemokratischen Kollegen überzeugend wirkten. Wie die Volksbeauftragten sich hier hätten aus der Affäre ziehen können, beantworteten auch sie nicht. Was sollte hier ein »Appell an das Proletariat«, was half für den Augenblick der an sich berechtigte Vorschlag, eine eigene Truppe aufzustellen bzw. auszubauen? Die ständige Polemik des USPD-Volksbeauftragten Barth und seine partiellen Entschuldigungen der Volksmarine waren eher geeignet, die Sozialdemokraten nach rechts zu drängen als auf Koalitionskurs zu halten. Der Austritt der USPD aus dem Rat der Volksbeauftragten nach einer neuen spektakulären Aktion des Spartakus, der im Verlauf einer großen Demonstration am ersten Weihnachtstag das Gebäude des SPD-Organs ›Vorwärts‹ besetzte, weil dieser einen Artikel gegen die Volksmarinedivision veröffentlicht hatte, konnte denn auch nicht mehr überraschen. Die USPD-Volksbeauftragten begründeten ihren Schritt damit, daß der Zentralrat am 28. Dezember den von Ebert, Scheidemann und Landsberg veranlaßten Militäreinsatz des 24. Dezember gebilligt hatte. Dies mag der Auslöser gewesen sein, doch ist Eduard Bernstein, dem großen alten Mann der USPD, Begründer des Revisionismus, zuzustimmen: Den USPD-Volksbeauftragten war »in der eigenen Partei jeder Rückhalt für solches Zusammengehen abhanden gekommen, bei dem es nun einmal ohne gegenseitige Zugeständnisse nicht abgeht«. Dies führte Bernstein letztlich auf die sich bereits abzeichnende Auseinandersetzung mit den von Karl Liebknecht vertretenen bolschewistischen Gruppen zurück[61]. Die Linksdrift der USPD aber konnte bei der SPD-Führung kaum eine andere Reaktion auslösen, als sich noch stärker an den jedenfalls für den Augenblick sicheren Verbündeten, das Militär, anzulehnen. Und das um so mehr, als die blutigen Vorweihnachtstage nur der Auftakt zu bürgerkriegsähnlichen Unruhen im Januar waren, als die Reichshauptstadt schließlich eine Eskalation der Gewalt erlebte.

Als die Volksbeauftragten am 4. Januar 1919 die Absetzung des zum linken Flügel der USPD zählenden Berliner Polizeipräsidenten Emil Eichhorn anordneten, da er das Präsidium zu einem der Regierung zumindest illoyal gegenüberstehenden Machtzentrum ausgebaut hatte, weigerte sich Eichhorn, sein Amt aufzugeben. Am Abend des 5. Januar begann dann in Berlin der Spartakusaufstand, an dessen Vorbereitung ohne Wissen der gemäßigteren USPD-Führung unter anderem Eichhorn beteiligt gewesen war. Dieser Aufstand war gemeinsam vom linken Parteiflügel der USPD und der am 30. Dezember gegründeten KPD inszeniert worden. Bewaffnete Spartakisten besetzten die wichtigsten Verlagshäuser im Zeitungsviertel, die bürgerliche Presse war ebenso betroffen wie der schon einmal zehn Tage vorher besetzte ›Vorwärts‹. Am 6. Januar erklärte ein gemeinsamer Revolutionsausschuß von USPD und KPD unter Führung von Georg Ledebour und Karl Liebknecht die sozialdemokratisch geführte Reichsregierung für abgesetzt; die SPD antwortete am gleichen Tag mit einem Generalstreik und einer Massendemonstration im Regierungsviertel. Verhandlungen zur Freigabe der Gebäude scheiterten, statt dessen wurden weitere öffentliche Gebäude von den Spartakisten besetzt. Die Volksbeauftragten ernannten den Sozialdemokraten Gustav Noske zum militärischen Oberbefehlshaber. Mit schleunigst nach Berlin beorderten Truppen und Freikorps begann er die Räumung des Zeitungsviertels: Der Kampf dauerte mehrere Tage, am 11. wurde das ›Vorwärts‹-Gebäude gestürmt, am 12. Januar das Polizeipräsidium. Dies alles konnte die Regierung nicht vermeiden, und die zu beklagenden Opfer gehen auf das

[61] Eduard Bernstein, Die deutsche Revolution. Ihr Ursprung, ihr Verlauf und ihr Werk. Bd. 1, Berlin-Fichtenau 1921, S. 126.

Konto der Aufständischen; nicht auf deren Konto aber geht die blutige Vergeltung, die Angehörige der Freikorps und Soldaten regulärer Verbände an den Aufständischen und – wie zu vermuten ist – an vielen unbeteiligten Sozialisten übten. Das spektakulärste Verbrechen von Regierungssoldaten war der brutale Mord an Rosa Luxemburg und Karl Liebknecht am 15. Januar. Friedrich Ebert war über diese Morde empört, aber er lehnte die Einsetzung eines zivilen Gerichts ab und ließ die Beteiligten, die im März 1919 verhaftet wurden, vor ein Divisionsgericht unter dem Kriegsgerichtsrat Jorns stellen. Trotz der Teilnahme von je zwei Mitgliedern des Vollzugsrats und des Zentralrats war die Befangenheit des Militärgerichts unverkennbar, die Urteile fielen entsprechend milde aus. Auch dieser Vorgang schadete dem Ansehen der SPD-Führung beträchtlich.

So kritikwürdig die Brutalität auch ist, mit der Regierungstruppen die Aufstände in diesen Tagen niederschlugen, so unbestreitbar war die Notwendigkeit, Militär einzusetzen, sollte die Gründung der demokratischen Republik eine Chance behalten und es wirklich zu einer Konstituierenden Nationalversammlung kommen. Von der Straße aus zu verhindern, was in den revolutionären Organen nicht verhindert werden konnte, war unbestreitbar das Ziel der Spartakisten und ihrer radikalen Anhängerschaft. Sie waren nicht bereit, demokratische Spielregeln zu akzeptieren, nicht einmal in den Räten und ihrem Kongreß. In dieser Hinsicht hatten Ebert und die SPD-Führung keine Wahl. Hatten sie die Möglichkeit, die von ihnen benötigten Truppen zu mäßigen? Das muß wohl bezweifelt werden, denn Offiziere und Mannschaft wußten nur zu gut, wie schwach die Regierung ohne das Militär war: Mit Hilfe monarchistischen Militärs eine demokratische Republik durchzusetzen, das kam der Quadratur des Zirkels gleich. Und es spricht viel dafür, daß Ebert sich dieser Tragik durchaus bewußt war, wenngleich sein Bericht vor dem Zentralrat über die Nacht vom 23. zum 24. Dezember, als er das erste Mal vor diesem unausweichlichen Dilemma stand, nicht ganz überzeugte[62].

Die politische Gärung der November- und Dezemberwochen, in der zeitweise eine Neuorientierung der politischen Fronten, eine Vereinigung der sozialistischen Parteien und Gruppen rechts von Spartakus möglich schien, führte tatsäch-

[62] Vgl. insbes. Eberts Reaktion auf Dittmanns bohrende Fragen: Die Regierung der Volksbeauftragten, Teil II, S. 94ff., 103ff.

lich zu einer Verschärfung der Frontstellung im Parteienspektrum, das sich während des Krieges herausgebildet hatte: eine Annäherung der gemäßigten bürgerlichen und sozialdemokratischen Kräfte sowie weitere Entfremdung zwischen den Sozialisten war die Folge. Bis es dahin kam, übernahm die SPD für wenige Wochen die Regierungsgeschäfte, um die demokratische Wahl und die Machtübernahme der Nationalversammlung durchzusetzen. Bis zum Wahltag (19. Januar) hatte die sozialdemokratische Revolutionsregierung die Reichshauptstadt wieder unter Kontrolle: das war die Voraussetzung, um die Wahl ordnungsgemäß durchführen zu können. Es bleibt trotz aller Opfer das Verdienst der SPD-Führung um Ebert, daß sie ihr Ziel erreicht hat. Es sollte eine Republik werden, in der alle sozialen Schichten ihren Platz hatten, auch die bürgerliche Oberschicht, auch die abgelösten Führungsschichten. Würden sie es Friedrich Ebert danken, daß er sie vor einer sozialistischen Republik, vermutlich einer »Diktatur des Proletariats« bewahrt und dafür eine tiefgehende Entfremdung von vielen seiner Weggenossen in Kauf genommen hatte?

Als die Nationalversammlung Ebert am 11. Februar 1919 mit 277 von 379 abgegebenen Stimmen zum Reichspräsidenten wählte, schien das ein verheißungsvoller Beginn für die Republik zu sein, erhielt doch sein dreiundsiebzigjähriger, aus dem schlesischen Uradel stammender Gegenkandidat, der mit allen Attributen der alten Führungsschichten ausgestattete ehemalige preußische Staatsminister und Reichsstaatssekretär des Innern, Dr. jur. Arthur Graf von Posadowsky-Wehner, Fraktionsvorsitzender der Deutschnationalen Volkspartei, nur 49 Stimmen – sogar weniger als die mit 51 hohe Zahl der ungültigen Stimmen. Ebert erklärte nach seiner Wahl: *»Ich will und werde als der Beauftragte des ganzen deutschen Volkes handeln, nicht als Vormann einer einzigen Partei.«*

Dieser Satz trug Ebert Bravo-Rufe des Hohen Hauses ein, seine Fortsetzung erhielt nur noch den Beifall der sozialdemokratischen Fraktion: »Ich bekenne aber auch, daß ich ein *Sohn des Arbeiterstandes* bin ... aufgewachsen in der Gedankenwelt des Sozialismus, und daß ich *weder meinen Ursprung noch meine Überzeugung jemals zu verleugnen gesonnen bin* ... Indem Sie das höchste Amt des deutschen Freistaates mir anvertrauten, haben Sie ... keine einseitige Parteiherrschaft aufrichten wollen. Sie haben aber damit den ungeheuren Wandel anerkannt, der sich in unserem Staatswesen vollzogen hat, und zugleich auch *die gewaltige Bedeutung der Arbeiterklasse für die Aufgaben der Zukunft.*«[63]

Tatsächlich täuscht diese Szene vom Februar 1919 darüber hinweg, daß der von Ebert erwähnte fundamentale Wandel der politischen Führungsschicht keineswegs so glatt und problemlos akzeptiert wurde. Großen Teilen der Bevölkerung galt er als Parteiarbeiter, als guter Organisator bestenfalls, nicht aber als angemessener politischer Repräsentant des deutschen Volkes. Seinen Gegnern war indes keine Verunglimpfung zu billig, keine zu infam. So verbreitete man ein Photo, auf dem der wohlgenährte Ebert mit dem – weniger wohlgenährten – Noske in Badebekleidung zu sehen war, und unterstellte, während das Volk darbe, gehe Ebert seinen Vergnügungen nach – fortan war überall von »Eberts roter Badehose« die Rede.

George Grosz zeichnete einen fetten, im Sessel sitzenden Ebert, mit Monokel, einer aus dem Kopf herauswachsenden Krone, die Füße auf ein Kissen gestellt; unbeweglich mit dicker Zigarre läßt er sich gerade von einem asiatisch aussehenden Diener ein überdimensioniertes Glas servieren – ein vollgefressener Bonze mit bourgeoisen Allüren und Zügen eines orientalischen Despoten: »Aus dem Leben eines Sozialisten.«[64] In einer anderen Darstellung, einer Art Photomontage, setzte Grosz den Kopf Eberts einem Hohenzollern auf und versammelte in trauter Runde, als Hohenzollern-Familie drapiert, um ihn Mitglieder des Kabinetts sowie die Putschisten Kapp und Lüttwitz: »Hohenzollern-Renaissance«[65].

Ebert als »Arbeiterverräter« war eine bei der politischen Linken beliebte Diffamierung. Das beste, was Ebert von seiten der intellektuellen Linken erwarten konnte, war eine mit politischer Kritik verbundene persönliche Achtung, wie sie etwa Kurt Hiller bei seinem Nachruf in der ›Weltbühne‹ äußerte: »Zahllose Bürger der deutschen Republik achteten ihn – nicht als Symbol nur, auch als Person; aber elendiglich lügen würde, wer behaupten wollte, daß auch nur Einer ihn geliebt habe.« Und das für die marxistischen Intellektuellen entscheidende Verdikt lautete: »Er handelte stets als Demokrat, das heißt: als ein Mann, für den der Wille der Mehrheit, mag er bedingt sein wodurch

[63] Eduard Heilfron (Hrsg.), Die deutsche Nationalversammlung im Jahre 1919. Berlin 1920, Bd. 1, S. 93.

[64] George Grosz, Das Gesicht der herrschenden Klasse & Abrechnung folgt. (1921/1923) Neudruck Frankfurt a. M. 1972, S. 4.

[65] Ebd., S. 38.

auch immer, mag er enthalten, was er wolle, die Richtschnur des Handelns abgibt; als Sozialist handelte er grade in den entscheidenden Augenblicken (1914, 1918, 1923) nicht. Pazifistische Revolutionarität, proletarische Revolutionarität waren ihm fremd; sooft er Gelegenheit gehabt hätte, sie zu betätigen, unterstützte er bewußt und mit bestem Gewissen die, die sich ihnen entgegenstemmten.«[66] Zweifellos eine Kritik, die realitätsbezogen war, doch hängt es vom politischen Standpunkt ab, ob diese Charakterisierung Friedrich Eberts entsprechend der Intention Hillers als negativ oder als positiv verstanden wird – in jedem Fall aber handelte es sich um eine Einschätzung des Reichspräsidenten, die seine Ehre nicht antastete.

Übelste Diffamierung aber war es, was ihn schließlich zermürbte: In mehr als 170 Beleidigungsprozessen versuchte er immer wieder, seine persönliche Ehre und die Würde des Reichspräsidenten zu verteidigen. Der Vorwurf, der ihn am härtesten traf, lautete, er sei ein Landesverräter, der sich am Munitionsarbeiterstreik Ende Januar 1918 beteiligt und damit den militärisch notwendigen Nachschub blockiert habe. Tatsächlich unterliegt es keinem Zweifel, daß Ebert nach anfänglicher Weigerung ausschließlich zu dem Zweck in die Streikleitung eingetreten war, um Einfluß auf den Streik zu gewinnen und damit dessen Ausbreitung und Radikalisierung zu verhindern[67]. Seine Einschätzung der Lage traf zu, und er war erfolgreich. Wenn hier Kritik geübt werden kann, dann wohl kaum wegen Landesverrats, sondern eher aus der pazifistischen Perspektive eines Kurt Hiller: »Er war kein ›Landesverräter‹; wär' er nur einer gewesen! Hunderttausende von Toten lebten vielleicht heute. ..«[68] Aber auch diese Position, so ernst sie zu nehmen ist, vereinfacht das Problem, handelte Ebert doch in einem tragischen Zwiespalt zwischen Patriotismus und Pazifismus.

Während des Magdeburger Prozesses vom 9. bis 23. Dezember 1924 sollte der Reichspräsident jederzeit als Zeuge bereit stehen, er verschob daher eine dringend notwendige Blinddarmoperation, bis es zu spät war. Das Urteil des Gerichts gegen den verantwortlichen Schriftleiter der ›Mitteldeutschen Presse‹ in Staßfurt, Rothardt, verwundete Ebert tief. Es kam zu

[66] Kurt Hiller, Der Reichspräsident. In: Die Weltbühne 21 (1925), S. 299.
[67] Waldemar Besson, Friedrich Ebert. Verdienst und Grenze. Göttingen 1963, S. 58.
[68] Hiller, Der Reichspräsident, S. 299.

dem Schluß: Ebert habe auch dann im strafrechtlichen Sinn Landesverrat begangen, wenn man ihm das Motiv unterstelle, »den Streik im Interesse der Landesverteidigung abzuwürgen und seinen Einfluß auf die radikale Arbeiterschaft wiederzuerlangen«. Insofern erfolgte die Verurteilung des Beklagten zu drei Monaten Gefängnis lediglich wegen öffentlicher Beleidigung[69].

Jedermann durfte künftig den amtierenden Reichspräsidenten, dessen Amtszeit im übrigen zum 30. Juni 1925 ablief und der sich gegebenenfalls der Wiederwahl – dieses Mal einer Volkswahl – stellen mußte, unter Hinweis auf das Magdeburger Urteil einen »Landesverräter im strafrechtlichen Sinn« nennen. Die antirepublikanische Pointe dieses Urteils bewog den ehemaligen Landgerichtspräsidenten, mehrfachen Reichskanzler und Reichsminister Wilhelm Marx (Zentrum) zu der bitteren Schlußfolgerung, er werde nie mehr in diesem Staat einen Strafantrag wegen Beleidigung stellen[70]. Auch andere bürgerliche Politiker waren empört, beispielsweise der Vorsitzende der Deutschen Volkspartei und Reichsaußenminister Gustav Stresemann, dessen Nachruf in der volksparteilichen ›Zeit‹ vom 1. März 1925 mit der ausdrücklichen Hochschätzung Eberts auch seine persönliche Integrität hervorhob und die Verlogenheit des Magdeburger Urteils kritisierte[71].

Auch das Reichskabinett, in dem keine Sozialdemokraten vertreten waren, distanzierte sich vom Magdeburger Urteil. Während der Diskussion bemerkte der Wirtschaftsminister Dr. Hamm (DDP): »Wir sind jedem Esel von Richter in Deutschland preisgegeben.« Der dem Zentrum angehörende Arbeitsminister Heinrich Brauns hielt sogar eine öffentliche Urteilsschelte durch die Reichsregierung für angebracht. Nur wegen der möglicherweise ungünstigen Wirkungen für den Revisionsprozeß sah die Regierung davon ab, drückte dem Reichspräsidenten aber ausdrücklich die menschliche und politische Solidarität des Kabinetts aus: »Wir haben, zum Teil in jahrelanger Zusammenarbeit mit Ihnen, Ihr Wirken kennen und Ihre Persönlichkeit politisch und menschlich schätzen gelernt. Auf Grund dieser Kenntnis wünschen wir Ihnen zu sagen, daß wir einmütig, ohne Unterschied der Parteistellung, die Überzeugung haben,

[69] Horkenbach, Das Deutsche Reich, S. 203.
[70] Theodor Heuss, Erinnerungen 1905–1933. Frankfurt a. M. 1965, S. 218.
[71] Gustav Stresemann, Vermächtnis. Hrsg. v. Henry Bernhard, Bd. 2, Berlin 1932, S. 41.

daß Ihre Tätigkeit stets dem Wohle des deutschen Vaterlandes gegolten hat.« Diese Kundgebung wurde am 24. Dezember 1924 über Wolffs Telegraphisches Büro verbreitet, nachdem die Kabinettsmitglieder sie zuvor dem Reichspräsidenten persönlich überbracht hatten[72].

Ebert erntete also auch Anerkennung. Nur sehr wenigen Politikern ist es während der Weimarer Jahre gelungen, über den Einflußbereich ihrer Parteien hinaus Ansehen zu gewinnen. Ebert gelang es, und so lag in ihm auch deswegen eine Chance der Republik, weil er integrierende Wirkung auszuüben verstand – auf diejenigen, die in die demokratische Republik überhaupt integrierbar gewesen sind. Ein wenig Verwunderung über diesen Ebert, an dem so wenig auszusetzen war, mischte sich unter Bewertungen seiner Persönlichkeit in den bürgerlichen Parteien der Mitte und der Rechten: Konnte denn das sein? Ein Sattler als Reichspräsident? Ein Sozialdemokrat? Ein Sozialdemokrat, der zweifellos Patriot war, »national« war? Einer, der typisch blieb für seine soziale und politische Herkunft? Einer, dessen Frau Arbeiterin war? Weiter war auch an ihr nichts auszusetzen, aber eine Arbeiterin als »Erste Dame« des Deutschen Reiches? Beide als Nachfolger von Hohenzollernkaisern und -kaiserinnen? Man muß sich diesen grellen Kontrast vorstellen, um ermessen zu können, wie weit sich die Republik entfernt hatte vom Kaiserreich und was Ebert positiv wie negativ für die Republik bedeutete.

Allerdings: Je mehr das Ansehen Eberts bei den Parteien der Mitte wuchs, um so geringer wurde es links von der SPD. Und Ebert, der wohl noch in den letzten Kriegsjahren gehofft hatte, die beiden sozialdemokratischen Parteien wiederzuvereinigen, muß es als tragisch empfunden haben, durch seine Politik der Mitte die ehemaligen Genossen weiter nach links zu treiben – zu einer sozialistischen oder auch kommunistischen Zielsetzung, die für einen sozialen Demokraten wie ihn nicht mehr kompromißfähig sein konnte. Was mag einen Mann wie Ebert bewegt haben, als Hugo Haase, den er selbst einst als Parteivorsitzenden vorgeschlagen hatte, sich mit der Minderheit der Fraktion während des Krieges von der SPD trennte – und zwar aus einer Überzeugung, die Ebert im Prinzip teilte, aus Pazifismus? Was mag ein Mann, für den Solidarität Richtschnur seines

[72] Akten der Reichskanzlei. Weimarer Republik. Hrsg. v. Karl Dietrich Erdmann und Hans Booms. Die Kabinette Marx I und II. Bearb. v. Günter Abramowski, Bd. 2, Boppard a. Rh. 1973, S. 1245ff.

Handelns war, gedacht haben, als er vom Deutschen Sattler-, Tapezierer- und Portefeuiller-Verband kurz vor seinem Tode ausgeschlossen wurde und die alten Berufs- und Gewerkschaftskollegen mit diesem Schritt dokumentierten, daß sie von ihrem zum Reichspräsidenten aufgestiegenen Mitglied nichts mehr wissen wollten? Ist die Vermutung abwegig, daß Vorgänge dieser Art, der wohlfeile Vorwurf des »Arbeiterverrats« überhaupt, Friedrich Ebert tiefer berührten als alle Beleidigungen, Schmähungen, Spötteleien von der politischen Rechten?

Paul von Hindenburg
Feldmarschall der Monarchie, Präsident der Republik

Präsidentenbesuch auf der Reichswerft in Wilhelmshaven: Der Reichspräsident fährt langsam die Kais entlang, Tausende von Arbeitern säumen sie, viele von ihnen waren schon bei früheren Gelegenheiten dabei gewesen, als das Staatsoberhaupt zu Besuch weilte, damals freilich ein monarchisches, nicht ein republikanisches Staatsoberhaupt. Viele erinnerten sich des Glanzes und ihres damaligen Jubels. Dieses Mal schwiegen sie, nahmen die Mützen nicht ab vor dem republikanischen Präsidenten, dem Zivilisten. Keine Hand rührte sich, Teilnahmslosigkeit bestenfalls ... War es nicht »ihr« Präsident, der sie besuchte? Friedrich Ebert – Handwerker wie sie, Sozialdemokrat wie viele von ihnen, der noch ein Jahrzehnt zuvor vom Kaiser und seinem Gefolge als »vaterlandsloser Gesell« angesehen wurde – wie sie selbst? Ebert, dessen Aufstieg symbolisch war für die Integration von Arbeitern und Sozialdemokraten in die deutsche Gesellschaft. Aber die Werftarbeiter klatschten nicht, sie schwiegen.

Einige Jahre später, Präsidentenbesuch auf der Reichswerft in Wilhelmshaven: Der Reichspräsident von Hindenburg, ein alter Herr, majestätisch, soldatisch, jeder Zoll ein preußischer Offizier mit der Würde des Alters, ein Mythos schon ... Die Arbeiter jubeln, lassen den Reichspräsidenten hochleben. Ist es »ihr« Präsident, den sie bejubeln?

Reichswehrminister Otto Gessler, der den Präsidenten begleitet hatte, war die Reaktion auf Eberts Besuch peinlich. Ebert sei schmerzlich berührt gewesen, vor allem durch die Nichtachtung, die allem entgegengebracht wurde, was den arbeitenden Schichten – durch ihn und seine Partei – erkämpft worden war. Eberts mangelnde Neigung zu glänzender staatlicher Repräsentation war nach Meinung Gesslers für diesen Undank gegenüber der Republik und ihrem ersten Reichspräsidenten verantwortlich[73]. Das Volk habe Ebert merkwürdigerweise nicht geliebt, aber die Gebildeten hätten mit Hochachtung von ihm gesprochen, meinte Gustav Stresemann[74]. Das Volk sei an einen Präsidenten mit Zylinder wohl noch nicht gewöhnt. Welchen Präsidenten wollte das Volk, wie mußte er aussehen? Bleiben wir noch einen Moment beim Äußeren: »Ein vortrefflicher Mann, aber man kann ihn nicht malen«, soll Max Liebermann einmal über Ebert gesagt haben[75]. Den zweiten Präsidenten konnte man malen, gewiß. Aber war er auch ein vortrefflicher Mann?

Jedenfalls war er ein stattlicher Mann, seine große massige Gestalt blieb trotz hohen Alters kerzengerade, weißes Haar und weißer Schnurrbart verliehen ihm Würde. Hindenburgs Ahnenreihe konnte es, jedenfalls der Länge nach, mit der seines Herrscherhauses aufnehmen. Er hatte eine tiefe sonore Stimme, wirkte ehrfurcht- und achtunggebietend auf alle, die ihn sahen, »wie geschaffen zur Rolle eines Souveräns. Er machte nie eine Pose und hatte es auch nicht nötig; er wirkte von selbst.«[76]

Sohn eines Leutnants und späteren Majors, wurde Hindenburg am 2. Oktober 1847 in Posen geboren, hochbetagt starb er zwei Monate vor Vollendung seines 87. Lebensjahres am 2. August 1934 auf seinem Gut Neudeck in Ostpreußen – ein Reichspräsident, der eineinhalb Jahre nach der Ernennung Hitlers zum Reichskanzler keinerlei Macht mehr in Händen hielt, aber einen gewissen Symbolwert auch noch für das NS-Reich besessen hatte, bevor er entbehrlich wurde. Vor der Revolution von 1848 geboren, während der NS-Diktatur gestorben. Auch wenn Hindenburgs Leben nicht ein politisches Leben gewesen wäre, besagten diese Daten doch sehr viel über diesen Mann. Als 1918 die Revolution ausbrach, die Monarchie stürzte, Republik und

[73] Otto Gessler, Reichswehrpolitik in der Weimarer Zeit. Hrsg. v. Kurt Sendtner. Stuttgart 1958, S. 326f.

[74] Viscount d'Abernon, Ein Botschafter an der Zeitenwende. Memoiren, Bd. 2, Leipzig o.J., S. 141f.

[75] Gessler, Reichswehrpolitik, S. 321.

[76] Ebd., S. 342.

Demokratie begründet wurden, da war er bereits ein alter Herr, 71 Jahre alt. Als er das erste Mal zum Reichspräsidenten gewählt wurde, zählte er 77, das zweite Mal bereits 84 Jahre. Er hätte von ungewöhnlicher geistiger und politischer Flexibilität sein müssen, wenn er den 1918/19 eingeleiteten politischen und gesellschaftlichen Wandel noch hätte verarbeiten sollen: Eine solche geistig-politische Beweglichkeit aber hätten ihm wohl selbst seine Freunde kaum attestiert, auch nicht in jüngeren Jahren. Wenn eine Mehrheit der Deutschen ihn 1925 und 1932 zum Reichspräsidenten wählte, dann wohl überhaupt nicht wegen herausragender geistiger oder politischer Befähigung, sondern weil er eine Symbolfigur war. Die Präsidentschaft Eberts seit 1919 hatte Logik, sie lag in der Konsequenz der politischen und gesellschaftlichen Entwicklung seit 1917/18, hatte, wenn man so will, ihre Wurzeln schon in der Reichstagswahl von 1912 und im »Burgfrieden« von 1914. Die Präsidentschaft Hindenburgs aber?

Mit seinem Amtsvorgänger Ebert hatte er nur wenig gemein; auch die Tatsache, daß beide aus konfessionell gemischten Ehen stammten – Hindenburgs Mutter war Tochter eines bürgerlichen katholischen Generaloberarztes –, hatte nicht die gleiche Konsequenz, wurde doch Hindenburg lutherisch erzogen. Wie selbstverständlich entschloß er sich zum Soldatenberuf. Die Stationen sind schnell aufgezählt: 1859 kam er ins Kadettenkorps, 1866 wurde er als Séconde-Leutnant des 3. Garderegiments zu Fuß bei Königgrätz verwundet. Am Deutsch-Französischen Krieg 1870/71, der zur Bismarckschen Reichsgründung führte, nahm er als Adjutant teil und wurde schließlich zur Kaiserproklamation im Spiegelsaal des Schlosses von Versailles delegiert. An den Kriegen teilgenommen zu haben, mit denen das Deutsche Kaiserreich begründet wurde, miterleben zu dürfen, wie sein König im berühmtesten Schloß des besiegten Feindes zum Deutschen Kaiser proklamiert wurde: das mußte nachhaltigsten Eindruck auf den jungen preußischen Offizier machen. Diese Bilder von Macht und Herrlichkeit des Reiches, vom Glanz der Hohenzollern-Dynastie, der er und seine Vorfahren ihr Leben verpflichtet hatten, würde er nie vergessen. Den alten Kaiser Wilhelm – den mit dem Bart –, Bismarck, Roon und Moltke: sie alle hatte er noch erlebt; viele Reichskanzler, Ministerpräsidenten, Kriegsminister hatte er kommen und gehen sehen – geblieben war das Haus Hohenzollern. Ihm diente er, aus ihm kamen seine Kriegsherren, denen die Familie auch das Gut Neudeck verdankte. Friedrich der Große hatte es den Vorfahren für ihre Verdienste in den Schlesischen Kriegen verliehen. Gegen Ende der Republik schenkte die deutsche Industrie dieses inzwischen nicht mehr im Familienbesitz befindliche Gut dem Reichspräsidenten und setzte ihn damit dem direkten Einfluß großagrarischer Interessen aus, der 1932 entscheidend zum Sturz Brünings beitrug.

Sehen wir uns die wichtigsten Stationen seiner weiteren Laufbahn an: 1877 wurde er zum Großen Generalstab abkommandiert, 1888 Lehrer für Taktik an der Kriegsakademie, 1889 Chef der Infanterie-Abteilung im preußischen Kriegsministerium, 1889 Regimentskommandeur in Oldenburg, 1896 Stabschef des Armeekorps in Koblenz, 1900 Generalleutnant und Divisionskommandeur in Karlsruhe, 1903 kommandierender General des IV. Armeekorps in Magdeburg, 1905 General der Infanterie. Im Alter von 64 Jahren erhielt der damals dienstälteste kommandierende General 1911 schließlich seinen Abschied und nahm in Hannover Wohnung. 1905 als Nachfolger des Generalstabschefs Schlieffen und 1909 auch als Kriegsminister im Gespräch, kann seine militärische Laufbahn bis zu seiner Verabschiedung als beeindruckend bezeichnet werden. Glänzend wurde sie aber während des Kriegs, als er nach dem Zusammenbruch der deutschen Front in Ostpreußen zum Oberbefehlshaber der 8. Armee ernannt wurde; mit seinem Stabschef Erich Ludendorff gelang ihm innerhalb weniger Wochen die Befreiung Ostpreußens. Die große Vernichtungsschlacht bei Tannenberg vom 23. bis zum 30. August 1914 brachte ihm im Volksmund den Titel »Held von Tannenberg« ein, mit der Schlacht an den Masurischen Seen vom 5. bis zum 15. September setzte er die Befreiung fort und genoß seitdem legendären, schnell volkstümlichen Ruhm. Im November bereits war er Oberbefehlshaber der deutschen Ostfront und schließlich Generalfeldmarschall geworden. Nach der schrecklichen Schlacht bei Verdun wurde er, bei bereits kritischer Kriegslage, 1916 als Nachfolger Falkenhayns Chef der Obersten Heeresleitung – unter Attachierung seines engsten Mitarbeiters Ludendorff als Generalquartiermeister. Wie groß Hindenburgs strategische Fähigkeit tatsächlich gewesen ist, wie weit seine großen militärischen Erfolge auf sein Konto oder auf das Ludendorffs gehen, ist umstritten: Sein Biograph John Wheeler-Bennett sieht Hindenburgs Verdienst darin, daß er Ludendorff gewähren ließ und selbst die Verant-

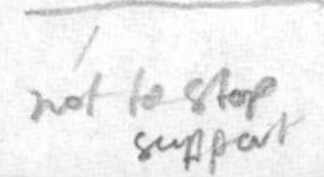

wortung übernahm[77]. Zweifelsfrei ist jedoch, daß Hindenburgs engste und höchstrangige Gefährten in der militärischen Führung immer politisch ambitioniert gewesen sind oder doch ein erheblich stärkeres Sensorium für Politik gehabt haben als er selbst: Das gilt für Ludendorff ebenso wie für dessen Nachfolger in der OHL, Wilhelm Groener, oder später, in anderer Konstellation, auch für den General Kurt von Schleicher. Um deren Fähigkeiten Geltung zu verschaffen, war Hindenburg immer unentbehrlich, aber nie hat er ihre Politik bestimmt.

Hindenburgs Intelligenz sei – verglichen mit dem Offizierskorps – überdurchschnittlich gewesen, aber einseitig aufs Militärische ausgerichtet, konstatierte Otto Gessler[78]. Über Hindenburgs Auffassungsgabe wird von Zeitgenossen Unterschiedliches berichtet; während Gessler die präzise, Floskeln scheuende, militärisch knappe Art Hindenburgs hervorhob, die dieser auch bei anderen schätzte, wenn sie ihm Vortrag hielten, zählte es Gustav Stresemann zu seinen zeitraubendsten und mühsamsten Aufgaben, die Gespräche mit dem Reichspräsidenten vorzubereiten. Hindenburg habe scharf aufgepaßt, kritische Fragen gestellt und sei von schneller Auffassungsgabe gewesen. Etwas einschränkend Theodor Eschenburg: »Die Probleme mußten ihm aber mit einfachen, leicht verständlichen Worten langsam und deutlich vorgetragen werden, nur dann vermochte er sie in ihrem elementaren Wesensgehalt zu erfassen. Wenn er eine Sache, die ihm vorgetragen wurde, nicht verstand, konnte er sehr ungehalten werden.« Auf der anderen Seite soll er Dinge, die er einmal begriffen hatte, auch im Gedächtnis behalten und seine Gesprächspartner, die etwa bei späteren Vorträgen von früheren Darstellungen der Sachlage abwichen, durch »peinliche Fragen in Verlegenheit« gebracht haben[79].

Das Fehlen beweglicher Intelligenz kompensierte Hindenburg durch eine auch in kritischen Situationen kaum zu erschütternde Ruhe, dickschädelige Standfestigkeit und Souveränität. Solche Eigenschaften gingen seinen erheblich brillanteren, ideenreicheren und lebendigeren Gefährten häufig ab. Für eine glänzende militärische Laufbahn reichten seine Charaktereigen-

[77] John W. Wheeler-Bennett, Der hölzerne Titan. Paul von Hindenburg. Tübingen 1969, S. 45ff.

[78] Gessler, Reichswehrpolitik, S. 339.

[79] Theodor Eschenburg, Die Rolle der Persönlichkeit in der Krise der Weimarer Republik. Hindenburg, Brüning, Groener, Schleicher. In: Die improvisierte Demokratie. München 1963, S. 237f.

schaften offenbar aus, zumal er jahrzehntelange Führungserfahrung besaß, Selbstsicherheit und Autorität ausstrahlte. »Seine Gehilfen scheuten den äußeren Glanz der Macht. Er fing gleichsam das Licht der Gehilfen auf und strahlte es verstärkt aus. Fehlte Hindenburg die Leuchtkraft der fremden Konzeption, dann versagte er auch selbst, wie die Beispiele Papens und Schleichers zeigten.«[80] Mit Intelligenz, Sensibilität und Emotionalität sparsam umgehend, verstand Hindenburg sie doch äußerst effektiv zu nutzen, war sich seiner Wirkung durchaus bewußt und setzte sie mit Selbstverständlichkeit ein, von jeglichem Selbstzweifel weitgehend frei.

Allerdings hatte Hindenburgs Selbstsicherheit nichts Auftrumpfendes, Demonstratives. Im persönlichen Umgang war er bescheiden und zurückhaltend, hierin durchaus Ebert ähnlich. Er hatte, auch dies eine Übereinstimmung zwischen beiden, ein stark ausgeprägtes Pflichtgefühl, für das er manche persönliche Opfer brachte und das schließlich für seine Kandidatur 1925 und 1932 ausschlaggebend wurde. Sein Pflichtbewußtsein wurzelte in schlichter, aber tiefgehender, lutherisch geprägter Religiosität. Reflektiert wird aber auch sie kaum gewesen sein, frönte er doch einer für einen dezidierten Protestanten ungewöhnlichen Leidenschaft: Während seines Ruhestandes in Hannover sammelte er Bildnisse der Madonna mit Kind. Neben seiner Jagdpassion scheint das seine vornehmliche Beschäftigung dieser Jahre gewesen zu sein[81].

Wie stand es mit Hindenburgs Zuverlässigkeit? Seine Devise lautete: »Die Treue ist das Mark der Ehre.« Hindenburg schrieb diesen Satz mit Vorliebe auf Bildwidmungen[82]. »Treu« war er sicher gegenüber seiner Dynastie. Hindenburgs Beziehungen zu politischen oder militärischen Weggefährten führten jedoch oft zu tiefer Enttäuschung seiner Partner, so unterschiedlich sie auch waren. Erich Ludendorff, Wilhelm Groener, Kurt von Schleicher, Heinrich Brüning, Otto Braun – sie alle mußten mit einer sie überraschenden Illoyalität Bekanntschaft machen, die vor allem im Falle Brünings katastrophale politische Folgen hatte und auch im Falle Schleichers verhängnisvoll wirkte. Brünings Beschreibung der Demission klingt zwar bitter und ist in ihrer strikten Sachlichkeit vernichtend genug, aber das wohl an

[80] Ebd., S. 239.
[81] Wheeler-Bennett, Der hölzerne Titan, S. 26.
[82] Gessler, Reichswehrpolitik, S. 344.

dieser Stelle fällige kritische Porträt des Reichspräsidenten sucht man vergeblich[83].

Worin gründete die immer wieder anzutreffende Fehleinschätzung der Persönlichkeit Hindenburgs? Gessler beantwortete diese Frage damit, »daß bei Hindenburg . . . auch die Treue nur auf dem Grunde seines Standesbewußtseins zu verstehen war. Und sie alle haben daher das persönliche Moment in ihren langjährigen Beziehungen zu Hindenburg überschätzt.«[84] Auch der Reichswehrminister bezweifelte wohl, daß es sich bei Hindenburgs notorischer Illoyalität, die auch er nicht beim Namen nannte, um eine Alterserscheinung handelte. Eine solche Deutung wäre psychologisch gesehen unwahrscheinlich, verstärkt sich doch im Alter gemeinhin der Wunsch, vertraute Gesichter um sich zu sehen. Die Einflüsterungen seiner Standesgenossen – zu denen sein Sohn Oskar gehörte –, Brüning sei im Sinne konservativer Politik unzuverlässig oder habe gar agrarbolschewistische Neigungen, reichten zur Erschütterung dieses Vertrauensverhältnisses aus, obwohl Brüning über solche Verdächtigungen nun wirklich erhaben war. Als Reichskanzler Brüning dem Reichspräsidenten in der entscheidenden Unterredung vorhielt, gerade jetzt, wo die große Chance bestünde, im Rahmen der Verfassung eine Wendung nach rechts zu vollziehen, dürfe die Autorität der Regierung nicht zerstört werden, antwortete Hindenburg barsch: »Über Ihre Neigung, nach rechts zu gehen, hört man aber auch ganz andere Ansichten.«[85]

Vermutlich begriff der greise Herr nicht die traurige Ironie der kommentarlos vorgelesenen, von seinen Hofintriganten formulierten Erklärung: »Die Regierung erhält, weil sie zu unpopulär ist, von mir nicht mehr die Erlaubnis, neue Notverordnungen zu erlassen.« Brüning mit der Begründung der Unpopularität die politische Basis weiterer Regierungsarbeit zu entziehen und zugleich Franz von Papen mit dem Reichskanzleramt zu betrauen, das war der Gipfel an Unverfrorenheit: Papen hatte für sich und sein »Kabinett der Barone« nur eine verschwindend geringe parlamentarische Basis und bot geradezu das Musterbeispiel politischer Unpopularität eines Regierungs-

[83] Heinrich Brüning, Memoiren 1918–1934. Bd. 2, München 1972 S. 632ff. Allerdings handelt es sich bei dieser Ausgabe nicht um einen völlig authentischen Text, der möglicherweise eine schärfere Kritik an Hindenburg enthält. Vgl. Morsey, unten, S. 241.

[84] Gessler, Reichswehrpolitik, S. 345.

[85] Brüning, Memoiren, Bd. 2, S. 633.

chefs. Dieser Vorgang zeugt nicht nur von beträchtlicher Infamie, sondern auch von kaum geringerer Dummheit, fiel den Drahtziehern doch nicht einmal mehr eine halbwegs passable Begründung ein. Auf die Nachfrage des staunenden Brüning, ob damit der Reichspräsident den Wunsch nach Rücktritt der Regierung ausgesprochen habe, antwortete Hindenburg ebenso lakonisch: »Jawohl. Diese Regierung muß weg, weil sie unpopulär ist!«[86]

Blenden wir noch einmal zurück auf die Deutung Otto Gesslers. Es trifft wohl zu, daß Hindenburg Loyalität standesbezogen verstand, und hierin liegt ein weiteres Problem. Denn Hindenburg dachte ausschließlich in militärischen Kategorien, er verstand seine Präsidentschaft als Reichsverweserschaft anstelle der Hohenzollern. Auch ein Reichskanzler, ein preußischer Ministerpräsident, ein General waren für Hindenburg schließlich Untergebene, mochten sie ihn nach intellektueller oder politischer Befähigung auch weit überragen. Er wurde ungeduldig, wenn er etwas nicht verstand! Man akzeptierte das, ohne dem Reichspräsidenten klar zu machen, daß er den Vortrag eines Regierungschefs mit dem Rapport eines Soldaten an den Unteroffizier verwechselte. Hier lag die Kehrseite des Problems: Hindenburg strahlte eine Autorität aus, die seine tatsächliche Bedeutung weit überstieg. Auch bedeutende Politiker wie Brüning traten ihm mit eher militärisch verstandenem Respekt gegenüber, nicht mit dem notwendigen zivilen Amtsverständnis, nicht mit dem Funktionenverständnis, das die Verfassung beiden vorgab. Verfassungsrechtlich war es unerheblich, ob der Reichspräsident ein berühmter Generalfeldmarschall oder ein Gefreiter war. Hitler hat das begriffen, seine Vorgänger aber dachten, jedenfalls partiell, in Kategorien militärischen Gehorsams und sozialen Standesdenkens, wie es vor 1918 galt.

Nicht zufällig gebrauchte Hindenburg in bezug auf die ostelbischen Junker regelmäßig den Begriff »meine Standesgenossen«, nicht zufällig sprach er wie ein konstitutioneller Monarch von »meiner Regierung« – übrigens auch noch von der Adolf Hitlers. Als er Nachfolger Friedrich Eberts wurde, da war ihm nur mühsam beizubringen, daß er einige ehrende Worte über seinen buchstäblich in den Sielen und an der Republik verstorbenen Amtsvorgänger sagen müsse. Ein Sozialdemokrat war ihm nach wie vor suspekt, obwohl er um die Verdienste Eberts

[86] Ebd.

zur Rettung der Demokratie wissen mußte, und obwohl auch dessen Parteigenossen zu Hunderttausenden für das Vaterland in den Krieg gezogen waren. Zwar mußte er zu seiner eigenen Überraschung feststellen, daß der Sozialdemokrat das Reichspräsidialamt keineswegs verschlampt hatte, wie er es wohl von einem »Sozi« erwartet hatte: »Ich bin erfreut, festzustellen, wie ordentlich und tadellos alles hier gehalten war.« Aber das einzige, was er sich aufgrund des Drängens seiner Ratgeber abringen konnte, war ein Trinkspruch beim Begrüßungsessen, in dem er »den guten Willen Eberts anerkannte, nach bester Kraft dem Vaterland zu dienen«[87]. Beides hätte er auch über einen Unteroffizier sagen können.

Hindenburg war ein Exponent altpreußisch-ständischen Denkens, er war ein Angehöriger der uradligen preußischen Offiziersschicht, dessen Selbstverständnis durch die gesellschaftlichen und politischen Wandlungen im Laufe seines langen Lebens nicht berührt, ja nicht einmal irritiert wurde. Sein Horizont erweiterte sich selbst 1918/19 nicht, obwohl er doch die militärische und politische Niederlage der Hohenzollern-Monarchie, die auch ein Bankrott ihres gesellschaftlichen und politischen Systems bedeutete, aus nächster Nähe an führender Stelle miterlebt hatte. Jedermann glaubte Hindenburg den Sieg von Tannenberg, keiner sagte, was entscheidender war: Hier steht einer derjenigen, die den Krieg geführt und verloren haben, einer derjenigen, die politisch mitverantwortlich gewesen sind, stand er doch an der Spitze einer Obersten Heeresleitung, die weitgehend eigenverantwortlich unter dem Ausnahmezustand des Krieges die Politik bestimmte – einer OHL, die Regierungen stürzen und einsetzen, die Verfassungsreformen stimulieren oder versagen konnte. Wie immer die Machtverteilung zwischen ihm und Ludendorff von 1916 bis 1918 im einzelnen gewesen sein mag, der Generalfeldmarschall stand nach außen für die Politik der OHL, die kurzfristige, von der Reichsregierung schließlich erzwungene Entlassung Ludendorffs am 26. Oktober 1918 ändert daran nichts. Hindenburgs Bleiben zu diesem Zeitpunkt täuscht eine Nichtverantwortlichkeit vor, die tatsächlich nicht bestand. Wie er bei früherer Gelegenheit den General Hoffmann hatte fallen lassen, dem er einiges von seinem militärischen Erfolg verdankte, so versagte Hindenburg seinem Generalquartiermeister, auf dessen Konto zumindest

[87] Gessler, Reichswehrpolitik, S. 348.

ein gut Teil seines militärischen Ruhms ging, jede Unterstützung in der für beide peinlichen Unterredung mit dem Kaiser im Schloß Bellevue.

Entscheidend bleibt: Hindenburg war von seiner sozialen Herkunft, Laufbahn und politischen Einstellung her der Exponent des alten Systems. So symbolisch sein Lebensweg für das Gestern war, so symbolisch war Eberts Lebensweg für das Neue, das Heute und Morgen. Welche Paradoxie, daß Ebert Hindenburg vorherging und nicht nach ihm kam.

In einem aber ergänzten sich die Präsidenten auf äußerst instruktive Weise: Während Ebert grundsätzlich und bis heute für alles haftbar gemacht wurde, was politisch während seiner Amtszeiten mißlang, wurde Hindenburg selten für das verantwortlich gemacht, was er tatsächlich zu verantworten hatte. Hindenburg verstand es vorzüglich, sich da herauszuhalten. Der Einwand ist denkbar, dieses Hindenburg-Bild sei von seiner unbestreitbaren Senilität geprägt, die Deutschen, die Hindenburg 1925 wählten, hätten den noch geistig rüstigen Hindenburg gewählt. Alles, was hier über Hindenburg gesagt wurde, gilt tatsächlich schon für seine früheren Jahre; aber vergegenwärtigen wir uns an einer kleinen Geschichte, was man 1925 von Hindenburg wissen konnte, was jedenfalls die Politiker und die interessierte Öffentlichkeit von ihm wissen konnten – wenn sie es wissen wollten.

Im Herbst 1925 fand in München ein Prozeß statt, der erhebliches Aufsehen erregte, der sog. Dolchstoßprozeß. Unmittelbarer Anlaß dieses Prozesses war ein Artikel in den ›Süddeutschen Monatsheften‹[88] unter dem Titel ›Der Dolchstoß‹. Es ging um die Dolchstoßlegende, die besagte, das Deutsche Reich habe den Weltkrieg verloren, nicht weil es militärisch am Ende gewesen, sondern weil die deutsche Armee von hinten erdolcht worden sei: »erdolcht« durch die »Wühlarbeit« sozialistischer Gruppen, einschließlich der Sozialdemokratie, durch die Revolution. Hierdurch sei die Regierung des Prinzen Max von Baden veranlaßt worden, über den Kopf der OHL hinweg ein Waffenstillstandsgesuch herausgehen zu lassen. In den Kontext dieser Dolchstoßlegende, die seit ihrer Entstehung als wissenschaftlich widerlegt gelten kann[89], gehörte auch der schon erwähnte Mag-

[88] 21 (1924), Heft 7.

[89] Vgl. u. a. das zeitgenöss. Gutachten zur »Dolchstoßfrage«: Das Werk des Untersuchungsausschusses der Verfassunggebenden Deutschen Nationalversammlung und des Deutschen Reichstages 1919–1928. 4. Reihe: Die Ursachen

deburger Beleidigungsprozeß Friedrich Eberts über seine vermeintliche landesverräterische Tätigkeit beim Munitionsarbeiterstreik vom Januar 1918.

Die Vorgeschichte des Dolchstoßprozesses ist in unserem Zusammenhang interessanter als der Prozeß selbst. Die Legende ist beinahe so alt wie die Kriegsniederlage; zuerst tauchte sie, in einer durch Übersetzung aus dem Englischen mißverständlichen Weise, in einem Artikel der ›Neuen Zürcher Zeitung‹ vom 17. Dezember 1918 auf und wurde seitdem zur Kampfparole rechtskonservativer und restaurativer politischer Gruppen gegen die neue Republik und besonders die Sozialdemokratie. Eine Stütze erhielt diese Legende durch eine Veröffentlichung des ehemaligen Chefs der Obersten Heeresleitung von Hindenburg[90] und vor allem durch seine Vernehmung vor dem Parlamentarischen Untersuchungsausschuß, den die Verfassunggebende Deutsche Nationalversammlung zur Untersuchung der Ursachen des deutschen Zusammenbruchs im Jahre 1918 eingesetzt hatte. Und der Generalfeldmarschall mußte es schließlich wissen. Er und der ebenfalls geladene Ludendorff mußten es in der Tat wissen. Sie wurden am 18. November 1919 gehört, wobei beide ihre politische Haltung unzweideutig bereits dadurch zu erkennen gaben, daß sie für sich keine Aussagepflicht gegenüber den höchsten gewählten Repräsentanten des deutschen Volkes anerkannten.

Die Fahrt zum Reichstag und der Empfang bildeten ein Spektakel für sich, jubelnde Menschen säumten die Straßen, Hurra-Rufe übertönten bei weitem die Pfiffe. Ein Strauß Chrysanthemen mit Bändern in den Farben Schwarz-Weiß-Rot schmückte den Zeugenstand. Man wollte dem Generalfeldmarschall nicht zumuten, von dem sozialdemokratischen Vorsitzenden verhört zu werden[91], und hatte den demokratischen Abgeordneten Georg Gothein, einen alten preußischen Parlamentarier, der bereits seit 1893 dem Preußischen Abgeordnetenhaus und seit 1901 dem Reichstag angehörte, zum Verhandlungsleiter bestimmt. Gothein kam dem alten Marschall mit Ehrerbietung entgegen und ließ sich von ihm den Gang der Anhörung aus der Hand nehmen. Die Feststellung des Sachverständigen Moritz

des deutschen Zusammenbruchs im Jahre 1918. 2. Abt., Bd. 6, Berlin 1928 (Gutachten u. a. v. H. Delbrück).

[90] Generalfeldmarschall von Hindenburg, Aus meinem Leben. Leipzig 1920, S. 403.

[91] Vgl. Wheeler-Bennett, Der hölzerne Titan, S. 245 ff.

Julius Bonn über die Verhörung des ehemaligen Vizekanzlers Helfferich – eines bedeutenden Finanzexperten, aber hemmungslosen nationalistischen Demagogen – galt auch für die Anhörung Hindenburgs und Ludendorffs: »Der Untersuchungsausschuß war seiner Aufgabe nicht gewachsen.«[92] Statt auf die Fragen des Vorsitzenden zu antworten, zog Hindenburg ein – vermutlich von Helfferich und Ludendorff gemeinsam aufgesetztes – Memorandum aus der Tasche und ignorierte die Aufforderung Gotheins, die Verlesung zu unterlassen. Die Anhörung war keine Freude für die Zuhörer. Hindenburg hatte offenbar nicht geübt, er las zwar wie immer mit volltönender, tiefer Stimme, aber häufig unrichtiger Betonung. Als er bemerkte: »Unsere Friedenspolitik hat versagt. Wir wollten keinen Krieg«, unterbrach ihn der Vorsitzende: Werturteile seien von der Aussage der Zeugen ausgeschlossen, er erhebe also Einspruch. Der Generalfeldmarschall war der Situation gewachsen:

»Dann lasse ich die Weltgeschichte darüber entscheiden.«[93] Ungerührt setzte er nach diesem frei gesprochenen Satz seine Verlesung fort. Nur dieses eine Mal hatte er sich vom Vorsitzenden unterbrechen lassen. Als dieser immer hilflosere Versuche unternahm, Werturteile des Zeugen zu unterbinden, nahm Hindenburg den Parlamentarier gar nicht mehr zur Kenntnis: Parteiinteressen hätten sich breit gemacht, je schwieriger die Lage geworden sei – immerhin! »Diese Umstände führten sehr bald zu einer Spaltung und Lockerung des Siegeswillens. Ich wollte kraftvolle und freudige Mitarbeit, und bekam Versagen und Schwäche.« Wieder versuchte der Vorsitzende einzugreifen. Aber durch Gothein war Hindenburg nicht an die Verfahrensweisen eines parlamentarischen Untersuchungsausschusses zu gewöhnen. Er zelebrierte seine Schlußsätze mit militärischer Knappheit, aber sie waren bedeutungsschwerer als alles, was der Ausschuß zutage fördern konnte – vorausgesetzt, Hindenburg sprach die Wahrheit: »Unsere wiederholten Anträge auf strenge Zucht und strenge Gesetzgebung wurden nicht erfüllt. So mußten unsere Operationen mißlingen, es mußte der Zusammenbruch kommen; die Revolution bildete nur den Schlußstein. Ein englischer General sagte mit Recht: ›Die deutsche Armee ist von hinten erdolcht worden.‹ Den guten Kern des Heeres trifft keine Schuld ... Wo die Schuld liegt, ist klar erwie-

[92] M. J. Bonn, So macht man Geschichte. München 1953, S. 238.
[93] Wheeler-Bennett, Der hölzerne Titan, S. 247.

sen. Bedurfte es noch eines Beweises, so liegt er in dem angeführten Ausspruch des englischen Generals und in dem maßlosen Erstaunen unserer Feinde über ihren Sieg.«[94]

Moritz J. Bonn wunderte sich, daß niemand den Generalfeldmarschall nach dem englischen General fragte – schon das hätte ihn in Verlegenheit gebracht, handelte es sich doch bei dieser vermeintlichen Feststellung wahrscheinlich um die Frage eines englischen Generals in einem Interview mit Ludendorff: »You mean that you were stabbed in the back?« Ludendorff hatte diese von ihm provozierte Frage propagandistisch aufgenommen und sich auf die autoritative Aussage eines englischen Generals berufen[95]. Keines Beweises bedurfte es nach dieser Aussage, welcher Infamie Hindenburg fähig war. Er hatte damit zur Entschuldigung der OHL und des Kaiserreichs, die die Verantwortung zu übernehmen hatten, die Dolchstoßlegende in die Welt gesetzt oder sie zumindest salonfähig gemacht. Sie hat das politische Klima der Republik schon wenige Monate nach ihrem Beginn auf übelste Weise und nachhaltig vergiftet. Millionen glaubten diese Legende, und noch Hitler nutzte sie propagandistisch höchst wirkungsvoll aus. Die Repräsentanten der Republik galten fortan als »Novemberverbrecher«, die das deutsche Elend durch ihre subversive Tätigkeit verschuldet hätten.

Keineswegs ist Hindenburg einem Selbstbetrug aufgesessen. In einem Gespräch vom 28. September 1918 zwischen Hindenburg und Ludendorff waren sich beide darüber einig gewesen, daß sich die Lage nur noch verschlechtern könnte, »auch wenn wir uns an der Westfront hielten«[96]. Wenn sich beide jetzt darüber verständigten, daß die Ostfront wegen der Gefahr gehalten werden müßte, die vom Bolschewismus her drohte, so war auch dies eine späte Einsicht, hatte doch die OHL dafür gesorgt, daß Lenin von der Schweiz nach Rußland reisen konnte, und damit der entscheidende Motor der bolschewistischen Revolution dort überhaupt erst Aktionsmöglichkeiten erhielt. Auch an der »bolschewistischen Gefahr« aus dem Osten war die politisch kurzsichtige OHL, die sich durch russische Aufstände militärische Entlastung an der Ostfront versprochen hatte, keineswegs unschuldig. Aber nun der entscheidende Punkt: Am 29. Sep-

[94] Erklärung Hindenburgs vor dem Untersuchungsausschuß am 18. 11. 1919. In: Ursachen und Folgen, Bd. 4, S. 7f.
[95] Ebd., S. 10 Anm.
[96] Ebd., Bd. 2, S. 319.

tember hatte eine Besprechung im Großen Hauptquartier in Spa stattgefunden, über die der anwesende Chef des Auswärtigen Amts, von Hintze, vor dem Parlamentarischen Untersuchungsausschuß am 14. August 1922 berichtete: »Ich schilderte die Stellung unserer Verbündeten: Bulgarien abgefallen, der Abfall Österreich-Ungarns bevorstehend, die Türkei nur mehr Last, keine Hilfe, Stand der Friedensdemarche bei Holland. Ferner die Siegeszuversicht unserer Feinde. Endlich unsere eigene Notlage im Innern. General Ludendorff legte die militärische Lage dar; er ließ die Darlegung in der Erklärung gipfeln: die Lage der Armee bedinge sofortigen Waffenstillstand, um einer Katastrophe vorzubeugen. – Unter Katastrophe verstand ich Durchbruch mit entscheidender Niederlage, die zu teilweiser oder gänzlicher Déroute bzw. Kapitulation geführt haben dürfte.« Der Staatssekretär hatte befürchtet, »der plötzliche Umschwung von Siegeszuversicht zu Niederlage müßte der Nation einen Stoß geben, dessen Rückwirkung Reich und Dynastie kaum aushalten würden«. Hintze hatte verschiedene Vorschläge gemacht, etwa den einer Diktatur. General Ludendorff hatte die Diktatur verworfen: »Sieg wäre ausgeschlossen, die Lage der Armee verlangte vielmehr sofortigen Waffenstillstand«. Überrascht war Hintze über die Bereitwilligkeit gewesen, mit der der Generalfeldmarschall und der General die »Revolution von oben« gebilligt hatten[97]. Am Abend des 1. Oktober hatte eine Besprechung der Lage beim Vizekanzler von Payer stattgefunden. Der künftige Reichskanzler, Prinz Max von Baden, »hielt ein derart überraschendes Eingeständnis unserer militärischen Schwäche für direkt verhängnisvoll, dem Waffenstillstandsangebot müsse ein Friedensangebot vorausgehen«. Graf Rödern und von Payer hingegen hatten zwar im wesentlichen die Auffassungen des künftigen Reichskanzlers geteilt, aber gemeint, man könne nicht – wie dieser beabsichtigt hatte – bis zur Antrittsrede des Reichskanzlers warten: »Angesichts des Drängens der Obersten Heeresleitung hielten wir es, wenn wirklich mit der Möglichkeit des unmittelbaren Eintretens einer Katastrophe gerechnet werden müsse, für unmöglich, die Entscheidung so lange, bis die Antrittsrede gehalten sei, also jedenfalls mehrere Tage, hinauszuschieben ...«[98]. Als so misera-

[97] Das Werk des Untersuchungsausschusses, 4. Reihe, Bd. 2, Berlin 1925, S. 400f. (Gutachten Schwertfeger).

[98] Friedrich Payer, Von Bethmann Hollweg bis Ebert. Frankfurt a. M. 1923, S. 99.

bel hatte die OHL Ende September 1918 die militärische, wohlgemerkt die militärische, Situation des Reiches beurteilt, daß sie auf sofortiger Ausgabe des Waffenstillstandsangebots bestand und auch nur wenige Tage Verzögerung für nicht mehr vertretbar hielt. Eine Bemerkung des Vizekanzlers läßt besonders aufhorchen: »Im übrigen nahmen wir uns damals vor, das Material über diese Verhandlungen pünktlich sammeln zu lassen, um es zur Verfügung zu haben, falls etwa je nach dem Gang der Dinge später jemand auf den Gedanken kommen sollte, die Dinge so darzustellen . . ., als ob die Reichsleitung ihrerseits der Obersten Heeresleitung in den Arm gefallen wäre und sie von sich aus gezwungen hätte, die Waffen niederzulegen.«[99] Diese Sätze wurden 1923 veröffentlicht, immerhin zwei Jahre vor dem Dolchstoßprozeß.

Erst am 2. Oktober 1918 hatte die OHL die überraschten und erschütterten Parteiführer über die tatsächliche militärische Lage des Reiches unterrichtet. Der Vertreter der OHL, Major Freiherr von dem Bussche, hatte ausgeführt: Zwar hätten sich die deutschen Truppen in überwiegender Zahl vortrefflich geschlagen und hätten – Offiziere wie Mannschaften – Übermenschliches geleistet. »Der alte Heldensinn ist nicht verlorengegangen. Die feindliche Übermacht (!) hat die Truppe nicht erschreckt . . . Trotzdem mußte die Oberste Heeresleitung den ungeheuren schweren Entschluß fassen, zu erklären, daß nach menschlichem Ermessen keine Aussicht mehr besteht, dem Feinde den Frieden aufzuzwingen.« Das bedeutete im Klartext: der Krieg ist militärisch verloren. Enthielt der Bericht der OHL einen Hinweis darauf, daß ein »Dolchstoß« der Heimat ursächlich für den militärischen Zusammenbruch gewesen sei? Keineswegs, vielmehr nannte die OHL zwei »entscheidende Tatsachen« für diesen Kriegsausgang. Erstens habe der Gegner in unerwartet großen Mengen Tanks eingesetzt. Es wäre über die Kräfte »unserer aufs äußerste angespannten Industrie« gegangen, dem Feind in gleicher Menge deutsche Tanks entgegenzustellen, »oder andre, wichtigere Dinge hätten liegenbleiben müssen«. Und zweitens: »Restlos entscheidend ist die Ersatzlage geworden. Das Heer ist in die große Schlacht mit schwachen Beständen gegangen. Trotz aller Maßnahmen sanken die Stärken unserer Bataillone von rund 800 im April auf rund 540 Ende September . . . Die bulgarische Niederlage fraß weitere

[99] Ebd., S. 100.

sieben Divisionen ... Nur die Einstellung des Jahrgangs 1900 wird die Bataillonsstärken einmalig um 100 Köpfe erhöhen. Dann ist unsre letzte Menschenreserve verbraucht. Die Verluste der im Gange befindlichen Schlacht sind ... über Erwarten groß, besonders an Offizieren. Das ist ausschlaggebend ... Der Feind ist durch amerikanische Hilfe in der Lage, seine Verluste zu ersetzen ... Nun gehen unsre Reserven zu Ende.«[100] Nirgendwo in diesen Tagen haben offizielle Stellen von einem Dolchstoß der Heimat in den Rücken des siegreichen deutschen Heeres gesprochen.

Wie war die Reaktion der Parteiführer gewesen? Auch der Bericht hierüber ist aufschlußreich: »Die Abgeordneten waren ganz gebrochen; Ebert wurde totenblaß und konnte kein Wort herausbringen; der Abgeordnete Stresemann sah aus, als ob ihm etwas zustoßen würde; einzig und allein Graf Westarp begehrte auf gegen die vorbehaltlose Annahme der 14 Punkte [des amerikanischen Präsidenten Wilson].« So beobachtete es Prinz Max von Baden[101]. Aber auch General Ludendorff berichtete, Major von dem Bussche habe den Abgeordneten »die starke Nervenerschütterung« angemerkt[102]. Die Erschütterung war verständlich, hatte doch die OHL Reichsleitung und Parteien seit Monaten über die Verschlechterung der Kriegslage völlig im unklaren gelassen, hatte doch selbst Hindenburg noch gemeint, man könne weiterhin Longwy und Briey fordern, trotz des sofortigen Waffenstillstandsangebots: Eine groteske Situation!

Und wie überrascht mußte erst die Bevölkerung, mußten die Soldaten gewesen sein, die einen jahrelangen, schreckliche Opfer kostenden, zermürbenden Kampf zu tragen gehabt hatten, als sie plötzlich hörten: Ihr habt umsonst gekämpft, der Krieg ist verloren.

Der Fall ist klar: Um ihre eigene Niederlage und ihr politisches Versagen zu vertuschen, behaupteten Hindenburg und Ludendorff vor dem Parlamentarischen Untersuchungsausschuß, also vor der Öffentlichkeit, die deutsche Niederlage sei durch Subversion verursacht worden. Man kann sich die fatale Wirkung auf das Millionenheer Verbitterter, Enttäuschter, Verstümmelter, Hungernder vorstellen: Hatte Hindenburg recht, dann waren die »Novemberverbrecher« für die Vergeblichkeit

[100] Ursachen und Folgen, Bd. 2, S. 327ff., die Zitate S. 328f.
[101] Ebd., S. 330.
[102] Das Werk des Untersuchungsausschusses, 4. Reihe, Bd. 8, Berlin 1926, S. 288 (Gutachten Bredt).

der Opfer verantwortlich, dann waren sie die Schuldigen des deutschen Elends. Konnte ein solcher Mann, konnte Hindenburg ein geeigneter Präsident der deutschen Republik sein?

Er konnte es keinesfalls. Auch ein erheblich jüngerer Hindenburg wäre die personifizierte Kriegserklärung an die demokratische Republik gewesen; seit dem 18. November 1919 unterlag das keinem Zweifel. Die ihm allerorten entgegengebrachte Verehrung galt einem Mann, dem jegliche politische und auch – das muß vielen gegenteiligen Interpretationen zum Trotz gesagt werden – moralische Eignung für dieses Amt fehlte. Dieser Paul von Hindenburg war alles andere als ein Saulus, aus dem ein Paulus geworden war, wie die Republik so einige aufzuweisen hatte, Gustav Stresemann beispielsweise. Hindenburg jedoch hatte sich nach 1918/19 nicht geändert: Er stand für das ruhmlos zusammengebrochene gesellschaftliche, politische und militärische System des Wilhelminischen Deutschland, und das wird man einem alten Herrn nicht vorwerfen können. Aber er griff in die Politik der Republik ein, nicht erst seit 1925, sondern schon mit seinem Auftritt 1919. Also sind die politischen Beurteilungskriterien entscheidend. Wie konnte man ihn wählen, und wer konnte diesen Hindenburg wählen?

Beim ersten Wahlgang am 29. März 1925 erzielte keiner der Kandidaten die Mehrheit der abgegebenen Stimmen, ein zweiter Wahlgang wurde erforderlich, und für ihn schließlich hatte sich Hindenburg auf Drängen des ehemaligen Großadmirals Tirpitz, der politisch nicht weniger problematisch war als Hindenburg selbst, aufstellen lassen[103]. Die Deutschnationale Volkspartei, eine republikfeindliche und monarchistische Partei, hatte den Generalfeldmarschall vorgeschlagen: Die Bayerische Volkspartei, die Wirtschaftspartei, der Bayerische Bauernbund und die Deutsch-Hannoversche Partei unterstützten gemeinsam mit der DNVP im sog. Reichsblock die am 8. April bekanntgegebene Kandidatur[104]. Am 26. April 1925 fand der zweite Wahlgang statt: Hindenburg erhielt bei einer Wahlbeteiligung von 77,6 Prozent 14 655 766 Stimmen (48,3 Prozent). Der Gegenkandidat der drei Weimarer Parteien SPD, Zentrum und DDP, Wilhelm Marx (Z), ein integrer Jurist, mehrfacher Regierungschef des Reiches und Preußens, vereinigte 13 751 615 Stimmen (45,3 Prozent) auf sich, der KPD-Kandidat Ernst Thälmann erreichte 1 931 151 Stimmen (6,4 Prozent).

[103] Ursachen und Folgen, Bd. 6, S. 265.
[104] Ebd., S. 277.

Das Wahlergebnis zeigt, daß es trotz gravierender Differenzen gelungen war, die demokratischen Parteien auf einen gemeinsamen Kandidaten festzulegen. Mitverantwortung für die Wahl Hindenburgs trifft die KPD, die an ihrem völlig aussichtslosen Zählkandidaten Thälmann festhielt, anstatt das für sie »kleinere Übel« zu wählen[105]. Sie ermöglichte damit dem greisen Monarchisten den Weg ins Reichspräsidentenamt. Bereits die Hälfte ihrer 1,9 Millionen Stimmen hätte ausgereicht, einen demokratischen Republikaner in dieses politisch zentrale Amt des Weimarer Staates zu wählen. Aber in ihrer parteipolitischen Engstirnigkeit begünstigten die Kommunisten lieber den Repräsentanten des alten Systems, als über ihren Schatten zu springen und einen Verfechter der verhaßten Republik zu wählen. »Jede Stimme für Thälmann ist eine Stimme für Hindenburg« hieß es zutreffend im Wahlaufruf der SPD, die sich gemeinsam mit der Deutschen Demokratischen Partei wahrhaft staatstragend verhalten und auf ihren eigenen Kandidaten verzichtet hatte. Weniger rühmlich war das Verhalten der Bayerischen Volkspartei, die noch kurz zuvor gegen die Wahl Hindenburgs Stellung genommen und ihre Wähler aufgefordert hatte, für Wilhelm Marx zu stimmen. »Hindenburg wird mißbraucht von den preußisch-ostelbischen Junkern.«[106] Aber schließlich einigte sich die BVP-Führung mit »den Parteien der preußischen Vorherrschaft in Bayern« und schwenkte plötzlich auf Hindenburg ein, gegen den sie kurz zuvor wegen seines Alters sowie aus innen- und außenpolitischen Gründen Bedenken geltend gemacht hatte. Die BVP war zu dieser Kehrtwendung vor allem deswegen bereit, weil Marx auch von der SPD unterstützt wurde, sie selbst aber einen bürgerlichen Sammelkandidaten befürwortete. Hinzu kamen Differenzen zwischen BVP und Zentrum sowie die Tatsache, daß Marx Republikaner war. 80 Prozent der BVP-Wähler versagten dem Zentrumskandidaten und rheinischen Katholiken ihre Stimme und entschieden sich für den erzpreußischen, protestantischen General[107]: Die BVP sprang zwar über ihren Schatten, aber nach der falschen Seite.

Mehr als 14 Millionen Deutsche wählten 1925 Hindenburg. Er stand auf der Höhe seines Ansehens, die Zahl der Ehrungen

[105] Aufruf der KPD. Ebd., S. 273ff.

[106] BVP-Aufruf. Ebd., S. 269f.

[107] A. Schwarz in: Max Spindler (Hrsg.), Handbuch der bayerischen Geschichte. Bd. 4, 1 München 1979, S. 495.

war Legion: Hindenburg war bzw. wurde in den nächsten Jahren zum Ehrendoktor aller vier Fakultäten der Universität Königsberg, Ehrendoktor zum Teil mehrerer Fakultäten der Universitäten Breslau, Bonn, Graz, Ehrenbürger einer Reihe weiterer Universitäten, Dr. Ing. sämtlicher Technischer Hochschulen Deutschlands, Ehrenmeister des deutschen Handwerks, Ehrenbürger von 190 deutschen Städten und Ortschaften, Dechant des Domkapitels Brandenburg, Ritter des Schwarzen-Adler-Ordens mit der Kette und so fort. Selbst Gustav Stresemann hatte Hindenburgs Kandidatur, wenn auch nur mit großen Bedenken und in letzter Minute, unterstützt[108]. Stresemann vollführte schließlich »einen wahren Eiertanz« (Erich Eyck), um nachzuweisen, daß die Wahl des Reichspräsidenten weder über die republikanische Staatsform noch über die auswärtige Politik entscheide. Heinrich Brüning ergriff freudige Zuversicht, daß er (Hindenburg) ein konservatives Regime »unterstützen würde«[109]. Der Historiker Fritz Hartung hatte 1923 Hindenburgs »treffliche menschliche und militärische Eigenschaften« gerühmt[110].

Wie ist Hindenburgs Erfolg zu verstehen? Häufig genug ist politischer Erfolg eine Folge von Suggestion, nicht von Leistung. Hindenburg stand für verlorengegangenen Glanz, stand im deutschen Elend für deutsche Größe, galt seit Tannenberg als Retter in der Not, war »national«, zu ihm konnten die niedergedrückten Deutschen aufschauen – was scherte da die Realität, die das Gegenteil nahegelegt hätte? Die Mehrzahl der Deutschen wollte an Hindenburg glauben; er war Vaterfigur und Kaiserersatz. Unzufriedenheit mit Revolution und Republik, eine protestantische Animosität gegen den Katholiken Marx – all das mag mitbestimmend gewesen sein für die Wahlentscheidung vieler Millionen Menschen.

Für Demokraten hätte Paul von Beneckendorff und von Hindenburg 1925 keine Alternative zu Wilhelm Marx sein dürfen! Der liberale Publizist Theodor Wolff kommentierte die Wahl Hindenburgs im ›Berliner Tageblatt‹? »Die Republikaner haben eine Schlacht verloren, der bisher monarchistische Feldmarschall von Hindenburg wird Präsident der deutschen Republik . . . Die gestrige Wahl war eine Intelligenzprüfung. . . unge-

[108] Stresemann, Vermächtnis, Bd. 2, S. 47ff.
[109] Brüning, Memoiren, Bd. 1, S. 123.
[110] Paul Herre (Hrsg.), Politisches Handwörterbuch. Bd. 1, Leipzig 1923, S. 789.

fähr die Hälfte des deutschen Volkes (ist) in dieser Prüfung durchgefallen. Das ›Abenteuer der Hindenburg-Kandidatur‹ ... diese Spekulation auf das ›deutsche Gemüt‹, das offenbar mit keiner Vernunft vereinbar ist, hat sich tatsächlich abermals bewährt.«[111] Außenminister Gustav Stresemann sah sich genötigt, das Ausland wegen dieser Wahl zu beruhigen und unter anderem auf Hindenburgs Friedenswillen zu verweisen.

Die ausländischen Stimmen zum Wahlausgang waren alles andere als unbefangen, trotzdem sind sie instruktiv: Die französische Zeitung ›Le Temps‹ schrieb: »Die Bedeutung der Wahl liegt darin, daß das deutsche Volk in der Person Hindenburgs seinen früheren Heerführer gewählt hat und daß es damit seine Niederlage im Weltkrieg leugnen will... Deutschland hat die Maske abgeworfen, durch die es an die Aufrichtigkeit seiner demokratischen Gefühle glauben machen will, und es zeigt sich nun sein altes Gesicht... Im übrigen ist die Wahl der Vorbote für den Zusammenbruch des republikanischen Systems, für die Rückkehr der Hohenzollern.«[112]. Die Befürchtungen der Franzosen waren naturgemäß außen- und militärpolitischer Natur, doch war die Reaktion auf Hindenburgs Wahl auch in anderen Ländern, insbesondere den USA, kritisch. Und es verbarg sich in dieser Kritik nicht nur das jeweilige nationale Interesse, sondern eben die Erkenntnis über den symbolischen Charakter der Wahl, die, wie der Historiker Friedrich Meinecke am 9. Mai 1925 schrieb, »nicht aus fester politischer Einstellung, sondern aus gemütlichen Motiven« erfolgt sei[113].

Für die DNVP und die dezidierten Rechtskonservativen, die Hindenburg auf den Schild gehoben hatten, hatte diese Wahl aber Signalwirkung: »Das alte Preußen kehrte in das neue Deutschland heim«, kommentierte der deutschnationale Reichstagsabgeordnete Friedrich Everling das Wahlergebnis und behauptete, Hindenburgs Eid auf die Verfassung sei kein Eid der Gesinnung und lasse Verfassungsänderungen durchaus zu[114]. Noch unzweideutiger erklärte der DNVP-Fraktionsvorsitzende Kuno Graf Westarp am 19. Mai 1925 im Deutschen Reichstag, was sich seine Partei von der Wahl des Feldmarschalls versprach: »Die 14,6 Millionen, die am 26. April unserer

[111] Ursachen und Folgen, Bd. 6, S. 283ff.
[112] Ebd., S. 286f.
[113] Friedrich Meinecke, Politische Schriften und Reden. Hrsg. v. Georg Kotowski, Darmstadt 1958, S. 384.
[114] Ursachen und Folgen, Bd. 6, S. 290.

Parole gefolgt sind, haben damit ein Bekenntnis abgelegt, ein Bekenntnis zu dem *Gedanken der Führerpersönlichkeit,* ein Bekenntnis zu jener Vergangenheit, die vor 1918 lag... Dieser Wille, der bei der Abstimmung vom 26. April sich durchgesetzt hat, bedeutet keine Zustimmung zu dem dem deutschen Wesen fremden, uns durch unsere ausländischen Feinde aufgezwungenen *republikanisch-demokratischen parlamentarischen System.* Diese Wahl zeigt nicht, daß dieses System in unserem Volke wirklich Wurzeln gefaßt hätte.«[115]

Graf Westarp traf den Kern der Sache. Was immer auch sonst die Motive der einzelnen Hindenburg-Wähler gewesen sein mochten – diese Wahl war nach der für die demokratische Republik ebenso verheerenden Reichstagswahl von 1920 die schwerstwiegende und folgenreichste Niederlage des neuen Staatswesens. Daran änderte auch die Tatsache nichts, daß Hindenburgs erste Verlautbarungen eher geeignet waren, die demokratische Mitte zu beruhigen als die Rechte zufriedenzustellen.

In der Tat hat der neue Reichspräsident seinen Eid auf die Weimarer Verfassung sehr ernstgenommen, aber man wird hinzufügen müssen: so *wie* er den Eid und seine »vaterländische« Pflicht auffaßte. Da sein Verfassungsverständnis und seine Kenntnis der Politik überhaupt extrem gering blieben, war er zunehmend auf Berater angewiesen, wie Theodor Wolff in seinem Kommentar zur Präsidentenwahl befürchtet hatte: Nicht in Hindenburg selbst liege die Gefahr, »sondern in der Hinterhältigkeit seiner Begleiter... Sie werden schnell genug versuchen, die politische Unerfahrenheit des militärisch erzogenen, militärisch denkenden Reichspräsidenten auszunutzen und den Gegensatz zwischen ihm und jener demokratisch gesinnten Volkshälfte zu verschärfen, die gestern ihre Stimme gegen ihn abgegeben hat.«[116] Und so kam es. Nur diese Konstellation ermöglichte einen »in der Verfassung nicht vorgesehenen Sohn des Reichspräsidenten«, den Major und späteren Oberstleutnant Oskar von Hindenburg, sowie einen ganzen Schwarm weiterer, in der Verfassung nicht vorgesehener und politisch nicht zur Verantwortung zu ziehender Berater. Sicherlich war Hindenburg ein »ahnungsloser Greis«, der von »deutschnationalem Klüngel« mißbraucht wurde, wie es im SPD-Wahlaufruf hieß, aber noch charakteristischer für den Zustand der Demo-

[115] Ebd., S. 298.
[116] Ebd., S. 284.

kratie war ein anderer Passus dieses Aufrufs, mit dem die SPD für Wilhelm Marx warb: »Hindenburg ist das Symbol der Monarchie und des Krieges! Deutschland ist aber eine Republik und braucht den Frieden.«[117] Und welche Tragik liegt darin, daß der Zustand dieser Republik bis 1932 so fatal geworden war, daß auch die drei unzweifelhaft demokratischen Weimarer Parteien – SPD, Zentrum und DDP – im Frühjahr 1932 in Hindenburg die letzte Chance zur Rettung der Republik sahen und sehen mußten, weil nur er eine Chance hatte, Adolf Hitler zu schlagen. Daß 1932 Hindenburg der einzige Ausweg zu sein schien, das lag wesentlich am Wahlausgang von 1925, denn mit größter Wahrscheinlichkeit hätte ein Reichspräsident Marx sich nach siebenjähriger Amtszeit mit besten Aussichten zur Wiederwahl stellen können. Und mit noch größerer Sicherheit hätte ein Reichspräsident Marx weder Franz von Papen, noch Kurt von Schleicher und schon gar nicht Adolf Hitler zum Reichskanzler ernannt. Aber das sind Spekulationen, allerdings solche, die historisch im Bereich des Möglichen liegen und die zeigen, daß der Untergang der Republik nicht zwangsläufig gewesen ist.

Die Persönlichkeit spielte eine so entscheidende Rolle, weil die Weimarer Verfassung dem Reichspräsidenten zentrale politische Funktionen zuwies, und das bedeutete: Der Amtsinhaber mußte zu verantwortlicher Wahrnehmung dieses Amtes höchste politische Kompetenz und Fähigkeit besitzen. Nicht zufällig hatte im Februar 1919 die stärkste politische Persönlichkeit der Revolutionsmonate, Friedrich Ebert, das Amt des Reichspräsidenten und nicht des Reichskanzlers übernommen.

Zwei Präsidenten hatte die Republik, Ebert war ihre Hoffnung, Hindenburg ein Symbol ihrer Gefährdung. Wenn ein Präsident wie er zur Hoffnung wurde, wie 1932, dann stand es schlecht, ja fast hoffnungslos um die Republik.

[117] Ebd., S. 272.

II. Entstehung und Bewährungsproben der Weimarer Republik 1919 – 1930

1. Die Bürger wählen, aber die Revolution geht weiter

»Arbeiter, Bürger, Bauern, Soldaten aller Stämme Deutschlands: Vereinigt Euch zur Nationalversammlung«. Mit diesem von Cesar Klein 1918 entworfenen Plakat des Werbedienstes der Deutschen Republik rief die Regierung der Volksbeauftragten zur Wahl am 19. Januar 1919 auf. Das erste Mal[1] in ihrer Geschichte erhielten alle Deutschen von vollendetem 20. Lebensjahr ab das Recht, in allgemeiner, gleicher, unmittelbarer und geheimer Wahl über die parteipolitische Zusammensetzung einer Verfassunggebenden Nationalversammlung zu entscheiden. Neu war die Einführung des Frauenwahlrechts, neu die Herabsetzung des Wahlalters von 25 auf 20 Jahre, neu schließlich das Verhältniswahlrecht. Dieses Wahlsystem und die anderen hier genannten Prinzipien hatte die SPD aufgrund ihrer negativen Erfahrungen mit Mehrheitswahlrecht und Stichwahlsystem des Kaiserreichs seit ihrem Erfurter Programm von 1891[2] gefordert. Das Verhältniswahlsystem machte Schluß mit der zunehmend ungerechteren Wahlkreiseinteilung der Monarchie – die zur nicht mehr praktizierten Änderung des Wahlgesetzes vom 24. August 1918 geführt hatte – und erlaubte eine prozentual angemessene Repräsentation der politischen Strömungen des deutschen Volkes. Zwar war das später von der Nationalversammlung beschlossene Reichstagswahlgesetz vom 27. April 1920 differenzierter und gründlicher, doch blieben die hier genannten Grundzüge der von den Volksbeauftragten am 30. November 1918 erlassenen Verordnung über die Wahlen zur Verfassunggebenden Deutschen Nationalversammlung während der Weimarer Republik erhalten[3] und gingen als ver-

[1] Bis dahin galt das Wahlgesetz des Norddeutschen Bundes v. 31. Mai 1869, das 1871 als Reichsgesetz übernommen worden war. Die bedeutsamen Änderungen vom 24. August 1918 (z. B. Wahlkreiseinteilung) wurden nicht mehr praktiziert. Texte in: Ernst Rudolf Huber (Hrsg.), Dokumente zur deutschen Verfassungsgeschichte. Bd. 2, Stuttgart 1964, S. 243 ff., 479 ff.

[2] Programmatische Dokumente der deutschen Sozialdemokratie. Hrsg. v. Dieter Dowe und Kurt Klotzbach, Berlin, Bonn, Bad Godesberg 1973, S. 178.

[3] Text in: Heinrich Triepel, Quellensammlung zum Deutschen Reichsstaatsrecht. 5. Aufl. Tübingen 1931, S. 2.

fassungsrechtliche Grundlage dieses Gesetzes bereits in Artikel 22 der Weimarer Reichsverfassung ein. Während Wahlkreiseinteilung und andere Details des Wahlvorgangs einem Ausführungsgesetz vorbehalten blieben, erhielt das Verhältniswahlsystem Verfassungsrang.

Dieses Wahlsystem ist später heftig kritisiert worden, weil die Kehrseite der möglichst vollkommenen politischen Repräsentation in einer Zersplitterung der Stimmen und damit des Parteiensystems liegt. Diese Konsequenz begünstigte seit der Septemberwahl von 1930 den Aufstieg der NSDAP von einer Splittergruppe zur Massenpartei. Schon vorher aber wirkte sich das Verhältniswahlsystem ungünstig aus, da die Vielzahl der zur Wahl antretenden Parteien – die zum Teil auch in den Reichstag gelangten – die Urteilsbildung des Wählers und schließlich die Regierungsbildung erschwerte. Schon während der zwanziger Jahre mündete die Kritik am Verhältniswahlrecht in Vorschlägen zur Wahlrechtsreform. Bei aller Berechtigung der Kritik geht die zuerst 1941 im amerikanischen Exil veröffentlichte Analyse von Hermens allerdings zu weit, wenn sie den Erfolg der NSDAP in erster Linie auf das Verhältniswahlsystem zurückführt[4].

Während der Verfassungsberatungen jedoch blieb die Kritik des Vorsitzenden der Deutschen Demokratischen Partei, Friedrich Naumann, ohne Resonanz: »Gegen die *Verhältniswahl* bestehen immerhin gewisse Bedenken, wenn sie auch äußerlich unzweifelhaft das gerechteste Wahlsystem ist ... Die Folge des Verhältniswahlsystems ist die Unmöglichkeit des parlamentarischen Regierungssystems; parlamentarisches System und Proporz schließen sich gegenseitig aus.«[5] Unter Hinweis auf den englischen Parlamentarismus versuchte Naumann klarzumachen, daß das Gegenüber von Regierung und Opposition aufgrund eines sich durch Mehrheitswahlsystem herausbildenden Zweiparteiensystems die Voraussetzung eines funktionierenden Parlamentarismus sei. Auch sein ergänzender Hinweis, das Verhältniswahlsystem erschwere die Regierungsbildung, stieß bei

[4] Ferdinand A. Hermens, Demokratie oder Anarchie? Untersuchung über die Verhältniswahl. Köln, Opladen 1968 sowie schon die zeitgenössische Kritik von Johannes Schauff (Hrsg.), Neues Wahlrecht. Beiträge zur Wahlrechtsreform. Berlin 1929.

[5] Berichte und Protokolle des 8. Ausschusses der Verfassunggebenden Deutschen Nationalversammlung über den Entwurf einer Verfassung des Deutschen Reiches. Berlin 1920, S. 242 (künftig zit. als Verfassungsausschuß).

den Abgeordneten nicht auf Verständnis; sogar sein Parteifreund Reichsinnenminister Hugo Preuß widersprach Naumann und hielt es im übrigen für politisch aussichtslos, zum Mehrheitswahlrecht zurückzukehren. Diese Einschätzung bestätigte sich in der Bemerkung des sozialdemokratischen Abgeordneten Wilhelm Keil, man dürfe die »Errungenschaften der Revolution« nicht antasten[6]. Indes bestätigte die politische Erfahrung von Weimar Naumanns Befürchtung einer zunehmenden Zersplitterung des Parteiensystems und einer Erschwerung parlamentarischer Mehrheitsbildung. So gelangten neben den sechs größeren Parteien schon in die Nationalversammlung Abgeordnete dreier Splittergruppen. Der am 14. September 1930 gewählte Reichstag schließlich zählte Parlamentarier von 15 Parteien und sonstigen politischen Gruppierungen.

Das reine Verhältniswahlrecht der Weimarer Republik enthielt noch eine weitere Problematik. Auch sie wurde während der Verfassungsberatungen erwähnt, doch hoffte man durch das Wahlgesetz Abhilfe schaffen zu können: Verhältniswahlrecht ist reines Parteienwahlrecht, die Persönlichkeit des einzelnen Kandidaten tritt in den Hintergrund, der Wähler kann lediglich die Liste, nicht die Person bestimmen. Dadurch wird der Abgeordnete in noch stärkerem Maße, als es ohnehin der Fall ist, von seiner Partei abhängig. Das Reichstagswahlgesetz legte 35 Wahlkreise fest, sie wurden in 16 Wahlkreisverbänden zusammengeschlossen[7]. Die gewählten Abgeordneten hatten zu ihren Wahlkreisen eine vergleichsweise lockere Beziehung, waren doch die Wahlkreise häufig so groß, daß sie mehrere Regierungsbezirke umfaßten. Überdies wurde der Abgeordnete gemeinsam mit weiteren Kandidaten seiner eigenen und anderer Parteien gewählt, vertrat also »seinen« Wahlkreis mit mehreren anderen Politikern. Nach einem komplizierten Verfahren der Reststimmenverwertung stellte das verschiedentlich novellierte Reichstagswahlrecht sicher, daß keine Stimme verlorenging und das Parlament ein getreues Abbild der politischen Stimmungen der Bevölkerung darstellte. Aber gerade dieses Verfahren begünstigte kleine politische Grüppchen und politische Interessenverbände, die nun nicht schon im Vorfeld der Wahl zu politischen Kompromissen und zur Integrierung solcher Strömungen in die mittleren und größeren Parteien gezwungen waren.

[6] Ebd., S. 243.
[7] Georg Kaisenberg, Die Wahl zum Reichstag. 3. Aufl. Berlin 1928, S. 50ff.

Wie wählten die Deutschen, als sie dieses, in jeglicher Beziehung demokratische Wahlrecht erhielten[8]? Die Wahlentscheidung des 19. Januar stellte eine klare Befürwortung des von der sozialdemokratischen Führung unter Friedrich Ebert seit dem 9. November eingeschlagenen Kurses dar, ohne jedoch der SPD eine absolute Mehrheit zu geben. Diejenigen Parteien, die als Verfechter von Monarchie und Konstitutionalismus zur Wahl angetreten waren – die eine Restauration des durch Oktoberreform und Revolution beseitigten Verfassungs- und Gesellschaftssystems anstrebende Deutschnationale Volkspartei (DNVP) und die liberal-konservative Deutsche Volkspartei (DVP) –, erlitten eine empfindliche Wahlniederlage, sie erreichten zusammen nur annähernd 15 Prozent der abgegebenen Stimmen. Zählt man die in ihren politischen Umkreis gehörenden Splittergruppen hinzu, ändert sich das Bild nicht wesentlich, da sie insgesamt nur 1 Prozent der Stimmen erreichten. Ebenso eindeutig wie die Absage an Konservative aller Spielarten fiel die Verneinung eines entschieden sozialistischen Kurses aus, wie er von der USPD vertreten wurde: nur 7,6 Prozent der Wähler entschieden sich für die radikale politische Linke. Daraus ergab sich die überwältigende Mehrheit für die Parteien von Mitte-Links bis Mitte-Rechts, der drei als »Weimarer Parteien« bezeichneten Koalitionspartner SPD, Zentrum und DDP, die zusammen 76,2 Prozent der Stimmen erhielten. So eindeutig der Vorsprung der SPD mit 37,9 Prozent vor der zweitstärksten Partei, dem Zentrum mit 19,7 Prozent, auch ausfiel, so klar war, daß die Mehrheit der Wähler keine rein sozialistische Mehrheitsbildung von SPD und USPD wollte. Theoretisch wäre hingegen eine rein bürgerliche Koalition aller übrigen Parteien gegen die gesamte Linke denkbar gewesen, doch hatte eine solche Koalition zu keinem Zeitpunkt eine reale Chance: Sie hätte die mit Abstand stärkste Partei von der Regierungsbildung zu einem Zeitpunkt ausgeschlossen, an dem die revolutionären Unruhen noch keineswegs beendet waren, und hätte außerdem wegen des unüberbrückbaren politischen Gegensatzes zwischen großen Teilen der Zentrumspartei und der linksliberalen DDP einerseits sowie den Deutschnationalen andererseits keine praktikable Alternative geboten.

Im ganzen versprach also das Wahlergebnis eine stabile demokratische Republik, da es der politischen Mitte eine überwäl-

[8] S. Tabelle im Anhang.

tigende Mehrheit gegeben und eine Koalition aus drei Parteien ermöglicht hatte, die schon in den letzten Jahren des Kaiserreichs zusammengerückt waren. Auch versprach diese Koalition gesellschaftliche Integration, da sie die auf sozialen Ausgleich angelegte katholische Zentrumspartei mit den demokratischen bürgerlichen Kräften der DDP – die überdies eine beträchtliche intellektuelle Potenz zu mobilisieren verstand – und den Sozialdemokraten und des durch sie repräsentierten Teils der organisierten Arbeiterschaft verband. Dagegen wog die Enttäuschung der SPD, daß sie die erhoffte absolute Mehrheit nicht erreicht hatte, leicht. Auch die im Zuge der Parteigründungen sich vertiefende Spaltung des politischen Liberalismus fiel als Negativum 1919 noch nicht ins Gewicht. Das Wahlergebnis legte eine Verständigung in den politischen Grundfragen der Nation nahe, wenngleich auch die drei Weimarer Parteien durch tiefgreifende Meinungsverschiedenheiten getrennt blieben. Die Partei des politischen Katholizismus konnte in bezug auf die Konfession und ihre kulturpolitischen Konsequenzen kaum zu einem Kompromiß mit den Linksliberalen oder den Sozialdemokraten gelangen, deren antikonfessionelle bzw. zu Teilen antireligiöse Ausrichtung nicht zu übersehen waren. Auf der anderen Seite hatte der starke Arbeitnehmerflügel der christlichen Gewerkschaften in der Zentrumspartei mit den Sozialdemokraten oft mehr gemeinsame Interessen als mit der bürgerlich-intellektuell, mittelständisch, partiell aber auch großbürgerlich-industriell geprägten DDP. Aber in dieser Stunde kam es auf die zentralen politischen Entscheidungen über Friedensschluß und künftige deutsche Verfassungsordnung an – und gerade hier waren Kompromisse zwischen den drei Parteien möglich und naheliegend.

In jenen Wochen wurden auch die verfassunggebenden Landtage der Einzelstaaten gewählt. Bestätigte sich das Ergebnis des Reiches? Sieht man vom Sonderfall Thüringen ab, wo 1919 nur in den thüringischen Kleinstaaten Wahlen stattfanden und eine das gesamte Territorium erfassende Wahl erst am 20. Juni 1920 zustandekam, dann fällt zunächst die extrem unterschiedliche Wahlbeteiligung auf: In Württemberg war sie mit 90,9 Prozent sogar höher als auf Reichsebene, in Baden (88,1 Prozent) und in Bayern (86,3 Prozent) war sie noch beachtlich, während sie in Preußen lediglich 75 Prozent und in Hessen nur 73,2 Prozent betrug. Die süddeutschen Staaten hatten also die höchste Wahlbeteiligung, im übrigen auch die frühesten Wahltermine, in jedem Falle vor dem Wahltag der Nationalversammlung: am 5. bzw. 12. Januar. Preußen und Hessen wählten erst am 26. Januar 1919, und es ist nicht auszuschließen, daß das Interesse der Wähler bereits etwas erlahmt war. Gerade in Preußen dürften die Berliner Januarunruhen – der Spartakusaufstand und seine Niederschlagung – sowohl bei den Wahlen zum Reichs- wie zum Landesparlament potentielle SPD-Wähler vom Gang zur Urne abgehalten und im übrigen der Partei Stimmeneinbußen gebracht haben. So lag die Berliner Beteiligung an der Wahl zur Verfassunggebenden Preußischen Landesversammlung am 26. Januar 1919 mit 70,25 Prozent rund 5 Prozent unter dem preußischen Durchschnitt vom 19. Januar 1919, wenngleich noch beträchtlich über der Wahlbeteiligung in den deutschnationalen Hochburgen, den Provinzen Ost- und Westpreußen[9]. In diesen Wahlen erzielte die USPD in Berlin ein überdurchschnittlich gutes Ergebnis und wurde mit sechs Abgeordneten gegenüber acht von der SPD die zweitstärkste Partei[10]. Schon bei den Wahlen zur Nationalversammlung hatte die USPD im Wahlkreis Berlin besonders gut abgeschnitten und nur ein Mandat weniger erzielt als die SPD (vier gegenüber fünf), obwohl oder gerade weil zwei Wochen vorher der abgelöste radikale Berliner Polizeipräsident Emil Eichhorn auf dem ersten Platz der USPD-Liste stand[11]. Übertroffen wurden diese Erfolge der USPD nur noch in den später kommunistischen Hochburgen, dem Regierungsbezirk Merseburg, wo die USPD erfolgreicher war als alle übrigen Parteien zusammen (fünf gegenüber vier Mandaten) und den sächsischen Wahlkreisen 10 bis 14, wo sie immerhin zur stärksten Partei wurde[12]. Spezifika dieser Art müssen also für eine angemessene Beurteilung der Januarwahlen 1919 berücksichtigt werden.

Überblickt man die Wahlergebnisse zu den Landtagen der wichtigsten deutschen Einzelstaaten, dann bestätigt sich ungeachtet einiger Besonderheiten das Ergebnis der Wahlen zur Nationalversammlung. Zu den Eigentümlichkeiten zählte die unterschiedliche Stärke der Parteien in einzelnen Regionen. So hatte die Zentrumspartei aufgrund ihrer konfessionellen Orientierung extrem unterschiedliche Ergebnisse. Während sie im

[9] Statistisches Jahrbuch für den Preußischen Staat. Bd. 16, Berlin 1920, S. 422.
[10] Ebd., S. 424.
[11] Tabelle bei Cuno Horkenbach, Das Deutsche Reich von 1918 bis heute. Berlin 1930, S. 386.
[12] Ebd., S. 390, 397.

»roten« und, konfessionell gesehen, protestantischen Sachsen nur 1 Prozent der Stimmen erreichte, erzielte sie in Baden 36,6 Prozent und wurde dort vor der SPD zur erfolgreichsten Partei. Diese Differenzen sind typisch für die Weimarer Parteien, sie waren in starkem Maße regional verwurzelt, selbst die großen Parteien blieben in manchen Wahlkreisen Splittergruppen. Dieser Regionalismus wirkte sich nicht selten auf die politische Willensbildung aus, so daß generell gesagt werden kann: Die Weimarer Parteien waren sehr viel ausgeprägter, als das bei den heutigen Parteien der Fall ist, Vertreter spezifisch regionaler, sozialer oder auch konfessioneller Interessen. Dies erschwerte naturgemäß die politische Integration in einer gemeinsamen Koalition.

Die drei Weimarer Parteien erzielten in Preußen 74,9, in Sachsen 65,5, in Württemberg 80,3, in Baden sogar 91,5 Prozent. Bayern stellt insofern einen Sonderfall dar, als hier die Zentrumspartei nicht kandidierte; die Bayerische Volkspartei, die allerdings mit ausgeprägterer landsmannschaftlicher Note den vergleichbaren Bevölkerungsanteil ansprach, wurde mit 35 Prozent vor der SPD mit 33 Prozent zur stärksten, die DDP mit 14 Prozent zur drittstärksten Partei. Doch kam es in Bayern zu einer dem Reich und anderen Einzelstaaten analogen Koalitionsregierung aus BVP, SPD und DDP – unter Führung des Sozialdemokraten Johannes Hoffmann –, allerdings nur vom 31. Mai 1919 bis zum 14. März 1920. Davor waren BVP und DDP nicht an den SPD/USPD-Regierungen (zeitweise unter Einschluß des Bayerischen Bauernbundes) beteiligt; danach, seit dem Kapp-Putsch im März 1920, gelangte die SPD während der Weimarer Republik nicht mehr in eine bayerische Regierung[13].

Auch die Wahlergebnisse zu den Landtagen versprachen also eine politische Stabilisierung der neuen Republik. Doch war die Revolution nicht definitiv beendet. Zwar hatte die sozialdemokratische Regierung der Volksbeauftragten in Berlin den Spartakusaufstand wenige Tage vor der Wahl niederschlagen können, aber im westlichen Ruhrgebiet streikten am 10. Januar 1919 30000 Bergleute, in Düsseldorf war die Polizei entwaffnet worden, in Bremen hatte der Arbeiter- und Soldatenrat als Reaktion auf die Berliner Geschehnisse die »Sozialistische Republik« aus-

[13] Übersichten in: Ursachen und Folgen. Vom deutschen Zusammenbruch 1918 und 1945 bis zur staatlichen Neuordnung Deutschlands in der Gegenwart. Berlin o.J., Bd. 7, Anlagen II und III, S. 666ff.

gerufen. Andere norddeutsche Küstenstädte wurden durch Unruhen erschüttert, in Hamburg, Dresden und Stuttgart besetzten Aufständische seit dem 9. Januar Zeitungsredaktionen. Am 13. Januar beschloß eine Konferenz der Arbeiter- und Soldatenräte des rheinisch-westfälischen Industriegebietes die Sozialisierung des Bergbaus und die Einführung des Rätesystems; am 18. Januar streikten die Bergarbeiter des mitteldeutschen Braunkohlenreviers gegen die Regierung der sozialdemokratischen Volksbeauftragten; am 19. Januar – also am Tag der Wahl – verhafteten Arbeiter- und Soldatenräte den Düsseldorfer Oberbürgermeister; am 22. Januar brachen in Hamburg spartakistische Unruhen aus; am 25. Januar streikten Bergleute mehrerer Ruhrzechen wegen der Ermordung von Rosa Luxemburg und Karl Liebknecht; zur gleichen Zeit beriet in Braunschweig ein Kongreß von Arbeiter- und Soldatenräten die Gründung eines nordwestdeutschen Staates auf der Grundlage einer Räteverfassung; am 27. Januar begann in Wilhelmshaven ein Aufstand revolutionärer Matrosen, der bald auf andere Hafenstädte übergriff; am 28. Januar forderten Mitglieder des Zentralrats der sozialistischen deutschen Republik, »den Arbeiterräten die Möglichkeit einer Fortexistenz (zu) schaffen, sonst kommen wir zu den größten Schwierigkeiten«[14]. Und die Diskussion mit den Volksbeauftragten führte am 28. Januar 1919 zu einer offiziellen Eingabe des Zentralrats: »Die zukünftige rechtliche Stellung der Arbeiterräte liegt noch nicht fest. Es dürfte Aufgabe der deutschen Nationalversammlung sein, die Form zu finden, um den Arbeiterräten eine Instanz zu schaffen, bei der sie die besonderen Interessen der werktätigen Bevölkerung vertreten können.«[15] Dieser Beschluß eines sozialdemokratisch zusammengesetzten Gremiums gibt trotz der geringen machtpolitischen Bedeutung des Zentralrats zu denken, zumal der von Friedrich Ebert mit der Ausarbeitung eines Verfassungsentwurfs beauftragte Staatsrechtslehrer Professor Hugo Preuß, inzwischen zum Staatssekretär ernannt, in einer gemeinsamen Sitzung von Kabinett und Zentralrat am gleichen Tage über die künftige Stellung der Räte erklärt hatte: »Ob über die Arbeiterräte etwas in die Verfassung hineingebracht werden kann, erscheint mir zweifelhaft; jedenfalls muß aber nach Zu-

[14] Der Zentralrat der Deutschen Sozialistischen Republik. 19. 12. 1918–8. 4. 1919. Bearb. v. Eberhard Kolb unter Mitwirkung von Reinhard Rürup. Leiden 1968, S. 494.

[15] Ebd., S. 498f.

sammentritt der Nationalversammlung des Reiches und derjenigen der Einzelstaaten die politische Tätigkeit der Arbeiterräte aufhören.«[16] In anderem Zusammenhang hatte Preuß den Zentralratsmitgliedern erklärt: »Die Tätigkeit der Arbeiterräte wird sich ja, wenn wir eine wirkliche politische Demokratie als organisatorische Grundlage haben, im wesentlichen auf wirtschaftlichem Gebiet vollziehen. Der Gedanke, neben das Volkshaus noch eine zweite Kammer zu setzen, die sich aus Vertretern der Arbeiterräte, Bürgerräte, Bauernräte usw. zusammensetzt – der Eisnersche Lieblingsgedanke –, nähert sich zu sehr den berufsständischen Vertretungen und ist insofern eine Art reaktionäre Bestrebung, die in die heutige Zeit nicht hineinpaßt.«[17]

Das Prinzip einer allgemeinen politischen Repräsentation mit zweifelsfreier Priorität war also in den ersten Monaten des Jahres 1919 noch keineswegs unangefochten. Die in der Arbeiterschaft und bei der politischen Linken verbreitete Forderung nach verfassungspolitischer Sicherung der aus der revolutionären Übergangsphase stammenden Räte blieb im ersten Halbjahr 1919 ein Motor revolutionärer Dynamik. In diesem gesellschafts- und verfassungspolitischen Kontext sind auch die Unruhen zum Zeitpunkt der Parlamentswahlen zu sehen. Aufstände, politisch motivierte Streiks zur Durchsetzung verfassungspolitischer oder gesellschaftspolitischer Forderungen, unkontrollierte politische Machtausübung einzelner Arbeiter- und Soldatenräte, die Diskussion in den zentralen politischen Gremien der Republik auch noch nach der Wahl zur Verfassunggebenden Nationalversammlung – all dies zeigt: Die durch die Wahlergebnisse suggerierte Stabilität der politischen Mitte trog, beträchtliche Teile der Bevölkerung und der politisch aktiven Gruppen bis in die Reihen der Sozialdemokratie hinein hatten noch keineswegs eindeutig Kurs auf eine repräsentative Demokratie genommen, sondern gingen von fortbestehender Offenheit der politischen Situation aus.

Hinter den Wahlergebnissen verbargen sich also bereits dynamische Faktoren späterer Veränderungen. Künftige Wahlen wichen folglich aufgrund differierender Wahlbeteiligung sowie der Entwicklung des Parteiensystems beträchtlich von den Ergebnissen der Januarwahlen ab. Dabei signalisierte die extrem niedrige Wahlbeteiligung in ostelbischen Provinzen, z.B. in

[16] Ebd., S. 496.
[17] Ebd., S. 494.

Westpreußen, ein erhebliches Veränderungspotential: Offensichtlich gingen durch die Revolution verunsicherte Deutschnationale im Januar 1919 gar nicht zur Wahl. Das gilt sowohl für die Nationalversammlung als auch für die Verfassunggebende Preußische Landesversammlung, bei der die Wahlbeteiligung in dieser Provinz lediglich 53,84 Prozent betrug. Wenngleich dies auch mit der ungesicherten Situation in den Grenzgebieten zu Polen zusammenhing – im Regierungsbezirk Oppeln war mit 56,22 Prozent ebenfalls eine unterdurchschnittliche Wahlbeteiligung zu verzeichnen –, so sind doch politische Motive der genannten Art kaum auszuschließen. Auf der anderen Seite sind vermutlich viele sozialdemokratische und sozialistische Wähler den Wahlen aus Enttäuschung ferngeblieben bzw. sahen in SPD und USPD keine ihren politischen Zielen tatsächlich entsprechende Partei. Die KPD war zwar am 30. Dezember 1918 nach Abspaltung des Spartakusbundes von der USPD gegründet worden, hatte sich aber nicht an der Wahl zur Nationalversammlung beteiligt; eine Zersplitterung des sozialistischen Lagers war zu diesem Zeitpunkt unverkennbar. Letzter Anlaß für die Trennung von der USPD und die Neugründung einer selbständigen linksextremen Partei war die Bereitschaft der USPD gewesen, der Wahl einer Nationalversammlung keinen Widerstand mehr entgegenzusetzen. Die antiparlamentarische Zielsetzung der KPD zeigte sich denn auch, als die Absicht der Zentrale, sich an den Wahlen zu beteiligen, mit 62 gegen 23 Stimmen abgelehnt wurde[18].

Im Hinblick auf die künftigen Wahlen der Weimarer Republik ist zu konstatieren, daß weder die politische Rechte noch die politische Linke auf die Dauer so schwach blieben, wie es nach den Januarwahlen 1919 erscheinen konnte. Die politische Mitte hingegen erwies sich als schwächer, zumindest fragiler, als die Wahlergebnisse aussagten. Das Resultat vom 19. Januar ließ noch keine definitiven Schlüsse auf die künftige politische Konstellation zu.

[18] Hermann Weber, Die Wandlung des deutschen Kommunismus. Die Stalinisierung der KPD in der Weimarer Republik. Frankfurt a. M. 1969 (gekürzte Studienausg.), S. 38.

2. Parteien im Wandel

Unter den in die Nationalversammlung gelangenden Parteien waren zumindest einige, die schon vor der Revolution existierten. SPD und Zentrum zählten während des Kaiserreichs zu den großen Parteien und hatten eine jahrzehntealte Parteitradition. Die am 6. April 1917 in Gotha unter Führung von Hugo Haase, Georg Ledebour und Wilhelm Dittmann gegründete USPD war während des Krieges aus dem Minderheitsflügel der SPD-Reichstagsfraktion hervorgegangen. Sie besaß zunächst keine eindeutig unterschiedene Programmatik, sondern war durch pazifistische Motive geprägt, die sie mit dem Mehrheitsflügel der Sozialdemokratie im Prinzip teilte; anders als dieser forderte sie aber Verweigerung der Kriegskredite. In jedem Fall gewährleisteten diese Parteien Kontinuität, allerdings mit der Einschränkung, daß sich die USPD nun zweifelsfrei ideologisch nach links entwickelte und dabei Sozialisierung und Rätesystem auf ihre Fahnen schrieb.

Auch die bürgerlichen Parteien des Liberalismus und des Konservativismus bestanden, mit Modifikationen, fort: die Konservativen und verschiedene kleinere konservative Gruppen unter dem Namen Deutschnationale Volkspartei, die Nationalliberalen zu einem erheblichen Teil in der Deutschen Volkspartei, die Mitglieder der Fortschrittlichen Volkspartei in der Deutschen Demokratischen Partei. Selbst die regional begrenzte, welfisch orientierte, zeitweise Autonomie anstrebende Deutsch-Hannoversche Partei war 1869/70 gegründet worden. Trotz der Revolution erhielt sich also bis zur Wahl der Nationalversammlung die parteipolitische Konstellation im wesentlichen, die Kontinuität ist unübersehbar.

Und doch formte sich das deutsche Parteiensystem unter dem Einfluß von Krieg und Revolution, sowie der Erwartung einer demokratischen Republik um[19]. Zu den Ergebnissen gehört auch eine echte Neugründung, die der Kommunistischen Partei Deutschlands. Sie entstand einmal infolge der Aufsplitterung der Sozialdemokratie und der zunehmenden Radikalisierung ihres ehemals linken Flügels, während die von der Parteiführung repräsentierte Mehrheit immer stärker zur Mitte rückte, zum anderen nach dem Vorbild der bolschewistischen Revolu-

[19] Gerhard A. Ritter, Kontinuität und Umformung des deutschen Parteiensystems 1918–1920. In: Eberhard Kolb (Hrsg.), Vom Kaiserreich zur Weimarer Republik. Köln 1972, S. 244–275.

tion. Im Laufe der Weimarer Republik geriet die KPD in zunehmende Abhängigkeit von Sowjetrußland. Sicher hatten Krieg und Revolution den Ausschlag für diese Entwicklung gegeben, doch war schon die Vorkriegssozialdemokratie durch eine unübersehbare Spannung zwischen einem reformistisch-revisionistischen Flügel und einem orthodox-marxistischen Flügel gekennzeichnet[20].

Die Spaltung des Liberalismus datierte ebenfalls aus dem Kaiserreich, hatte allerdings seit Jahrzehnten greifbare Form in verschiedenen Parteiorganisationen gewonnen. Schon bei den Reichstagswahlen 1871 hatten neben den Nationalliberalen die Liberalen und die Fortschrittspartei kandidiert. 1918/19 schien es zeitweise, als ob es zu einer einzigen großen liberalen Partei kommen sollte; aber die Geister schieden sich an Gustav Stresemann. Aufgrund seines außenpolitischen Annexionismus der Kriegsjahre wollten die führenden Politiker der ehemaligen Fortschrittlichen Volkspartei mit ihm keine gemeinsame Partei bilden[21]. Die Existenz zweier liberaler Parteien führte dann zeitweise dazu, die Differenzen stärker zu akzentuieren als die Gemeinsamkeiten, obwohl manche Nationalliberale in die DVP, manche auch in die DDP gegangen waren.

Ob die Gründung zweier liberaler Parteien wirklich ein Nachteil war, wird man bezweifeln können, schließlich gelang es Stresemann im Laufe der zwanziger Jahre, seine Partei faktisch, wenn auch nicht unbedingt programmatisch, auf republikanischen Kurs zu bringen und trotzdem liberal-konservative Wähler anzusprechen, die dem entschiedenen demokratischen Republikanismus der DDP kaum gefolgt wären. Denn von Beginn der Republik an ging die DDP erheblich über die politischen Positionen der Fortschrittlichen Volkspartei hinaus, sie galt nicht zu Unrecht lange Jahre als die Weimarer Partei schlechthin: nicht nur wegen ihres erheblichen Einflusses auf das Verfassungswerk, sondern auch, weil sie – anders als die übrigen bürgerlichen Parteien, anders auch als selbst ihre Koalitionspartner SPD und Zentrum – keine Vorbehalte gegenüber dem Staat von Weimar kultivierte. Während des Winters 1918/

[20] Carl E. Schorske, German Social Democracy 1905–1917. The Development of the Great Schism. Cambridge, Mass. 1955.

[21] Linksliberalismus in der Weimarer Republik. Die Führungsgremien der Deutschen Demokratischen Partei und der Deutschen Staatspartei 1918–1933. Eingel. v. Lothar Albertin. Bearb. v. Konstanze Wegner in Verb. mit Lothar Albertin. Düsseldorf 1980, S. 3 sowie Einl. S. XIf.

1919 wurde die DDP zur organisatorischen Plattform eines intellektuell-politischen Neubeginns. Neben einer Reihe bedeutender Gelehrter wie Alfred und Max Weber, Ernst Troeltsch, Hugo Preuß, Friedrich Meinecke, neben brillanten Publizisten wie Theodor Wolff, Georg Bernhard und Hellmut von Gerlach mobilisierte sie für kurze Zeit sogar einen Massenanhang. Jedoch ist gerade die DDP symptomatisch für die zunehmende parteipolitische Destabilisierung der Republik. Hatte die am 20. November 1918 gegründete DDP 1919 mehr als 900000 Mitglieder, so blieben ihr 1929 nur noch 113000; schon Ende 1920 hatte die Partei mehr als die Hälfte ihrer Mitglieder verloren[22]. Dieser fortschreitende Mitgliederschwund ging mit dem Verlust an Wählern einher.

Zwar profitierte davon zeitweise die rechtsliberale Konkurrenzpartei, doch keineswegs in dem zu erwartenden Ausmaß: Die einige Wochen später, am 15. Dezember 1918, u. a. von Gustav Stresemann und dem Industriellen Hugo Stinnes gegründete DVP gab ihre Mitgliederstärke im Januar 1919 mit 100000 an und steigerte sie bis zum April 1920 kontinuierlich auf 315200. Doch ab 1921 setzte auch bei der DVP eine Abwärtsbewegung ein; der bis dahin auf Kosten der DDP errungene Zugewinn hatte doch nur etwa ein Drittel des Verlustes der Linksliberalen betragen[23]. Auch diese Größenordnungen zeigen, wie kurzlebig die Mobilisierbarkeit des bürgerlichen Mittelstandes und der Oberschicht sowie des weder konservativ noch marxistisch geprägten Teils der Intellektuellen für die Republik gewesen ist. Die soziale Struktur von DDP und DVP wurde in starkem Maße durch die bürgerliche Bildungsschicht geprägt; in beiden Parteien dominierten höhere Beamte aus Verwaltung und Bildungswesen sowie Freiberufler, vor allem Rechtsanwälte. Die DVP wies, neben dem in beiden Parteien anzutreffenden alten Mittelstand von selbständigen Handwerkern und Kaufleuten, einen starken großbürgerlich-großindustriellen Flügel auf. Die organisatorische Schwäche der beiden liberalen Parteien resultierte nicht zuletzt aus dieser Sozialstruktur; ihnen fehlte ein verbandsmäßiger Rückhalt, wie ihn SPD und Zentrum in ihren jeweiligen Gewerkschaftsorganisationen besaßen. Den liberalen Parteien mangelte es trotz ihrer

[22] Ebd., S. XXXV.
[23] Liberalismus und Demokratie am Anfang der Weimarer Republik. Eine vergleichende Analyse der Deutschen Demokratischen Partei und der Deutschen Volkspartei. Düsseldorf 1972, S. 104.

überwiegend protestantischen Mitglieder- und Wählerschaft auch an der integrierenden Kraft der Konfession, die die Zentrumspartei über vielerlei gesellschaftliche und politische Differenzen hinweg zusammenhielt. Und schließlich war das soziale Selbstverständnis liberaler Bildungsschichten, ihr ausgeprägter Individualismus und der Honoratiorencharakter der liberalen Parteien – verglichen mit dem einigenden Band eines sozial fundierten und ideologisch geprägten Selbstverständnisses der Sozialdemokraten – der festgefügten Organisation und dauerhaften Integration eines Massenanhangs eher von Nachteil. Das Wahlergebnis von 1919 fiel für die DDP extrem günstig aus. Durch aktuelle Verunsicherung geleitet, zum Teil von Aufbruchstimmung beflügelt, entschieden sich viele Bürgerliche für die DDP. Sie kam in der revolutionären Situation als Koalitionspartner für die SPD in Frage und versprach so eine Beteiligung der zu einem Neuaufbau des Reiches auf republikanischer Grundlage bereiten bürgerlichen Schichten an der künftigen Politik.

Alles kam auf einen raschen Erfolg des neuen Staates an, auf Besserung der miserablen wirtschaftlichen, sozialen und außenpolitischen Situation, auf Erneuerung schließlich des durch Niederlage und Revolution erschütterten nationalen Selbstbewußtseins. Kein Zweifel, das Schicksal der DDP war prinzipiell wie das keiner anderen Partei mit dem Schicksal der Weimarer Republik verbunden. Das auf dem außerordentlichen Parteitag der DDP vom 13. bis 15. Dezember 1919 in Leipzig verabschiedete Parteiprogramm erklärte unmißverständlich: »Die Deutsche Demokratische Partei steht auf dem Boden der Weimarer Verfassung; zu ihrem Schutz und ihrer Durchführung ist sie berufen.«[24]

Die Nachbarpartei zur Rechten erklärte sich zwar in ihren »Grundsätzen« vom 19. Oktober 1919 bereit, »im Rahmen ihrer politischen Prinzipien innerhalb der jetzigen Staatsform mitzuarbeiten«, bemerkte aber im gleichen Atemzug: »Die Deutsche Volkspartei erblickt in dem durch freien Entschluß des Volkes auf gesetzmäßigem Wege aufzurichtenden Kaisertum, dem Sinnbild deutscher Einheit, die für unser Volk nach Geschichte und Wesensart geeignetste Staatsform.«[25] Trotz ei-

[24] Wolfgang Treue, Deutsche Parteiprogramme seit 1861. 4. erw. Aufl., Göttingen 1968, S. 135f.

[25] Ebd., S. 128.

ner vergleichbaren personellen und organisatorischen Kontinuität ist die politische Zielsetzung von DDP und DVP hinsichtlich des zu schaffenden Staates denkbar gegensätzlich gewesen; in dieser Beziehung war also nur die DDP cum grano salis eine neue Partei, nicht aber die DVP.

Einen Neubeginn ganz anderer Art stellte die am 12. November 1918 in Regensburg gegründete Bayerische Volkspartei (BVP) dar[26], die zwar lediglich in der bayerischen Landespolitik eine dominierende Rolle spielte, aber darüber hinaus als einzige Landespartei auch reichspolitische Bedeutung erlangte und in entscheidenden Situationen zum Zünglein an der Waage wurde. Von ihrer verhängnisvollen Entscheidung im zweiten Wahlgang der Reichspräsidentenwahl 1925 zugunsten Hindenburgs war schon die Rede. Zur Nationalversammlung kandidierte sie noch nicht, seit 1920 aber gehörte sie regelmäßig dem Reichstag an, zunächst mit 4,2 Prozent der Stimmen, später mit geringfügigen Verlusten. Die BVP stellte eine Verselbständigung des bayerischen Teils der Zentrumspartei dar; im ganzen erheblich konservativer als das Zentrum, ließ ihr Gründungsprogramm durchaus ein Selbstverständnis als Verfassungspartei unter starker Akzentuierung der föderalistischen Komponente erkennen. Die in der Zentrumsfraktion der Nationalversammlung mitarbeitenden bayerischen Abgeordneten kündigten die parlamentarische Arbeitsgemeinschaft erst am 8. Januar 1920 auf und stimmten, trotz anfänglichen Zögerns, am 31. Juli 1919 auch der Weimarer Verfassung zu. In den Reichstagen arbeitete die BVP überwiegend, wenngleich nicht ohne Konflikte, mit der Zentrumsfraktion zusammen. In den »Regensburger Vereinbarungen« vom 28. November 1927 fand diese Kooperation dann nach längerer Entfremdung wieder eine organisatorisch fixierte, tatsächlich aber erst seit 1930 intensivierte Form. Die Landespolitik der BVP ist für die Zeit der Weimarer Republik kaum auf einen eindeutigen Nenner zu bringen, war sie doch vom 31. Mai 1919 bis 14. März 1920 Koalitionspartner von SPD und DDP in der Regierung Hoffmann, die sie dann aber – unter Beteiligung von Einwohnerwehren – stürzte und durch eine bürgerliche Regierung unter dem extrem konservativen Ministerpräsidenten Gustav von Kahr ersetzte. Allerdings konnte er sich seinerseits nicht lange halten, da die Konflikte mit der Reichsregierung über die geforderte Auflösung der Einwohner-

[26] Vgl. Aufruf v. 18. 11. 1918. In: Ursachen und Folgen, Bd. 3, S. 200ff.

wehren und die Aufhebung bayerischer Notverordnungen überhandnahmen. Putschistische und separatistische Tendenzen blieben in der Partei zwar erhalten, waren aber insbesondere nach dem Hitler-Putsch 1923 nicht länger mehrheitsfähig. Die von 1924 bis 1933 amtierenden Regierungen unter Führung des der BVP angehörenden Ministerpräsidenten Held näherten sich dem Weimarer Staat wieder stärker an, blieben aber auf dem rechten Flügel, so daß die Kontakte mit der DNVP häufig die mit der Zentrumspartei konterkarierten.

Die großen politischen Strömungen des 19. Jahrhunderts, die sich während des Kaiserreichs organisatorisch verfestigt hatten, bestanden also auch nach 1918 fort, so die jeweilige parteipolitische Aufsplitterung von Liberalismus und Sozialismus. Trotz unverminderter integrativer Kraft des politischen Katholizismus wurde auch dessen Stärke durch die Verselbständigung des bayerischen Teils erheblich vermindert, während der Konservativismus der Monarchie in der Deutschnationalen Volkspartei zunächst ein Sammelbecken fand. Doch verkörperte auch die auf Wiederherstellung des Kaisertums festgelegte, ständisch-restaurativ orientierte DNVP nicht dauerhaft den deutschen Konservativismus, da sich in den zwanziger Jahren sowohl radikalere wie auch gemäßigt Konservative, die dem Rechtskurs des am 20. Oktober 1928 zum Parteivorsitzenden gewählten Alfred Hugenberg nicht folgen wollten, von der Partei trennten. Überdies finden sich von Beginn der Republik an Konservative auch in anderen bürgerlichen Parteien.

Als neue Parteien sind vor allem die KPD, bis zu einem gewissen Grad auch DDP und BVP anzusehen, bei den übrigen Parteien waren die neuen Bezeichnungen nur in engen Grenzen Indiz eines politischen und organisatorischen Neubeginns. In der Regel waren Radikalisierung auf der einen Seite und Zug zur politischen Mitte komplementär; besonders instruktiv demonstrierten das KPD und SPD zu Beginn der Weimarer Republik. Die Konsequenz lag in der Erweiterung des politischen Spektrums um Kommunisten auf dem linken Flügel und entschiedene Demokraten in der politischen Mitte.

Der Zeitpunkt der Reorganisation des deutschen Parteiwesens ist aufschlußreich: Die BVP wurde am 12. November 1918 gegründet, die DDP am 20. November, die DNVP am 24. November, die DVP am 15. Dezember, die KPD am 30. Dezember; SPD, Zentrum, USPD und Deutsch-Hannoversche Partei bestanden fort.

Allein diese Daten belegen die Ernsthaftigkeit der von der SPD-Führung und dem Rat der Volksbeauftragten betriebenen Politik der Demokratisierung: Die Revolutionsführung behinderte keine der Parteigründungen oder Parteiaktivitäten, auch nicht solche mit zweifelsfrei antirevolutionärem oder antidemokratischem Charakter. Auch während der Revolution blieb die sozialdemokratische Führung parteipolitisch tolerant.

So offen vielen Zeitgenossen die politische Situation auch erscheinen mochte, so klar wird im Rückblick, daß die Zusammenarbeit der drei Weimarer Koalitionspartner der Revolution von Beginn an eine Komponente der Kontinuität verlieh; die von Hugo Preuß schon vor Beginn der Republik geprägte, von Theodor Eschenburg nach dem Zweiten Weltkrieg aufgenommene Formel »improvisierte Demokratie«[27] ist eher irreführend. Die politische Kontinuität vertiefte den Dissens innerhalb der Linken, ermöglichte jedoch die Integration der politischen Mitte. Die Zusammenarbeit der späteren Weimarer Parteien begann, vorbereitet durch eine kritische Lagebeurteilung Friedrich Eberts und des Zentrumsabgeordneten Matthias Erzberger, mit der Friedensresolution des Deutschen Reichstags vom 19. Juli 1917. Die neue Reichstagsmehrheit aus Sozialdemokraten, Zentrum und Fortschrittlicher Volkspartei forderte damals einen Frieden der Verständigung ohne erzwungene Gebietsabtretungen und ohne wirtschaftliche, finanzielle und politische Vergewaltigung der Gegner. Wenngleich diese Resolution keine direkte Wirkung erlangte und aufgrund der sich wieder bessernden Kriegslage auch keine dauerhafte Basis der drei Parteien bildete, stellte sie doch einen Beginn dar.

Der Sturz des Reichskanzlers Bethmann Hollweg am 13. Juli 1917 durch den Reichstag fand ebenfalls unter Beteiligung dieser drei Parteien und Stresemanns Nationalliberalen sowie der Konservativen statt, war aber vor allem ein Indiz für die gewachsene Bedeutung des Reichstags im politischen Kräftefeld – obwohl der unter Mitwirkung der OHL betriebene Sturz des Reichskanzlers politisch unklug und lediglich Ausdruck destruktiver parlamentarischer Möglichkeiten gewesen ist. Konstruktive Zusammenarbeit der drei Parteien und zeitweise auch der Nationalliberalen manifestierte sich hingegen in dem auf Initiative Matthias Erzbergers in der Julikrise des Jahres 1917

[27] Hugo Preuß, Die Improvisierung des Parlamentarismus (26. 10. 1918). In: Ders., Staat, Recht und Freiheit. Hildesheim 1964, S. 361 ff. und Theodor Eschenburg, Die improvisierte Demokratie. München 1963, S. 11–60.

begründeten, wenngleich ohne feste Geschäftsordnung und feste Mitgliedschaft tagenden Interfraktionellen Ausschuß der Mehrheitsparteien, die auf einen Verständigungsfrieden hinarbeiteten. Dieser Ausschuß bestand bis zum Beginn der Revolution.

Schließlich fand die noch lose parlamentarische Zusammenarbeit der politischen Mitte mit der Mehrheitssozialdemokratie Ausdruck im Eintritt der SPD in das Kabinett des Prinzen Max im Oktober 1918 sowie in der durch die Oktoberreformen eingeleiteten Parlamentarisierung des Reiches. Ein Vorspiel stellte die »kleine Wahlreform« vom 24. August 1918 dar, die zwar der SPD nicht weit genug ging und auch nicht mehr praktiziert werden konnte, die aber die Wahlrechtsdiskussion auch auf Reichsebene zu einem ersten Ergebnis führte.

Die Kooperation der Mittelparteien setzte sich selbst in den Revolutionsmonaten fort: Die treibende Kraft dieser Kooperation, Matthias Erzberger, ein erfahrener, energischer und umtriebiger Parlamentarier, wurde am 3. Oktober Staatssekretär ohne Portefeuille im Kabinett des Prinzen Max und blieb auch nach dem 9. November in der Reichsleitung. Als Vorsitzender der deutschen Waffenstillstandskommission unterzeichnete er am 11. November in Compiègne den Waffenstillstand und wurde am 13. Februar 1919 Reichsminister im Kabinett Scheidemann. Am 15. November 1918 hatte Ebert den zur Fortschrittlichen Volkspartei und später zur DDP gehörenden Professor des Staatsrechts an der Berliner Handelshochschule, Hugo Preuß, zum Staatssekretär des Innern berufen. Schon diese Hinweise demonstrieren eine interfraktionelle Zusammenarbeit der späteren Weimarer Koalitionspartner vor der Revolution und in Grenzen auch während der Revolutionsmonate. Diese Kontinuität steht in engstem Zusammenhang mit der allmählichen Stärkung des Reichstags gegen Kriegsende und der in den letzten Wochen des Kaiserreichs erfolgten verfassungsrechtlichen Sanktionierung dieser politischen Entwicklung.

Die Parlamentarisierung ihrerseits stellt so eine weitere Kontinuitätslinie über den 9. November 1918 bis zur Wahl der Nationalversammlung dar. Die Frage, wieweit im Winter 1918/19 politische Alternativen zur Durchsetzung einer repräsentativ-parlamentarischen Republik bestanden haben, muß auch unter dem Aspekt der durch SPD, Zentrum und Fortschrittlicher Volkspartei sowie Stresemanns Nationalliberalen betriebenen vorrevolutionären Reformpolitik und der konstruktiven Einbindung der SPD in diese Politik gesehen werden. Sie kooperierte in dieser Phase eben nicht mit der USPD, sondern mit reformwilligen bürgerlichen Parteien der Mitte und ließ diese Verbindungen auch nach dem 9. November nicht abreißen. Die Fortexistenz dieser Parteienkonstellation erlaubte denn auch eine vergleichsweise rasche verfassungspolitische, wenngleich noch keineswegs gesellschaftliche Stabilisierung und wies auf künftige Koalitionsbildung und auf die Begründung einer parlamentarischen Republik voraus.

Freilich hatte diese Kontinuität der Parteien paradoxerweise auch einen negativen Aspekt: Er wird seit Ernst Fraenkel unter »Vorbelastungen des deutschen Parlamentarismus«[28] rubriziert. Die deutschen Parteien hatten sich in den Jahrzehnten des Konstitutionalismus entwickelt, ihre politische Praxis war nicht durch Teilhabe an der Macht geprägt, sondern durch Konfrontation mit der Macht: Das Parlament konnte reden, aber kaum politisch handeln; Budgetverweigerung war eins der wenigen machtpolitisch wirksamen, aber eher destruktiven Instrumente des Reichstags. Akzentuierung von Programmatik und Ideologie war die unausweichliche Folge. Die Parteien hatten keine Möglichkeit, die Regierungsbildung zu beeinflussen, konnten allenfalls die Regierung stürzen. Der Sturz Bethmann Hollwegs belegt die Zweischneidigkeit dieser sich gegen Kriegsende herausbildenden parlamentarischen Möglichkeit. Dem abgelösten Reichskanzler folgte ein von der Obersten Heeresleitung abhängiger Beamter, der zu allem anderen qualifiziert sein mochte, nur nicht zu politischer Führung des angeschlagenen Reiches.

Manche Fehlentscheidung der Revolutionsmonate und die zunehmende politische Bewegungsunfähigkeit des Reichstags gegen Ende der Republik erklärt sich auch aus mangelnder Erfahrung in politisch verantwortlicher Führung und Unfähigkeit zum Kompromiß. Denn die SPD beispielsweise war nicht nur die Partei, die während der Revolutionsmonate unter Führung Eberts die Demokratie im Deutschen Reiche durchsetzte, sie wurde während der zwanziger Jahre mehr und mehr auch die Partei, die lieber »gesinnungstüchtige Opposition« betrieb als politische Verantwortung zu übernehmen. Dieses selbstzerstö-

[28] Ernst Fraenkel, Deutschland und die westlichen Demokratien. 5. erw. Aufl., Stuttgart, Berlin, Köln, Mainz 1973; Gerhard A. Ritter, Deutscher und britischer Parlamentarismus. Ein verfassungsgeschichtlicher Vergleich. Tübingen 1962.

rerische Element der Partei ging soweit, daß die SPD-Reichstagsfraktion ihre eigenen Minister im Stich ließ und den sozialdemokratischen Reichskanzler Hermann Müller am 17. November 1928 zwang, im Reichstag gegen eine Vorlage zu stimmen, die sein Kabinett beschlossen hatte – trotz verständlicher Erwägungen der SPD zweifellos ein »groteskes Schauspiel«[29] und Indiz für das mangelhafte Funktionieren parlamentarischer Entscheidungsbildung. Nun war ein solches Verhalten der SPD nicht die Regel, auch in den Reihen der SPD gab es eine Reihe von Politikern, die regierungswillig und regierungsfähig waren. Außer Ebert ist hier in erster Linie der preußische Ministerpräsident Otto Braun zu nennen[30]. Aber Politiker dieser Art blieben gerade in der Reichspolitik die Ausnahme, wie es auch der SPD-Reichstagsfraktion an Loyalität gegenüber der eigenen Regierung mangelte, die beispielsweise der Vorsitzende der preußischen SPD-Landtagsfraktion, Ernst Heilmann, gegenüber der preußischen Koalitionsregierung so exzellent verkörperte[31].

Allerdings muß berücksichtigt werden, daß die Vorbehalte gegenüber einer Regierungsbeteiligung der SPD in den bürgerlichen Parteien kaum geringer waren und im übrigen die KPD als linke Konkurrenz der SPD so zu schaffen machte, daß sie häufig nicht bereit war, unpopuläre Entscheidungen mitzutragen, weil ihr das in der Arbeiterschaft erhebliche Stimmeneinbußen brachte. Setzte sich aber der kooperationswillige Teil der SPD-Fraktion des Reichstags durch, dann war absehbar, daß die Intrigen aus den Rechtsparteien, die bis in die Mitte ausstrahlten, sowie mangelnde Kompromißwilligkeit, etwa bei der DVP, mühsam zustandegekommene Koalitionen torpedierten.

Eine Ausnahme bildete die Zentrumspartei, die sämtlichen Weimarer Reichskabinetten angehörte und vier von zehn Reichskanzlern stellte; überdies trug das Zentrum mit SPD und DDP auch eine dauerhafte Koalitionsregierung im größten deutschen Einzelstaat, in Preußen. Die Zentrumspartei blieb also nach beiden Seiten koalitionsfähig: Soziale Heterogenität,

[29] Erich Eyck, Geschichte der Weimarer Republik. Bd. 2, 4. Aufl. Erlenbach-Zürich 1972, S. 213.

[30] Hagen Schulze, Otto Braun oder Preußens demokratische Sendung. Frankfurt a. M., Berlin, Wien 1977.

[31] Horst Möller, Ernst Heilmann. Ein Sozialdemokrat in der Weimarer Republik. In: Jahrbuch des Instituts für Deutsche Geschichte der Universität Tel Aviv 11 (1982), S. 261–294.

Existenz sowohl eines starken wirtschaftlich-agrarisch orientierten konservativen Flügels wie eines starken gewerkschaftlich orientierten Arbeitnehmerflügels, schließlich die vielfach erprobte Fähigkeit, interne Spannungen mit Hilfe des konfessionellen Elements auszugleichen, unterschieden das Zentrum erheblich von den übrigen Weimarer Parteien, zumal es nur in religions- und kulturpolitischen Fragen strikt festgelegt war, bei außen- und sonstigen innenpolitischen Entscheidungen aber flexibel blieb.

Die Vorbelastungen des Parlamentarismus, die sich aufgrund der Kontinuität des deutschen Parteiensystems auswirkten, dominierten also nicht in allen Parteien in gleichem Ausmaß. Allerdings galt für das Zentrum wie für die meisten übrigen bürgerlichen Parteien, daß eine Mehrheit der Mitglieder und Wähler der Revolution im Prinzip ablehnend gegenüberstand und den Boden der Republik nur zögernd betrat. Auch nachdem die Partei zur Säule des Weimarer Staates geworden war, neigte ihr konservativer Flügel, insbesondere nach 1930, zu verfassungspolitischen Rückbildungen und zur Stärkung des Reichspräsidenten auf Kosten des Parlaments – eine politische Zielsetzung allerdings, die durch die zunehmende Kompromißunfähigkeit des Reichstags wesentlich stimuliert wurde. Der seit 1920 geringere Mandatsanteil der Zentrumspartei im Reichstag, der auch durch Verselbständigung der BVP bedingt war (1919: 19,7 Prozent, 1920: 13,6 Prozent), begrenzte ebenfalls die Stabilisierungsmöglichkeiten des Zentrums. Im Vergleich zu den beiden anderen demokratischen Weimarer Parteien und der gesamten politischen Mitte waren die Verluste des Zentrums während der zwanziger Jahre zwar geringer, aber eben doch spürbar. Immerhin behielt es auf dem Niveau von 1920, mit leichten Abweichungen nach unten, einen vergleichsweise stabilen Wählerstamm, dessen Tiefstand am 6. November 1932 bei 11,9 Prozent lag, was damals 4,231 Millionen Wählern entsprach. Das Zentrum blieb hinter der SPD die zweitstärkste demokratische Partei der Republik, kam allerdings kaum über 200000 Mitglieder hinaus[32].

Von den Wahlen 1919 abgesehen, hatten auch die größeren Parteien einen vergleichsweise geringen Stimmenanteil; dies

[32] Rudolf Morsey, Der politische Katholizismus 1890–1933. In: Der soziale und politische Katholizismus. Entwicklungslinien in Deutschland 1803–1963. Hrsg. v. Anton Rauscher. München, Wien 1981, S. 110–164, hier S. 153.

folgte unter anderem aus dem ausgeprägten Regionalismus und war im übrigen Indikator der Parteienzersplitterung: Die SPD, bis zur Reichstagswahl vom 31. Juli 1932 stärkste Partei, erreichte, wenn man von der Wahl zur Nationalversammlung 1919 (37,9 Prozent) absieht, nur einmal, bei den Reichstagswahlen am 20. Mai 1928, annähernd 30 Prozent und lag sonst bei einem Anteil zwischen 20,4 Prozent (6. November 1932) und 26 Prozent (7. Dezember 1924). Diese Wähleranteile sind um so bemerkenswerter, als sich die SPD auf einen festen Wählerstamm verlassen konnte und in stärkerem Maße als die anderen Parteien während der Weimarer Republik Mitgliederpartei blieb. Allerdings fällt sogar bei der SPD die rapide nachlassende Mobilisierungskraft auf. Wie die DDP hatte die SPD zu Beginn der Republik die höchste Mobilisierung ihres potentiellen Anhangs erreicht: 1920 zählte die Partei 1180208 Mitglieder, 1925 nur noch 806268[33]. Vergleicht man diese Mitgliederentwicklung mit der der anderen Parteien der Linken, dann zeigt sich der große Vorsprung der SPD, die das günstigste Verhältnis zwischen Wählern und Organisierten behielt[34]: die KPD hatte vor dem Zusammenschluß mit der USPD-Linken nur 78000 eingeschriebene Anhänger, erst nach diesem Zugewinn im Dezember 1920 zählte sie 378000 Mitglieder, doch hielt sie diesen Stand nur kurze Zeit; am 1. Juli 1925 war ihre Mitgliederzahl auf 114204 abgesunken[35] und blieb bis 1930 ungefähr in diesem Rahmen (Juli 1930: 124000), bevor sie sich gegen Ende der Republik fast verdoppelte, aber trotzdem nur ein gutes Fünftel der ebenfalls wieder ansteigenden Mitgliederzahl der SPD erreichte.

Die USPD hatte nach offiziösen Angaben bis zur Spaltung im Dezember 1920 steigende Mitgliederzahlen (1919: 750000, Oktober 1920: 895000)[36], sank danach aber auf ca. 340000 Eingeschriebene im Frühjahr 1921 ab. Allerdings scheint hier Vorsicht geboten. Sollten die Angaben zutreffen, dann wäre die USPD in der kurzen Zeit ihres Bestehens in den Anfangsjahren

[33] Protokoll über die Verhandlungen des Parteitages der Sozialdemokratischen Partei Deutschlands, abgehalten in Kassel vom 10. bis 16. Oktober 1920, S. 44; Jahrbuch der Deutschen Sozialdemokratie für das Jahr 1926. Hrsg. vom Vorstand der SPD. Berlin 1927, S. 29.

[34] Sigmund Neumann, Die Parteien der Weimarer Republik. 2. Aufl. Stuttgart 1970, S. 120.

[35] Weber, Wandlung des deutschen Kommunismus, S. 363.

[36] Eugen Prager, Das Gebot der Stunde. Geschichte der USPD. 4. Aufl. Berlin, Bonn 1980, S. 72.

der Republik eine Partei mit extrem günstigem Verhältnis von Wählern zu Mitgliedern gewesen. Die Potentiale sozialistischer Mitglieder und Wähler verhielten sich im Falle von USPD und KPD fast wie verbundene Gefäße. Nach der Parteispaltung bzw. Vereinigung mit der SPD ging der größte Teil von Wählern und Mitgliedern zur KPD, die Führungsschicht aber überwiegend zur SPD, ein geringerer Teil von Wählern bzw. Mitgliedern tendierte später zu Splittergruppen oder resignierte, worauf im übrigen auch die absolute Verminderung des prozentualen Anteils der gesamten Linken von SPD bis zur KPD nach dem faktischen Ende der USPD hinweist. Bei den Reichstagswahlen 1920 hatten SPD, USPD und KPD zusammen 41,6 Prozent der Stimmen, 1924 bei geringfügig verminderter Wahlbeteiligung nur noch 33,9 Prozent.

Dabei beruhte die starke Stellung der SPD bei den Wählern auf der organisierten Arbeiterschaft, d. h. dem insgesamt über 5 Millionen Mitglieder zählenden Allgemeinen Deutschen Gewerkschaftsbund (ADGB) und dem Allgemeinen Freien Angestelltenbund, der zum überwiegenden Teil sozialdemokratisch gewesen ist[37]. In diese traditionelle Verbindung zwischen ADGB und SPD konnte weder die USPD noch die KPD tiefer einbrechen, obwohl sich aktuelle Unzufriedenheit mit der SPD-Führung gelegentlich auch bei den im ADGB organisierten Arbeitnehmern bemerkbar machte.

Anders als den Parteien der linken und rechten Mitte gelang es der Deutschnationalen Volkspartei, nach anfänglich schwacher Resonanz schon ab 1920 bis in die Mitte der zwanziger Jahre hinein, Wähler- und Mitgliederzahl beträchtlich zu steigern. So wird ihre Mitgliederzahl im Jahre 1919 auf 300000 bis 400000 geschätzt, 1922 soll sie 700000 und 1923 rund 950000 erreicht haben, bevor sie ab 1924 allmählich wieder abnahm[38]. Diese Entwicklung entspricht auch in etwa den Wahlerfolgen: Von einem Stimmenanteil von nur 10,3 Prozent im Januar 1919 steigerte sich die Partei bei den folgenden Reichstagswahlen im Dezember 1924 auf 20,4 Prozent, bevor sie bei den späteren Wahlen rapide verlor, und zwar schon vor dem Aufstieg der NSDAP, die seit September 1930 dann die größten Einbrüche in das Wählerpotential der DNVP erzielte (DNVP 1928: 14,3 Prozent, 1930: 7 Prozent).

[37] Neumann, Die Parteien, S. 36.

[38] Die bürgerlichen Parteien in Deutschland. Hrsg. u. d. Leitung v. Dieter Fricke. Bd. 1, Leipzig 1968, S. 716.

Diese starke Fluktuation von Mitgliedern und Wählern indiziert eine politische Instabilität des Weimarer Staates schon während der Jahre 1919 und 1920; sie intensivierte sich gegen Ende der Republik. Der Trend von den Mittelparteien zunächst nach rechts, der sich in den Erfolgen von DNVP und DVP seit 1920 zeigte, belegte schon früh, wie trügerisch die Stabilität der Demokratie gewesen ist, die die Wahlen im Januar und Februar 1919 verheißen hatten.

Die begrenzte Integrationskraft der Weimarer Parteien als Folge konfessioneller Prägung und regionaler Begrenztheit wird im Falle von Zentrum und DNVP besonders deutlich. Die katholischen Gebiete des Rheinlands, Westfalens, Badens und Schlesiens waren Hochburgen der Zentrumspartei, während die DNVP besondere Schwerpunkte in den protestantischen, altpreußischen Provinzen Ostelbiens aufwies, allerdings, anders als die Deutschkonservative Partei des Kaiserreichs, auch westlich der Elbe Erfolge erzielte. Diese geographische Ausdehnung ergab sich aus einer Verbreiterung der sozialen Basis über den Vorkriegskonservativismus hinaus, gelang es der DNVP doch, mit Hilfe des Deutschnationalen Handlungsgehilfenverbandes auch in den Industriestädten West- und Norddeutschlands Fuß zu fassen, wenngleich auch dann noch Ostelbien 40 Prozent aller DNVP-Wähler stellte[39] – ein Beweis für die regionale und soziale Herkunft der Partei.

Hier liegt der dritte Grund für die Begrenzung der Integrationskraft der meisten Weimarer Parteien. Sie waren, vom Zentrum und in erheblich engeren Grenzen von der DNVP abgesehen, Klassenparteien. Wenngleich die Sozialstruktur von Mitglied- und Wählerschaft der Weimarer Parteien noch keineswegs umfassend erforscht ist, lassen sich doch einige Grundzüge herausstellen. Ganz allgemein gilt für die Weimarer Parteien die Feststellung: Es gelang ihnen selten, die junge Generation anzusprechen, geschweige denn, sie in ihrer Führung angemessen zu repräsentieren. Erst die NSDAP, die eine »Bewegung« vor allem der jüngeren Generation gewesen ist, hat diese Altersgruppen zu aktivieren vermocht. Von den Weimarer Parteien, die vor 1930 eine größere Anhängerschaft gehabt haben als die NSDAP, war lediglich die KPD in der jüngeren Generation vergleichsweise stark, nur in ihrer politischen Führungsschicht

[39] Werner Liebe, Die Deutschnationale Volkspartei 1918–1924. Düsseldorf 1956, S. 16f.

reüssierten zahlreiche jüngere Leute. Dieser Tatbestand ist nicht allein damit zu erklären, daß die junge Generation stärker zum politischen Radikalismus neigt, sondern hat verschiedene Ursachen: Die etablierten Parteien hatten eine schon vor 1918/19 ausgebildete Oligarchie, der Generationswechsel stieß also auf die Beharrungskraft etablierter Apparate und blieb deshalb begrenzt – neue Parteien haben es in dieser Hinsicht immer einfacher. Zum anderen stellten KPD und später NSDAP extreme Protestbewegungen gegen den Weimarer Staat dar, und die soziale, ökonomische und mentale Unzufriedenheit war auch deswegen vor allem in der Jugend lebendig, weil die Berufschancen der Jüngeren und überhaupt ihre Integration in die Weimarer Gesellschaft zu wünschen übrig ließen.

Kehren wir zurück zu der Frage, welche sozialen Schichten die Parteien ansprachen, welche sich in ihnen am ehesten vertreten fühlten. Auch hier ist eine allgemeinere Bemerkung vorwegzuschicken: Die SPD, die das Frauenwahlrecht durchgesetzt hatte, profitierte von ihm am wenigsten, ja wurde durch das Frauenwahlrecht sogar benachteiligt. So hat eine bei der Reichstagswahl 1920 durchgeführte, nach Geschlechtern getrennte Abstimmung von 849762 Wahlberechtigten zweifelsfrei gezeigt, daß die Frauen überwiegend die Parteien von Mitte-Rechts oder Rechts wählten, die gesamte Linke aber bei den weiblichen Wählern weniger Anklang fand[40]:

	Männerstimmen	Frauenstimmen
Zentrum	41 Prozent	59 Prozent
DNVP	44 Prozent	56 Prozent
DVP	49 Prozent	51 Prozent
DDP	53 Prozent	47 Prozent
SPD	57 Prozent	43 Prozent
USPD	59 Prozent	41 Prozent
KPD	63 Prozent	37 Prozent

Die Sonderstellung der Zentrumspartei dürfte ihre Erklärung vermutlich in der vergleichsweise stärkeren religiösen Bindung der katholischen Wählerinnen finden. Eine Untersuchung zur Reichstagswahl 1928 kommt zu dem Ergebnis, »daß *die Frauen die stärkste Neigung zum Zentrum und zur Bayerischen Volks-*

[40] Ebd., S. 130f.

partei haben und daß sie sich den übrigen größeren Parteien desto weniger zuneigen, je weiter diese Parteien links stehen«[41]. Ohne Frauenwahlrecht wären die Weimarer Wahlen sicher anders ausgefallen: SPD und KPD hätten erheblich gewonnen, Zentrum und BVP sowie DNVP erheblich verloren[42]. Noch paradoxer erscheint dieses Ergebnis, wenn man den Mandatsanteil der Frauen in den einzelnen Fraktionen mit dem weiblichen Wahlverhalten vergleicht: Es besteht in dieser Beziehung eine »negative Korrelation, d. h. je weniger die Frauen zu einer Partei neigen, um so mehr weibliche Abgeordnete hat sie in ihren Reihen«[43]. So lag der weibliche Mandatsanteil in der SPD-Reichstagsfraktion nach der Wahl von 1928 bei 13,1, in der DDP bei 8, in der DNVP bei nur 2,7 und im Zentrum bei 3,3 Prozent. Sieht man vom katholischen Wählerpotential ab, dann legen diese Hinweise den Schluß nahe, daß die Republik an der Mehrheit der (nichtkatholischen) Frauen keine Stütze hatte, obwohl sie ihnen erstmals politische Gleichberechtigung gewährte.

Die beiden einzigen Parteien mit nennenswertem Anteil an allen großen sozialen Schichten, Zentrum und DNVP, waren, von ausgeprägter regionaler Schwerpunktbildung einmal abgesehen, darüberhinaus in konfessioneller Hinsicht begrenzt. Zwar ist diese Feststellung nicht absolut zu setzen, insbesondere nicht für die DNVP, aber die konfessionelle Bindung von Mitgliedschaft und Wählerschaft ist auch in ihrem Fall unverkennbar, sieht man sich nur die Konfessionszugehörigkeit der DNVP-Reichstagsabgeordneten an, die beispielsweise nach der Wahl von 1928 zu 92 Prozent evangelisch und nur zu 8 Prozent katholisch waren. Allerdings war die DNVP in geringerem Maß als die Zentrumspartei Vertreterin der politischen Interessen einer Konfession, auch in DVP und DDP dominierten die Protestanten, und das besagt zugleich, daß die DNVP keine Monopolstellung im Protestantismus hatte. Doch hatte sie im politisch aktiven Teil des evangelischen Klerus eine starke Position, war diese Gruppierung doch überwiegend national-monarchistisch.

Wenngleich in politischer Zielsetzung die DNVP unverkenn-

[41] Johannes Schauff, Das Wahlverhalten der deutschen Katholiken im Kaiserreich und in der Weimarer Republik. Hrsg. u. eingel. v. Rudolf Morsey. Mainz 1975, S. 202.

[42] Ebd., S. 203.

[43] Ebd., S. 204.

bar in der Tradition des Vorkriegskonservativismus stand, war es ihr doch gelungen, ihre soziale Basis beträchtlich zu verbreitern: Außer Großgrundbesitzern, höheren Beamten, Geistlichen, Industriellen fanden sich in ihren Reihen nennenswerte Anteile des städtischen und ländlichen Mittelstands, Handwerker und Landwirte, sowie des neuen städtischen Mittelstands von Angestellten und sogar, wenn auch in geringerem Umfang, Arbeiter, vor allem ländlich-ostelbischer Gebiete. Sicher war der Einfluß dieser Schichten auf die Politik der Partei gering, ihre Existenz aber rechtfertigt es, in einem freilich vordergründigen Sinn von »Volkspartei« zu sprechen[44].

Für die soziale Zusammensetzung des Zentrums gilt, auf den katholischen Volksteil bezogen, Ähnliches, wenngleich dort sowohl höhere Beamte als auch Arbeiter, vor allem Angehörige der christlichen Gewerkschaften, erheblich stärker vertreten waren. Dazu kamen Repräsentanten agrarischer Interessen, auch der Industrie, wenngleich der Mittelstand überwog. Gering vertreten waren die freien Berufe[45]. Gegen Ende der Weimarer Republik wählte ungefähr ein gutes Drittel aller wahlberechtigten Katholiken die Zentrumspartei, deren Wählerkurve langsam abwärts verlief: Auch die Integrationsfähigkeit des Zentrums nahm also ab[46]. Lockerung der kirchlichen Bindung, ständige Regierungsbeteiligung mit einer Fülle unpopulärer Entscheidungen, die Notwendigkeit, bei sozialökonomisch äußerst unterschiedlichen Interessen als Regierungspartei zu internen Kompromissen zu gelangen, die dann noch in den wechselnden Koalitionen durchgesetzt werden mußten: dies belastete die Partei beträchtlich und mußte sie auf die Dauer überfordern – um so mehr, als sie auch in politischer Hinsicht heterogen gewesen ist und sowohl konservative als auch zur linken Mitte tendierende republikanische Tendenzen enthielt. Die überwiegend unterschiedliche Koalitionsbildung im Reich (zum größeren Teil Mitte-Rechts) und in Preußen (Mitte-Links) bot einem Ausgleich zwischen den Parteiflügeln Raum, strapazierte aber die Kompromißfähigkeit und brachte die Koalitionsverhandlungen des Reiches in engen Konnex mit der preußischen Regierungsbildung.

Zu den anderen Parteien kann cum grano salis festgestellt

[44] Liebe, Die Deutschnationale Volkspartei, S. 16ff.
[45] Morsey, Der politische Katholizismus, S. 153.
[46] Ebd., S. 148.

werden, daß sie Klassenparteien unter faktischem, wenn auch nicht unbedingt gewolltem Ausschluß der jeweils anderen sozialen Klassen waren. Das gilt für die KPD als dezidiert proletarischer Partei, deren Politik freilich zunächst von den Funktionärskadern bestimmt wurde, denn von der moskauhörigen Kommunistischen Internationale (Komintern), die seit ihrem V. Weltkongreß 1924 die definitive Bolschewisierung der KPD und die Herausdrängung jeglicher Opposition erreichte.

Die USPD hatte, im Unterschied zur SPD und erst recht zur KPD, einen nennenswerten Flügel von Intellektuellen und Freiberuflern, die auch in der Führung der Partei stark vertreten waren; vor allem Rechtsanwälte sind hier zu nennen. Insofern rekrutierte sie sich ungeachtet ihrer im ganzen ebenfalls proletarischen Massenbasis stärker aus dem theoretisch orientierten Flügel der sozialdemokratischen Parteielite vor dem Krieg, während die SPD den größeren Teil des gewerkschaftlich gebundenen Funktionärsapparats behalten hatte und im übrigen zu zwei Dritteln aus Arbeitern bestand: Die genauen Anteile lauten für 1930: 60 Prozent Arbeiter, 10 Prozent Angestellte, 3 Prozent Beamte und 17 Prozent Hausfrauen[47], wobei letztere zum größten Teil aus Arbeiterfamilien stammten. Allerdings sind Wählerschaft und Mitgliedschaft nicht notwendig von gleicher sozialer Struktur; der Stimmenanteil bürgerlicher Wähler der SPD war nicht gering, und Schätzungen für 1930 gehen sogar von 40 Prozent bürgerlicher SPD-Wähler aus[48].

Interessante Unterschiede zwischen SPD und KPD im Hinblick auf ihre Attraktivität für bestimmte Wählergruppen fallen oft quantitativ nicht ins Gewicht. So haben in Wahlaufrufen Wissenschaftler und Künstler für die beiden Parteien agiert: Die Künstler propagierten nahezu ausschließlich die KPD, die Wissenschaftler die SPD.

Mit den Angestellten taten sich alle linken Parteien, einschließlich der SPD, außerordentlich schwer: Sie sprachen die Angestellten, 1929 3,5 Millionen Menschen, vornehmlich als Lohnabhängige, häufig als Proletarier an. Wenngleich dies im Hinblick auf die ökonomische Lage oft realistisch war, verletzte eine solche Wahlpropaganda doch das empfindliche soziale Selbstverständnis einer Schicht, zu der einerseits viele soziale Absteiger gehörten – ehemals kleinere Selbständige –, anderer-

[47] Neumann, Die Parteien, S. 33.
[48] Ebd., S. 34.

seits aber untere Angestellte oft auch soziale Aufsteiger waren. Denn gerade die ökonomisch Proletarisierten wollten sozial alles andere sein als Proletarier. Die Einschätzung der Marxisten, die Angestellten hätten ein »falsches gesellschaftliches Bewußtsein« gehabt, zeigt demgegenüber nur den verengten ideologischen Ansatz, der gesellschaftliches Bewußtsein ausschließlich aus der ökonomischen Lage herleitet. Insofern waren auch sozialpsychologische Schlußfolgerungen wie die von Walter Benjamin wenig hilfreich: Die Ideologie der Angestellten stelle durch Erinnerungs- und Wunschbilder aus dem Bürgertum »eine einzigartige Überblendung der gegebenen ökonomischen Wirklichkeit dar«, die der des Proletariats sehr nahe komme. »Es gibt heute keine Klasse, deren Denken und Fühlen der konkreten Wirklichkeit ihres Alltags entfremdeter wäre als die Angestellten.«[49]

Auf ähnliche, gleichwohl instruktive Weise wird die »sozialdemokratische Mentalität« mißverstanden, wenn man sie ausschließlich ökonomisch und darauf bezogen marxistisch deutet, wie es der Schriftsteller Peter Weiss tut: »Die Gewerkschaften waren zur Waffe der Führenden geworden, um die Arbeitenden zu pazifieren. Hier wurde eine Wesensart gezüchtet. Das sozialdemokratische Syndrom untergrub das Empfinden für Klassenzugehörigkeit, es baute auf die Ängstlichkeit der Mitglieder, machte ihre anerzogene Schüchternheit konstitutionell, zog sie hinein in die Schichten des Kleinbürgertums, wo sie, weder dem Proletariat noch den Mittelständen zugehörig, sich als Reservoir für reaktionäre Zwecke ausnutzen ließen.«[50] Nicht wenige dieser scharfsinnigen Beobachtungen treffen zu und verfehlen doch das Problem: Die »Verkleinbürgerlichung« der SPD war keineswegs von der Führungsschicht Mitgliedern und Anhängern aufgezwungen, vielmehr stand sie in Zusammenhang mit der »negativen Integration«[51] der Arbeiterbewegung in das Kaiserreich; Arbeiter sind, wie Angehörige anderer sozialer Schichten auch, für sozialen Aufstieg besonders sensibel, wenn sie es zu etwas, und sei es auch nur wenig, gebracht haben. An

[49] Walter Benjamin, Politisierung der Intelligenz. Zu S. Kracauer ›Die Angestellten‹. In: Siegfried Kracauer, Die Angestellten. Aus dem neuesten Deutschland (1929). Neudruck Frankfurt a. M. 1971, S. 117.

[50] Peter Weiss, Die Ästhetik des Widerstands. Bd. 1, 2. Aufl., Frankfurt a. M. 1983, S. 148.

[51] Dieter Groh, Negative Integration und revolutionärer Attentismus. Die deutsche Sozialdemokratie am Vorabend des Ersten Weltkrieges. Frankfurt a. M., Berlin, Wien 1973.

dieser sozialen Mentalität, die sich in analoger Form bei sozialen Aufsteigern in jeweils höhere Schichten immer wieder bestätigt, ist durch revolutionäre Parolen und bloßen Ökonomismus nichts zu ändern. Hinzu kam, daß eine seit 1918 jedenfalls rechtlich und in vielen sozialen und politischen Bereichen faktisch erfolgende Beteiligung der Arbeiterschaft den Staat von Weimar für die überwältigende Mehrheit der Sozialdemokraten nicht einfach als revolutionierungsbedürftigen Klassenstaat erscheinen ließ.

Der Strukturwandel der Gesellschaft, der mit der Beseitigung rechtlicher Privilegierung einherging und mit dem Abbau sozialer Benachteiligung und politischer Außenseiterstellung der Arbeiterschaft fortgesetzt wurde, stand im Kontext eines wirtschaftlichen Strukturwandels und einer darauf bezogenen sozialen Umschichtung – manifest etwa im ständigen Anwachsen der Angestelltenschaft. Die bürgerlichen Mittelparteien, besonders aber die SPD, gerieten durch diese Wandlungen in eine schwierige gesellschaftliche Situation: Einerseits waren sie dezidierte Klassenparteien, andererseits wandelte sich die soziale Basis rapide; der mehr als vier Jahre dauernde Krieg hatte ebenso als sozialökonomischer Schmelztiegel gewirkt wie später Inflation und Wirtschaftskrisen. Die Parteien aber sprachen die Wähler in vorrevolutionärer Weise an, nur leicht modifiziert aufgrund der seit Herbst 1918 eingetretenen Änderungen des politischen Systems.

Die Erfolge der NSDAP seit 1930 sind zwar wesentlich Produkt wirtschaftlicher Katastrophen, aber sie sind kaum weniger Symptom eines gesellschaftlichen Strukturwandels tiefgreifender Art, den die deutschen Parteien damals kaum gesehen haben. So wenig die NSDAP ihre Wähler als Klassenpartei ansprach, so sehr rechnete sie auf kleinbürgerliche Verhaltensmuster, so sehr auch auf eine diffuse Volksgemeinschaftsideologie, die klassenübergreifend war und sein sollte. Die soziale Begrenztheit der meisten Weimarer Parteien hingegen stellte mittelfristig eine schwere Belastung der Republik dar.

Die mittelständische, zum Teil auch großbürgerliche, überwiegend protestantische Wähler- und Mitgliederbasis der beiden liberalen Parteien ist schon erwähnt worden. In sozialer Hinsicht sind kaum Unterschiede feststellbar, allerdings war der industrielle Flügel, einschließlich großindustrieller Interessenvertretung, in der konservativ-liberalen DVP ausgeprägter als in der eher linksliberalen DDP. Ob man für DDP oder DVP stimmte, hing weniger von der sozialen Lage als von den politischen Überzeugungen ab. Allerdings hatten beide Parteien zur Arbeiterschaft kaum, zu den Angestellten nur begrenzten Zugang. Höhere Beamte, alter Mittelstand, gehobenes Bürgertum insgesamt, freie Berufe, Wissenschaftler waren in beiden Parteien zahlreich vertreten[52].

Die Parteien der Weimarer Republik vertraten also – vom Zentrum abgesehen – relativ eindeutig erkennbare Interessen und sprachen nur begrenzte Bevölkerungsschichten besonders an. Eine Interessenvertretung wäre, für sich genommen, nicht problematisch für das politische System der Weimarer Republik gewesen, hätten die Parteien mehrere gesellschaftliche Interessenten repräsentieren und folglich innerparteilich Kompromißfähigkeit entwickeln müssen: Auch dies hätte die Koalition mit anderen Parteien erleichtert. Solches Austarieren gegensätzlicher wirtschaftlicher und sozialer Interessen aber gelang nur in Grenzen und gegen Ende der Republik immer weniger. Statt dessen wurden die Parteien in großen Teilen der Gesellschaft mißachtet als Verfechter bloßer, häufig persönlicher oder personalpolitischer Partikularinteressen. Besonderer Mißachtung waren von Beginn an die Parteien ausgesetzt, die an den Regierungen beteiligt waren. Das stärkte wiederum diejenigen Abgeordneten und Parteifunktionäre, die Regierungsbeteiligung ablehnten, weil sie zu Kompromissen zwang und unpopulär war. Als paradoxes Ergebnis konnten auch diejenigen Parteien, die in der Regierung saßen – selbst das Zentrum –, vergleichsweise wenige eigene politische Ziele realisieren und mußten trotzdem für sämtliche Enttäuschungen der Wähler büßen. Nur die traditionelle Loyalität der Anhängerschaft von Sozialdemokratie und politischem Katholizismus bewahrte SPD bzw. Zentrum davor, ebenfalls durch auf diese Weise verursachte Verluste zerrieben zu werden. Bezeichnend genug war es, daß die SPD nach viereinhalb Jahren der Opposition und der Mitte-Rechts-Regierungen bei der Wahl von 1928 ihren Stimmenanteil erheblich verbessern konnte und damals (nach dem 19. Januar 1919) ihr zweitbestes Wahlergebnis der Weimarer Jahre errang. Auch das Zentrum verlor stetig an Stimmen, mit Ausnahme der Wahl vom 31. Juli 1932, wo es gerade aus der Regierung gedrängt und sein Kanzler Brüning gestürzt worden war. Die DDP wurde schon seit 1920 am stärksten vom Unmut der

[52] Albertin, Liberalismus und Demokratie, S. 106–138.

Wähler über die Regierungsbeteiligung getroffen. Und sogar der DNVP bekam die Regierungsbeteiligung schlecht, verlor sie doch 1928 im Vergleich zur Wahl 1924 ein knappes Drittel ihrer Stimmen.

Kein Zweifel, Regierungsübernahme war für die Parteien der Weimarer Republik, jedenfalls auf Reichsebene, ein frustrierendes Geschäft. Ohnehin ließ es schon die Kurzlebigkeit der Regierungen kaum zu, politische Ziele von einiger Bedeutung zu verwirklichen. Von dieser Regel gab es in der Weimarer Republik nur wenige Ausnahmen. Sie waren dadurch bedingt, daß trotz wechselnder Koalitionen oder Regierungen ein Ressort über längere Zeiträume von einem Minister geleitet wurde. Dies galt vor allem für das Außenministerium, in dem Gustav Stresemann vom 13. August 1923 bis zu seinem Tod am 3. Oktober 1929 die offizielle deutsche Außenpolitik dieser Jahre maßgeblich prägen konnte. Aber auch solche erfolgreich-kontinuierliche Politik zahlte sich für seine Partei kaum aus.

3. Die Nationalversammlung und ihr Werk 1919/20

Verfassunggebung, Regierungsbildung, Gesetzgebung

Als am 6. Februar 1919 die Weimarer Nationalversammlung zur konstituierenden Sitzung zusammentrat, waren politische Entwicklungen dieser Art kaum voraussehbar. Vielmehr war nach der vor der Revolution eingeleiteten Zusammenarbeit von SPD, Zentrum und DDP, der gemeinsamen Zielsetzung dieser Parteien, die Revolution durch die Wahl einer Konstituante zu beenden, und schließlich durch das für diese Koalition sprechende Wahlergebnis vom 19. Januar 1919 der Weg vorgezeichnet. Nachdem die Nationalversammlung bereits am 10. Februar 1919 mit dem Gesetz über die vorläufige Reichsgewalt eine Übergangsverfassung beschlossen hatte, die das Revolutionsrecht ablöste, wurde auf der Grundlage dieses Gesetzes am 13. Februar eine neue Reichsregierung der drei Parteien unter Führung des Sozialdemokraten Philipp Scheidemann gebildet. Die sozialdemokratischen Volksbeauftragten waren nach Annahme des Gesetzes zurückgetreten, und damit war die Revolutionsregierung demokratisch-parlamentarischen Gepflogenheiten gefolgt. So erklärte Scheidemann den Abgeordneten: »Meine Damen und Herren, nachdem die Nationalversammlung zusammengetreten ist und die provisorische Verfassung verabschiedet ist, ist die geschichtliche Mission, die uns als *vorläufiger Regierung* zugefallen war, beendet. *Wir legen die Macht, die wir von der Revolution empfangen hatten, hiermit in ihre Hände.* (Lebhafter Beifall).«[53] Wohl selten hat eine Revolutionsregierung sich so konsequent an ihre Prinzipien gehalten, schnellstmöglich eine Konstituante herbeizuführen, um schließlich unmittelbar nach Erlaß einer provisorischen Verfassung zurückzutreten.

Die Übergangsverfassung[54], nach der bis zum Inkrafttreten der definitiven Reichsverfassung vom 11. August 1919 nun für ein halbes Jahr Gesetzgebung und Regierung des Deutschen Reiches erfolgten, bestimmte klar die Aufgabe der Nationalversammlung, die »künftige Reichsverfassung sowie auch sonstige dringende Reichsgesetze zu beschließen« (§ 1); sie ging von der Existenz der deutschen Einzelstaaten aus und maß deren Regierungen, sofern sie »auf dem Vertrauen einer aus allgemeinen, gleichen, geheimen und direkten Wahlen hervorgegangenen Volksvertretung« beruhten, erhebliche Mitspracherechte zu. Die deutschen Länder bildeten nach einem aus der Bevölkerungsstärke resultierenden Schlüssel ein Staatenhaus, an dessen Zustimmung die Einbringung von Vorlagen der Reichsregierung in der Nationalversammlung gebunden blieb. War eine Einigung nicht zu erzielen, durften die abweichenden Vorlagen direkt der Nationalversammlung zur Beschlußfassung vorgelegt werden. Gesetze kamen durch Übereinstimmung zwischen Nationalversammlung und Staatenhaus zustande. War eine solche Übereinstimmung nicht erreichbar, konnte der Reichspräsident eine Volksabstimmung herbeiführen. Doch enthielt die Übergangsverfassung keine Vorsorge für den Fall, daß der Reichspräsident den Appell an das Volk ablehnte. Die Übergangsverfassung ermächtigte also den Reichspräsidenten, im Konfliktfall die Weiterbehandlung einer Vorlage zu verhindern. Schließlich garantierte das Gesetz vom 10. Februar 1919 den Gebietsstand der Freistaaten. Freistaat bedeutete nach späterer authentischer Interpretation soviel wie Republik[55]. Veränderungen des territorialen Besitzstandes durften nur mit Zustimmung der betroffenen Einzelstaaten vorgenommen werden.

[53] Eduard Heilfron (Hrsg.), Die deutsche Nationalversammlung im Jahre 1919 in ihrer Arbeit für den Aufbau des neuen deutschen Volksstaates. Bd. 1, Berlin 1920, S. 81 f.

[54] Text in: Ursachen und Folgen, Bd. 3, S. 253 ff.

[55] Verfassungsausschuß, S. 111.

Die Passagen über die deutschen Einzelstaaten waren keineswegs so selbstverständlich, wie es scheinen könnte, hatte es doch Pläne zur einheitsstaatlichen Gestaltung des Reiches gegeben, neigten doch SPD, USPD und DDP prinzipiell einer unitarischen Verfassung zu. Die Verankerung föderativer Prinzipien in der provisorischen Verfassung wurzelte sowohl in deutscher Tradition als in der Revolution von 1918/19. Das deutsche Kaiserreich war, staatsrechtlich gesehen, ein durch die Fürsten geschlossener Staatenbund gewesen[56]. Während der Revolution hatte es neben separatistischen und gegen den Hegemonialstaat Preußen gerichteten autonomistischen Bestrebungen in preußischen Provinzen auch die Meinung gegeben, mit dem Sturz einzelstaatlicher Monarchien seien deren Verträge hinfällig und die Einzelstaaten völkerrechtlich souverän geworden: Sie könnten sich folglich für oder gegen die Reichseinheit entscheiden. Wichtiger als solche peripheren Überlegungen war jedoch die Tatsache, daß die Revolution eine Revolution in den Einzelstaaten gewesen ist, also ihrerseits durch die föderative Struktur des Reiches geprägt worden war. Dies hatte schon auf der ersten Konferenz der Minsterpräsidenten der deutschen Einzelstaaten mit dem Rat der Volksbeauftragten am 25. November 1918 in Berlin eine bedeutsame Rolle gespielt, als beispielsweise der zur USPD zählende bayerische Ministerpräsident Kurt Eisner versuchte, seine von der Revolutionsregierung des Reiches abweichende politische Meinung über den Föderalismus auszuspielen und diesen so zum Vehikel des Sozialismus zu machen[57].

Während der folgenden Vorbereitungen des Verfassungsentwurfs auf der Grundlage der Entwürfe und einer Denkschrift von Hugo Preuß[58] zeigte sich, wie einflußreich die Einzelstaaten geblieben waren. Als am 25. Januar 1919 die Vertreter der Einzelstaaten mit dem Rat der Volksbeauftragten in Berlin zur zweiten Reichskonferenz der deutschen Regierungen zusammentrafen, teilte Friedrich Ebert den Wunsch der Berliner Revolutionsregierung mit, »künftig eine engere Fühlung zwischen der Reichsleitung und den Vertretern der Freistaaten in allen politisch wichtigen Fragen der Reichspolitik herbeizuführen«,

[56] Präambel der Verfassung des Deutschen Reichs vom 16. April 1871, in: Huber, Dokumente, Bd. 2, S. 290.

[57] Die Regierung der Volksbeauftragten, Teil I, S. 179, 185, 195.

[58] Preuß, Staat, Recht und Freiheit, S. 368 ff., Verfassungsentwürfe bei Triepel, Quellensammlung, S. 6–44.

betonte aber unmißverständlich, daß die »Entscheidung über die Verfassungsfrage vollständig in der Hand der konstituierenden Nationalversammlung« liege[59]. Eben dies bestritten die meisten Vertreter der süddeutschen Staaten. Aber auch der preußische Justizminister Heine meldete Widerspruch an: »Wäre die Revolution von einer Zentralstelle ausgegangen, die ... ein einheitliches deutsches Gefühl vorgefunden hätte, so wäre es möglich gewesen, zu einem zentralisierten Deutschland zu kommen. Aber die Revolution hat als eine Reihe lokaler Revolutionen begonnen, und wir sollen nur das zusammenfassen, was sich da von selbst gestaltet hat.«[60] Auch die sozialdemokratische Revolutionsregierung Preußens pochte inzwischen auf das Existenzrecht des größten deutschen Einzelstaates, dessen hegemoniale Stellung schon aufgrund des Widerstands der übrigen deutschen Länder, aber auch der entschiedenen Unitarier unter den Reichspolitikern, nicht mehr beibehalten werden konnte.

Was aber sollte aus Preußen werden? Hugo Preuß wollte ursprünglich auf eine Beseitigung des Großstaates Preußen hinaus, der zwei Drittel des Reichsterritoriums und drei Fünftel der gesamten deutschen Bevölkerung umfaßte. Dieses unitarische Ziel erwies sich als unrealisierbar. Der immer noch mächtige deutsche Föderalismus rettete auch Preußen; die sozialdemokratische Revolutionsregierung des größten Einzelstaates wurde zur Stütze des föderativen Systems. Im Ergebnis setzten sich die Länder durch, was schon ihre bloße Mitwirkung an der Beratung der provisorischen Verfassung bewies, deren Entwurf auf der Reichskonferenz vom Januar 1919 einer gemeinsamen Kommission unter Vorsitz von Hugo Preuß zugewiesen wurde. Die prinzipielle Frage, ob die Nationalversammlung eine durch einzelstaatliche Zustimmungspflicht nicht beschränkte Souveränität der Verfassunggebung erhalten sollte, blieb unentschieden.

Neben der Zuständigkeit der Nationalversammlung und der reichspolitischen Kompetenzen der Einzelstaaten regelte die provisorische Verfassung vor allem die Stellung von Reichspräsident und Reichsregierung. Auch hier wirkten sich die bestehenden Vorgaben aus. Der Reichspräsident erhielt, abgeleitet

[59] Aufzeichnung der Besprechung vom 25. Januar 1919, in: Geheimes Staatsarchiv Berlin, Rep. 90, Nr. 300, pag. 117, S. 1.
[60] Ebd., pag. 121, S. 9.

vom Vorbild eines starken Staatsoberhaupts in der konstitutionellen Monarchie, die dominierende Stellung: er führte die Geschäfte des Reiches, vertrat das Reich völkerrechtlich, verkündete die beschlossenen Reichsgesetze und die geschlossenen Verträge. Die Reichsminister aber, deren Kollegium sämtliche Behörden und die Oberste Heeresleitung unterstellt wurden, bedurften zu ihrer Amtsführung des Vertrauens der Nationalversammlung und waren ihr verantwortlich. Diese unerläßliche Voraussetzung eines parlamentarischen Regierungssystems übernahm die Nationalversammlung in modifizierter Form von den Oktoberreformen, sie bestätigte so die durch sie eingeführte Parlamentarisierung des Reiches. Die Übergangsverfassung schrieb die Wahl des Reichspräsidenten durch die Nationalversammlung mit absoluter Stimmenmehrheit vor; seine Amtsdauer wurde bis zur Wahl eines Staatsoberhaupts gemäß der künftigen Reichsverfassung befristet. Aufgrund der Stellung, die Friedrich Ebert im Laufe der Revolution gewonnen hatte, lag seine Kandidatur für dieses politisch bedeutendste Amt nahe. Die rasch gefällte Entscheidung der stärksten politischen Persönlichkeit der revolutionären Übergangsperiode präjudizierte indes auch die Verfassungsberatungen, gab dem Amt trotz der geringen exekutiven Kompetenzen ein übergeordnetes politisches Gewicht. Die Reichsregierung jedoch geriet, verglichen mit dem in Amtsführung und Amtsantritt selbständigen Reichspräsidenten, in doppelte Abhängigkeit: sie wurde vom Reichspräsidenten ernannt, während ihre Amtsführung des parlamentarischen Vertrauens bedurfte. Daß Scheidemann, der während der letzten Monate deutlich zum zweiten Mann hinter Ebert geworden war, mit dem Amt des Regierungschefs betraut wurde, demonstrierte die politische Rangordnung. Ebert erkannte früh, daß das Staatsoberhaupt die stabilere und stabilisierendere Position hatte, während das Amt des Regierungschefs sehr viel stärker den Wechselbädern der Parteipolitik ausgesetzt war[61]. Auf der anderen Seite wurde bald klar, daß der durchsetzungsfähige Politiker der Revolutionsmonate als Reichspräsident größere politische Zurückhaltung üben mußte. Vielleicht hätte Ebert auch als Reichspräsident stärker in die Tagespolitik eingreifen können, als er es tatsächlich getan hat[62].

[61] Philipp Scheidemann, Memoiren eines Sozialdemokraten. Bd. 2, Dresden 1928, S. 354.

[62] Peter-Christian Witt, Friedrich Ebert – Parteiführer, Reichskanzler, Volksbeauftragter, Reichspräsident. In: Friedrich Ebert 1871–1925. Hrsg. v. der Fried-

Möglicherweise widersprach das seinem Verfassungsverständnis. Unverkennbar ist aber auch, daß sein von den Parteien abgehobenes Amt ihn auch der SPD-Basis entfremdete; seine parteipolitische Machtbasis war geringer, als es scheinen konnte.

Die schnell beschlossene und nur zehn Paragraphen zählende Übergangsverfassung präfigurierte die Grundzüge der definitiven Reichsverfassung von Weimar in starkem Maße. Prinzipielle Souveränität der Nationalversammlung in der Verfassungsfrage, aber faktische Bestätigung der föderativen Struktur des Reiches auf der durchgängigen Grundlage republikanisch-parlamentarischer Verfassungen auch in den Einzelstaaten, ein starker Reichspräsident auf Kosten der Reichsregierung, parlamentarische Ministerverantwortlichkeit, Trennung von Legislative und Exekutive – das wurden wesentliche Elemente auch der endgültigen Reichsverfassung. Im Hinblick auf das Reichspräsidentenamt bemerkte der USPD-Abgeordnete Dr. Cohn, als er über das Gesetz zur vorläufigen Ordnung der Reichsgewalt sprach, »daß der Entwurf zu sehr am Alten und Veralteten klebt ... sich krampfhaft bemüht, die Tradition, die sich bis zum 9. November 1918 in den gesetzlichen Bildungen des Deutschen Reiches ausprägte, um jeden Preis fortzusetzen, gleich als ob der Umsturz vom November 1918 eine kleine und bedeutungslose Sache wäre oder sich gar nicht ereignet hätte ... Wir haben von der Monarchie ein für allemal genug und möchten sie nicht auf dem Umwege einer republikanischen Monarchie wieder bei uns einführen ... Man sollte sich nicht auf das Beispiel der französischen oder der amerikanischen Republik berufen. Dort sind ganz andere Voraussetzungen einer demokratischen Kultur und Tradition, die dem deutschen Volke, die namentlich dem deutschen Bürgertum fehlen oder verloren gegangen sind ...« Mit Recht hielt Cohn ein solches Reichspräsidium für eine Gefahr, wenngleich sein Vorschlag eines Reichspräsidenten-Kollegiums unpraktikabel war[63]. Später, im Jahre 1928, kritisierte auch Philipp Scheidemann die 1919 eingeführte verfassungsrechtliche Form des Reichspräsidentenamtes[64].

Das Gesetz zur vorläufigen Ordnung der Reichsgewalt vom 10. Februar stellte also ein wichtiges Scharnier zwischen den

rich-Ebert-Stiftung, Bonn, Bad Godesberg 1971, S. 45; Susanne Miller, Die Bürde der Macht. Die deutsche Sozialdemokratie 1918–1920. Düsseldorf 1978, S. 52.

[63] Heilfron, Nationalversammlung, Bd. 1, S. 50f.

[64] Scheidemann, Memoiren, Bd. 2, S. 355f.

Oktober-Reformen 1918 und der endgültigen Verfassung vom August 1919 dar. Auch unter verfassungsgeschichtlichem Aspekt zeigte sich hinter den revolutionären Ereignissen und Umbrüchen ein hohes Maß an kontinuierlicher Transformierung der konstitutionellen Monarchie in eine demokratisch-parlamentarische Republik.

Die Koalitionsverhandlungen der drei Parteien, die die Kontinuität der Reform in der Revolution verkörperten, hatten Anfang Februar begonnen. Das Ziel von Zentrum und DDP war, die bürgerlichen Parteien, die während der vorangegangenen Monate keinen ausschlaggebenden Einfluß auf die politischen Entscheidungen gehabt hatten, an der Regierung zu beteiligen. Das – zumindest von Ebert nicht sehr ernst gemeinte und als Alibi dienende[65] – Koalitionsangebot der SPD lehnte die USPD bereits am 6. Februar ab. Die SPD hatte ein Bekenntnis zur parlamentarischen Demokratie gefordert, die USPD aber die Sicherung der »demokratischen und sozialistischen Errungenschaften der Revolution gegen die Bourgeoisie und gegen die Militärautokratie« zur Voraussetzung einer Regierungsbeteiligung erklärt[66]. In das Kabinett Scheidemann traten sieben Sozialdemokraten und jeweils drei Zentrumspolitiker und Deutsche Demokraten ein; der parteilose Graf Brockdorff-Rantzau wurde Außenminister. Der wenige Tage vorher zum Präsidenten der Nationalversammlung gewählte Sozialdemokrat Dr. Eduard David wurde Reichsminister ohne Portefeuille, der frühere Reichstagspräsident Konstantin Fehrenbach (Zentrum) zum Präsidenten der Nationalversammlung gewählt. Zu den stärksten Persönlichkeiten des Kabinetts zählte neben den ehemaligen Volksbeauftragten Scheidemann, Noske und Landsberg der Zentrumspolitiker Matthias Erzberger, zwar ohne Portefeuille, aber zuständig für die zentrale Frage der Waffenstillstandsverhandlungen; diese Funktion hatte er bereits als Staatssekretär in der Regierung der Volksbeauftragten wahrgenommen. Mit den klassischen Ressorts des Innern und der Finanzen hatte die DDP zwei politische Schlüsselstellungen inne, die mit Hugo Preuß und Eugen Schiffer besetzt wurden.

Die Regierungsbeteiligung der DDP lag aufgrund ihrer dezidiert demokratisch-republikanischen Orientierung nahe. Der

[65] Conrad Haußmann, Schlaglichter. Reichstagsbriefe und Aufzeichnungen. Hrsg. v. Ulrich Zeller, Frankfurt 1924, S. 276.
[66] Vgl. Miller, Bürde der Macht, S. 246f.

Regierungseintritt des Zentrums war jedoch innerhalb der Partei umstritten; schon das Zusammengehen mit der SPD im alten Reichstag seit 1917 hatte in der Fraktion keineswegs einhellige Zustimmung gefunden[67]. Entscheidend für dieses Zögern war die Ablehnung der Revolution und die Folgerung, man solle es der SPD allein überlassen, den »Karren aus dem Dreck zu ziehen«. Daneben spielte die marxistische Kulturpolitik des preußischen Revolutionsministers Adolph Hoffmann (USPD), aber auch noch die Schulpolitik seines erheblich gemäßigteren sozialdemokratischen Nachfolgers Konrad Haenisch eine Rolle. Schließlich bestanden auch bei der SPD Vorbehalte gegenüber der Zentrumspartei, da sie einen scharfen Wahlkampf gegen die SPD geführt hatte[68]. Die Entscheidung der DDP, in eine Koalition mit der SPD nur gemeinsam mit dem Zentrum einzutreten[69], schob diesem die Entscheidung über die künftige Regierung zu. Das Zentrum beschloß mit 64 gegen fünf (bayerische) Stimmen[70], unter vier Voraussetzungen in die Regierung einzutreten: 1. Schutz »unserer kulturellen Güter«; 2. Sicherung des Privateigentums; 3. Schutz gegen radikale Sozialisierung; 4. Aufrechterhaltung der föderativen Struktur des Reiches[71]. Dabei zielte der erste Punkt auf eine Verfassung, in der die Rechte der katholischen Kirche gesichert würden[72]. Hinzu trat die Forderung nach einem Volksheer, das gegebenenfalls Widerstand der Arbeiter- und Soldatenräte gegen die Konstituante zu brechen hatte[73]. Motor der Regierungsbeteiligung des Zentrums war Matthias Erzberger[74]. Ausschlaggebend für den »schweren Herzens« – aus »staatsbürgerlichem Pflichtgefühl« – gefällten Entschluß war die Überzeugung in der Regierung, die SPD von extremen Schritten vor allem in der Kulturpolitik abhalten zu können. Auch war die Zentrumsfraktion der Meinung, sozialistische Experimente in der Wirtschaftspolitik als Regierungspartei weit effektiver verhindern zu können als aus der Opposi-

[67] Rudolf Morsey, Die Deutsche Zentrumspartei 1917–1923. Düsseldorf 1966, S. 165ff.

[68] Karl Anton Schulte (Hrsg.), Nationale Arbeit. Das Zentrum und sein Wirken in der deutschen Republik. Leipzig 1929, S. 157.

[69] Carl Severing, Mein Lebensweg. Bd. 1, Köln 1950, S. 237f.

[70] Klaus Epstein, Matthias Erzberger und das Dilemma der deutschen Demokratie. Frankfurt a. M., Berlin, Wien 1976, S. 327.

[71] Morsey, Die Deutsche Zentrumspartei, S. 167.

[72] Epstein, Matthias Erzberger, S. 328.

[73] Ebd.

[74] Ebd.

tion heraus. Die wirtschaftspolitischen Teile des Regierungsprogramms bestätigten diese Einschätzung. Für eine Regierungsbeteiligung sprach schließlich die Überlegung, daß das Zentrum andernfalls von der Besetzung wichtiger Ämter ausgeschlossen oder doch benachteiligt werden könnte, wie es die Partei in ihrer Geschichte oft erfahren hatte. Parität in der Personalpolitik zählte denn auch zu den von der Zentrumspartei auf preußischer und auf Reichsebene angestrebten und im großen und ganzen auch erreichten Zielen.

Für Erzberger existierten überdies wichtige außenpolitische Gründe für eine unter Einschluß des Zentrums gebildete, parlamentarisch stabile Koalition. Hätte sich das Zentrum verweigert, wäre es zu einer Minderheitsregierung der SPD gekommen, die dann nach links gedrängt, wohl kaum ihr ursprüngliches Konzept der strikten Souveränität der Nationalversammlung hätte durchhalten können. Vermutlich hätte das die Todesstunde des Parlamentarismus bedeutet. Indem sie sich aber für die Koalition entschied, verband die Zentrumspartei ebenso wie SPD und DDP ihr Schicksal mit dem der Republik. Diese Parteien waren es, denen nun die Hauptverantwortung für die Liquidierung des Krieges, für Friedensschluß und die Gestaltung der neuen Republik zufiel.

Die SPD betrachtete bei der ersten konsequent parlamentarischen Regierungsbildung in der Geschichte des deutschen Reiches als Voraussetzung einer Koalition mit bürgerlichen Parteien »die rückhaltlose Anerkennung der republikanischen Staatsform, eine Finanzpolitik mit scharfer Heranziehung von Vermögen und Besitz und eine tiefgreifende Sozialpolitik und Sozialisierung der hierzu geeigneten Betriebe«[75]. Die sozialdemokratische Parteizeitung ›Vorwärts‹ schrieb am 10. Februar 1919, eine parlamentarische Mehrheitsbildung sei möglich, aufgrund der Differenzen im bürgerlichen Lager sei sie überdies notwendig, sie könne aber aus machtpolitischen Gründen nicht gegen die SPD, die stärkste politische Kraft und größte Arbeiterpartei, erfolgen; ein Zusammengehen mit der USPD sei von dieser abgelehnt worden und sei für sich genommen auch nicht mehrheitsfähig. »Was ... den Aufbau der neuen Reichsverfassung auf dem Boden der politischen Demokratie anbelangt, so wird die Sozialdemokratie voraussichtlich mit beiden Parteien (DDP

[75] Akten der Reichskanzlei. Das Kabinett Scheidemann. 13. Februar bis 20. Juni 1919. Bearb. v. Hagen Schulze. Boppard 1971, S. XXIV.

und Zentrum) zusammenarbeiten können.« In kulturpolitischen Fragen sei ein Zusammengehen mit der DDP denkbar, mit dem Zentrum fast unmöglich, doch sei dies weniger Reichs- als Ländersache. Auf der anderen Seite stünden sich SPD und Zentrum in sozialpolitischen Fragen aufgrund des starken Gewerkschaftsflügels der Zentrumspartei näher als SPD und DDP. »Nachdem ein Zusammengehen mit bürgerlichen Parteien sich nicht umgehen läßt, kann hier nur noch die reine Zweckmäßigkeitsfrage ausschlaggebend sein.«[76] Eine Vernunftehe also, keine Liebesheirat.

Am 13. Februar 1919 trat die neue Regierung vor die Nationalversammlung. Reichsministerpräsident Scheidemann verkündete das Programm der Koalitionsregierung. Zu den vier außenpolitischen Forderungen gehörte neben dem Festhalten am 14-Punkte-Programm des amerikanischen Präsidenten Wilson, von dem allein man sich einen erträglichen Friedensschluß erhoffen konnte, die Rückkehr der Kriegsgefangenen und gleichberechtigte Beteiligung am Völkerbund. Bemerkenswert ist, daß das sozialdemokratisch geführte Kabinett die »Wiederherstellung eines deutschen Kolonialgebiets« zu seinen Zielen rechnete.

Zum innenpolitischen Programm gehörten unter anderem Demokratisierung der Verwaltung, Verbesserung des Schulwesens und »Schaffung eines auf demokratischen Grundlagen aufgebauten Volksheeres«. Als sozial- und wirtschaftspolitische Absichten wurden Versorgung der Kriegshinterbliebenen und Kriegsbeschädigten genannt, Förderung der durch Kriegsfolgen schwer geschädigten mittleren und kleineren Gewerbetreibenden, Rationierung der Lebensmittel mit der Ankündigung, diese wieder aufzuheben, sobald die Versorgung des Marktes sichergestellt sei, öffentliche Kontrolle von Wirtschaftszweigen, die einen »privatmonopolistischen Charakter angenommen haben«. Koalitionsfreiheit für jedermann sollte in der Verfassung garantiert, Lohn- und Arbeitsbedingungen sollten zwischen den Organisationen der Unternehmer, Angestellten und Arbeiter ausgehandelt werden. Auch wurde Förderung der kleinbäuerlichen und bäuerlichen Betriebe sowie der landwirtschaftlichen Siedlung versprochen. Die Regierung plante ferner eine

[76] In: Dokumente und Materialien zur Geschichte der deutschen Arbeiterbewegung. Hrsg. vom Institut für Marxismus-Leninismus beim Zentralkomitee der Sozialistischen Einheitspartei Deutschlands. Bd. 7, 1 Berlin (Ost) 1966, S. 8/9.

scharfe Besteuerung der Kriegsgewinne, Vermögen und Erbschaften, außerdem eine Reform der Einkommensteuer. Schließlich kündigte der Regierungschef die Garantie von Grundrechten an, beispielsweise Freiheit der Religionsausübung, der Meinungsäußerung, von Presse, Wissenschaft und Kunst[77].

Wie die Kabinettsprotokolle der Nationalversammlung zeigen, übte die Regierung Scheidemann mit Ausnahme des zuständigen Ministers Hugo Preuß nur geringen Einfluß auf den Gang der Verfassungsberatungen aus; sie diskutierte diese Fragen kaum. Ihr Hauptaugenmerk lag auf den Friedensverhandlungen[78]. Insofern basierte die dann in Kraft getretene Verfassung einerseits auf den Entwürfen und Vorverhandlungen während der Revolutionsmonate, andererseits auf einer intensiven parlamentarischen Beratung.

Auch andere wichtige innenpolitische Vorgänge dieser Monate fanden in den Kabinettsprotokollen kaum Niederschlag, sogar der Berliner Märzaufstand wurde lediglich indirekt erwähnt[79]. Ähnliches gilt für den Generalstreik im Ruhrgebiet vom 17. bis 21. Februar 1919, den KPD und USPD als Protest gegen den Einmarsch von Regierungstruppen proklamierten; auch die dem Generalstreik folgenden spartakistischen Unruhen, die durch Regierungstruppen niedergeschlagen wurden, sind im Kabinett nicht ausführlich besprochen worden, obwohl diese Massenbewegungen fortdauernde politische und gesellschaftliche Erschütterung signalisierten.

Nach der Ermordung des bayerischen Ministerpräsidenten Kurt Eisner und weiterer politisch motivierter Attentate in München blieb auch Bayern Schauplatz revolutionärer Aktionen. Eisner wurde auf dem Wege zur Landtagseröffnung – nach der er zweifellos zurückgetreten wäre, da die USPD eine vernichtende Wahlniederlage erlitten hatte – von dem Nationalisten Graf Arco-Valley durch zwei Schüsse getötet.

Unruhen, etwa die Ausrufung der Räterepublik durch USPD und KPD in der badischen Hauptstadt Mannheim am 22. Februar, die freilich ein auf wenige Tage beschränktes Zwischenspiel blieb, die Ausrufung der Räterepublik in Braunschweig am 28. Februar 1919, die Erklärung des Generalstreiks in Leipzig und Thüringen mit der Erzwingung der Sozialisierung so-

[77] Heilfron, Nationalversammlung, Bd. 1, S. 98f.
[78] Akten der Reichskanzlei. Das Kabinett Scheidemann, S. LII.
[79] Ebd., S. XXXIX.

wie der sich daran anschließende linksextremistische Terror, waren ebenfalls Indizien für den latent oder offen fortbestehenden Bürgerkrieg. Die Reorganisation des Parteiwesens, die Wahl einer konstituierenden Nationalversammlung, der Erlaß einer Übergangsverfassung und die Bildung einer legalen Regierung hatten die Revolution zwar verfassungsrechtlich mit einem Provisorium abgeschlossen, nicht aber faktisch: Revolutionäre Massenbewegungen von Arbeitern – ausgelöst durch die mit der Entwicklung zur parlamentarischen Demokratie unzufriedenen USPD und KPD – blieben an der Tagesordnung. Die Aufstände sollten sozial- und allgemeinpolitische Ziele erreichen, die sich mit dem Stimmzettel nicht hatten verwirklichen lassen. Gewiß waren diese Aufstände nicht erfolgreich, aber sie hatten trotzdem große politische Wirkung; sie behafteten die Republik von Beginn an mit dem Odium der Instabilität, verstärkten die Angst bürgerlicher Schichten vor einer bolschewistischen Revolution, führten in Teilen des Bürgertums zur Identifizierung der SPD mit der KPD. Das war um so paradoxer, als die SPD sich im Kampf gegen die extreme Linke verschliß und daher auch in der Arbeiterschaft zunehmend an Ansehen verlor. Sie blieb weiterhin in dem Dilemma, zur Erhaltung des Rechts- und Verfassungsstaats das Gewaltmonopol der Regierung durchsetzen und die Aufstände niederschlagen, dabei restaurativ-monarchische Kräfte des Militärs gegen Teile der eigenen Anhängerschaft – die die sozialpolitischen Ziele der radikaleren Linken nicht selten teilte – mobilisieren zu müssen. Trauriger Höhepunkt dieser Entwicklung war der schon erwähnte Generalstreik und der Aufstand in Berlin vom 3. bis 8. März 1919, bei dem Reichswehrminister Noske als Inhaber der vollziehenden Gewalt wiederum mit der Niederschlagung der Aufstände beauftragt wurde. Schwere Ausschreitungen der Aufständischen bestimmten das Bild dieser schrecklichen Tage ebenso wie »Vergeltungen« der Freikorps, die einen schweren Rechtsbruch darstellten und zahlreiche Unbeteiligte das Leben kosteten. Die Gesamtzahl der Toten der »Berliner Blutwoche« wird auf 1200 geschätzt[80]. 29 Volksmarinesoldaten wurden am 11. März 1919 auf Befehl des Oberleutnants Marloh erschossen, den ein Gericht am 9. Dezember 1919 von der Anklage des Totschlags und des Mißbrauchs der Dienstgewalt freisprach, obwohl es in der Urteilsbegründung hieß, die Erschießungen

[80] Horkenbach, Das Deutsche Reich, S. 60.

seien objektiv unberechtigt gewesen[81]. Aufstände der Linksextremen niederzuschlagen und straffällig Gewordene in juristisch einwandfreier Weise zur Rechenschaft zu ziehen – solches Vorgehen war nicht nur das Recht, sondern auch die Pflicht der Regierung. Aber im Windschatten der Maßnahmen der Regierung übten rechtsextreme militärische Gruppen ihrerseits Terror gegen politische Gegner und wurden dafür, wenn überhaupt, völlig unzulänglich zur Rechenschaft gezogen: Freisprüche oder geringste Strafen waren die Regel. Die Freikorps stellten für die Republik keine geringere Gefahr dar als die Volksmarinedivision; auf die Dauer gesehen bildeten sie und der politisch-gesellschaftliche Nährboden, dem sie entstammten, sogar die ernstere Bedrohung der Republik.

Im übrigen versuchte die Reichsregierung nicht, durch Verhandlungen den gemäßigteren Teil dieser Massenbewegungen abzuspalten. Tatsächlich war die Massenbewegung vom März 1919 zu Beginn der Auseinandersetzungen gespalten. Es existierte ein vom Groß-Berliner Arbeiterrat eingesetzter, mit SPD- und USPD-Leuten paritätisch besetzter Vollzugsrat als Streikleitung, aus der die KPD ausgetreten war; sie rief in ihrer Parteizeitung ›Rote Fahne‹ zum Sturz der Regierung auf. Während der sich überstürzenden Ereignisse machten die Regierungstruppen zwischen diesen Teilen kaum einen Unterschied, und sicher sind Zeiten blutiger Bürgerkriege kaum Zeiten der Differenzierung. Auch konnte sich die Regierung, zu der am 4. März eine Abordnung der streikenden Arbeiter nach Weimar geschickt wurde, kaum erpressen lassen. Die offizielle Reaktion, die von den Arbeitern gestellten Bedingungen abzulehnen, aber ein Arbeitsprogramm zuzugestehen, das sich auf die wesentlichen sozialpolitischen Forderungen bezog, war sachlich und taktisch nicht ungeschickt. Das Ausscheiden der SPD-Mitglieder aus der Streikleitung am 7. März war aufgrund der zunehmenden Ausschreitungen und des ungesetzlichen Charakters kaum vermeidbar, hieß aber andererseits, den möglicherweise mäßigenden Einfluß auf die Massen aufzugeben und die Lösung schließlich militärisch zu suchen. Indes hätte die SPD-Führung erkennen müssen, daß die Probleme durch Einsetzung militärischer Gewalt *allein* nicht zu lösen waren, brach doch wenige Wochen später, Ende März 1919, im Ruhrgebiet erneut

[81] Emil Julius Gumbel, Vier Jahre politischer Mord (1922). Neuaufl. Heidelberg 1980, S. 20ff.

ein Aufstand los, dessen Anlaß wiederum die Forderung nach Sozialisierung bildete. Und wieder waren keineswegs nur Spartakisten als Rädelsführer beteiligt, wieder folgte auf die linksextremistische die rechtsextremistische Kriminalität, die viele Arbeiter zur Fortsetzung des zeitweise zusammengebrochenen Generalstreiks veranlaßt haben dürfte: Am 3. April waren von 375000 Bergarbeitern des Reviers 250000 im Ausstand[82]. Den Arbeitermassen konnte nur sehr schwer vermittelt werden, daß das Ziel der Regierung nicht darin bestand, »eine wirtschaftliche Bewegung mit Waffengewalt niederzuhalten«, wie der ins Ruhrgebiet entsandte sozialdemokratische Reichskommissar Carl Severing in seinem Aufruf an die streikenden Arbeiter vom 8. April 1919 bemerkte[83].

Die Streikbewegungen und Aufstände dieser Monate untergruben bei der Linken wie der Rechten aus unterschiedlichen Motiven Autorität und Ansehen der Regierungsparteien, vor allem der Sozialdemokratie. Jede Bewertung der Verfassungsberatungen der Weimarer Nationalversammlung muß den Kontrast zwischen der friedlichen Atmosphäre der Kleinstadt und den Unruhen in den industriellen Zentren, vor allem der Reichshauptstadt, im Auge behalten. Weimar hatte angesichts der düsteren Realität eine unwirklich-heitere Atmosphäre (Severing).

In mehreren Regionen des Reiches, beispielsweise im Rheinland, flammten überdies separatistische und autonomistische Bewegungen auf. Zur Sicherung gegen polnische Aktivitäten in Oberschlesien wurden Freikorps eingesetzt. Während der Beratungen der Nationalversammlung war die Einheit des Deutschen Reiches noch immer bedroht. Der auflebende Regionalismus wurde im übrigen durch die Preußenfrage stimuliert; ein Teil dieser Bestrebungen richtete sich weniger gegen das Reich als gegen die Weiterexistenz des preußischen Staates.

Probleme und Unruhe waren also die ständigen Begleiter der Weimarer Beratungen. Schon die Übergangsverfassung mußte in aller Eile zusammengezimmert werden, so daß bereits wenige Wochen später, am 4. März 1919, ein Ergänzungsgesetz erforderlich wurde, das wenigstens einige der Lücken der Übergangsverfassung schloß. Eine endgültige Verfassung blieb um so dringlicher. Es mußte geklärt werden, wie in bezug auf das bis

[82] Horkenbach, Das Deutsche Reich, S. 64.
[83] Severing, Mein Lebensweg, Bd. 1, S. 242.

zum 9. November geltende Verfassungsrecht sowie die zahlreichen gesetzesvertretenden Verordnungen des Rates der Volksbeauftragten verfahren werden sollte. Die Nationalversammlung beschloß die notwendigsten Ergänzungen, zu denen bis auf weiteres die Fortgeltung der Gesetze und Verordnungen des alten Reiches gehörte, sofern sie diesem Gesetz bzw. dem Gesetz über die vorläufige Reichsgewalt vom 10. Februar 1919 nicht entgegenstanden. In einem »Rezeptionsakt größten Stils«[84] sah das Übergangsgesetz außerdem vor, daß die vom Rat der Volksbeauftragten sowie von der neuen Reichsregierung erlassenen und verkündeten Verordnungen in Kraft bleiben sollten. Ein Verzeichnis sämtlicher Verordnungen dieser Art mußte der Nationalversammlung binnen Monatsfrist vorgelegt werden, was dann auch am 29. März 1919 geschah. Die Nationalversammlung behielt sich das Recht vor, innerhalb von drei Monaten Verordnungen wieder außer Kraft zu setzen.

Bedenkt man die Umstände, unter denen die neue Weimarer Reichsverfassung entstand, dann wird die exzeptionelle Leistung der Verfassungsväter erkennbar. Das gilt für Hugo Preuß, von dem die ersten Entwürfe[85] stammen und der als Staatssekretär bzw. Reichsminister des Innern immer wieder bis ins einzelne an der Gestaltung der neuen Verfassungsordnung mitwirkte, ebenso für den 8. Ausschuß, den Verfassungsausschuß, die Nationalversammlung und ihr Plenum. Diese Leistung anzuerkennen bedeutet nicht, die dann schließlich in Kraft getretene Weimarer Reichsverfassung für die beste aller möglichen Verfassungen zu halten oder auch nur ihre schwerwiegenden Mängel zu leugnen. Aber diese Verfassung konnte weder ein reines, in sich schlüssiges Rechtsprodukt sein, noch konnten die Verfassungsväter die Verfassungswirklichkeit genau voraussehen, die aus der Anwendung der Verfassung folgte. Traditionen und Vorbelastungen sind dabei ebenso wirksam wie die aktuelle Konstellation bei der Entstehung und ihr Kompromißcharakter.

Die Stationen der Verfassungsberatungen sind schnell aufgezählt, sie geben einen Eindruck von der Geschwindigkeit ihrer Entstehung. Schon am 20. Februar 1919 hatte das erste Haushaltsgesetz, d. h. der (dritte) Nachtragshaushalt für das Jahr

[84] Leo Wittmayer, Die Weimarer Reichsverfassung. Tübingen 1922, S. 9.
[85] Anm. 58; sowie Wilhelm Ziegler, Die deutsche Nationalversammlung 1919/1920 und ihr Verfassungswerk. Berlin 1932.

conclusive

1918 erfolgreich das Parlament passiert[86]. Bereits am 24. Februar begann die parlamentarische Beratung der Reichsverfassung, nachdem der Innenminister den Regierungsentwurf der Nationalversammlung vorgelegt hatte. Seit Hugo Preuß seinen ersten Verfassungsentwurf am 3. Dezember 1918 dem Rat der Volksbeauftragten vorgelegt hatte[87] und dieser in einem Expertengespräch im Reichsamt des Innern vom 9. bis 12. Dezember 1918 eingehend besprochen worden war, hatten die erwähnten Diskussionen mit den einzelstaatlichen Vertretungen zu mannigfachen Modifikationen geführt. Viele der von Preuß verfochtenen verfassungspolitischen Ziele ließen sich nicht realisieren, beispielsweise die unitarische Organisation des Reiches oder der von ihm aus pragmatischen Gründen geforderte Verzicht auf einen ausführlichen Grundrechtekatalog. Preuß befürchtete, die eingehende Grundrechtediskussion würde wie 1848/49 während der Beratungen so dominieren, daß die essentiellen Fragen vernachlässigt werden und möglicherweise die politischen Ereignisse über die Verfassungsberatungen hinweggehen könnten. Auch das wegen seiner »reaktionären« Wirkung von Preuß abgelehnte Referendum gelangte in die Verfassung. Am 3. Januar dann war der Vorentwurf der Reichsverfassung, der sog. Entwurf I, im Reichsamt des Innern abgeschlossen worden. Der charakteristische Grundzug lag in der Forderung nach einem »dezentralisierten Einheitsstaat«[88]. Die entscheidende Veränderung, die dieser Entwurf bis zur Vorlage in der Nationalversammlung erfuhr, betraf in erster Linie die Einzelstaaten. Aus dem dezentralisierten Einheitsstaat wurde ein Bundesstaat; das zur Auflösung verurteilte Preußen überlebte die Revolution, nicht als Hegemonialstaat, aber doch als mit Abstand größtes und wichtigstes Land der Weimarer Republik. Die im § 29 vorgesehene Aufteilung Preußens[89] hatte keine Chance, da die sozialdemokratische Revolutionsregierung Preußens, bei aller Anerkennung der politischen Priorität der Reichsleitung, inzwischen schon genug politisches Eigengewicht erlangt hatte, um zusammen mit den anderen Ländern zumindest vorläufig eine Änderung des territorialen Besitzstandes der Einzelstaaten

[86] Heilfron, Nationalversammlung, Bd. 1, S. 592.
[87] Die Regierung der Volksbeauftragten, Bd. 1, S. 251 f.
[88] Ebd., Bd. 2, S. 249 ff. Vgl. Walter Jellinek, Revolution und Reichsverfassung. Bericht über die Zeit vom 9. November 1918 bis 31. Dezember 1919. In: Jahrbuch des öffentlichen Rechts der Gegenwart 9 (1920), S. 1–128.
[89] Triepel, Quellensammlung, S. 7.

zu verhindern. Am 24. Januar 1919 faßte das von dem Sozialdemokraten Paul Hirsch geleitete Preußische Staatsministerium den einmütigen Beschluß, bei den Verfassungsberatungen Widerspruch gegen die Zerschlagung Preußens anzumelden[90]. Bereits am Vortag hatte Kultusminister Haenisch in einer Sitzung des Zentralrats erklärt: »Die preußische Regierung ist wohl einheitlich der Meinung, daß wir Preußen nicht zerschlagen dürfen.«[91] Hirsch unterstützte seinen Kollegen mit der Bemerkung: »Mit der Zerschlagung Preußens würden wir der Entente einen großen Dienst erweisen.«[92]

Auch Friedrich Ebert hielt konsequent daran fest: »keine territorialen Änderungen in den bundesstaatlichen Abgrenzungen vor der Nationalversammlung«[93]. Als der Rat der Volksbeauftragten am 14. Januar 1919 den Entwurf und die Denkschrift von Preuß diskutierte und der Volksbeauftragte Landsberg den Einheitsstaat propagierte, lautete Eberts lakonische Antwort: »Wenn ich theoretisch auch Landsberg zustimme, so glaube ich doch, daß die Reichseinheit nur möglich ist auf föderativer Grundlage. Das lehren uns auch die Erfahrungen, die wir gerade während der Revolution gemacht haben. Wir müssen versuchen, innerhalb des Föderativstaates die Reichsmacht nach Möglichkeit wirtschaftlich zu stärken, und diesen Weg verfolgt der Entwurf.«[94]

Der Entwurf verfolgte keineswegs nur diesen Weg, und auch Ebert war der Meinung, Preußen könne nicht wie bisher fortbestehen. Zwar versuchte Hugo Preuß auch noch in seinem zweiten Entwurf[95], von ihm selbst als »Kompromißentwurf ... zwischen Einheit und Zersplitterung« bezeichnet[96], den unitarischen Grundgedanken seiner Verfassungskonzeption nunmehr allein auf Kosten Preußens durchzusetzen und im übrigen die föderative Grundstruktur des künftigen Reiches zu akzeptieren; doch gelang es der preußischen Revolutionsregierung weiterhin, Vorentscheidungen gegen die territoriale Integrität Preußens zu verhindern.

Hugo Preuß hatte die in der Wahl einer preußischen Konsti-

[90] Geheimes Staatsarchiv Berlin, Rep. 90, Nr. 300, pag. 45.
[91] Zentralrat, S. 462.
[92] Ebd.
[93] Regierung der Volksbeauftragten, Bd. 2, S. 166.
[94] Ebd., S. 239.
[95] Triepel, Quellensammlung, S. 10ff.
[96] Aufzeichnung der Besprechung vom 25. Januar 1919, GSTA Berlin, Rep. 90, Nr. 300, pag. 117, S. 1.

tuante enthaltene Konsequenz durchaus realistisch eingeschätzt. Als zutreffend erwies sich sein Hinweis, ein in Berlin tagendes preußisches Parlament, das drei Fünftel der deutschen Gesamtbevölkerung vertrete, sei geradezu ein Gegengewicht zur Nationalversammlung und würde eine ungleich größere politische Bedeutung erlangen als die Landtage der übrigen Einzelstaaten: »Ich fürchte, daß Preußen sich, bevor die deutsche Nationalversammlung mit ihren Beschlüssen soweit ist, konsolidiert hat und unter Umständen das ganze künftige Werk der deutschen Reichsverfassung verpfuscht. Wir kriegen dann eine leistungsfähige deutsche Einheit nicht mehr zustande.«[97] Zwar fanden die preußischen Wahlen nach den Wahlen des Reiches statt, zwar wartete man in Preußen bewußt auch die Entscheidungen der Nationalversammlung ab, bevor man die eigene Verfassung beschloß, doch zeigte sich während der Übergangsphase, daß die Lösung des Reich-Länder-Problems im allgemeinen und des Preußen-Problems im besonderen keine Frage verfassungsrechtlicher Diskussionen war, sondern eine politische Machtfrage; an ihrer Entscheidung hatte die föderative deutsche Staatstradition ebenso Anteil wie der föderative Charakter der Revolution.

Am 21. Februar 1919 wurde der intensiv von Volksbeauftragten und Staatenhaus beratene und veränderte Verfassungsentwurf der Nationalversammlung vorgelegt, die ihn am 24. Februar einer ersten Lesung unterzog und dann einem aus 28 Mitgliedern bestehenden Verfassungsausschuß überwies, dessen stärkste Partei die SPD (elf Mitglieder) stellte, die aber gleichwohl den Vorsitz einem DDP-Politiker überließ: dem erfahrenen Parlamentarier, ehemaligen Staatssekretär und Juristen Conrad Haußmann. Das war ein in mehrfacher Hinsicht symptomatischer Akt, prägten doch die DDP und dic anderen bürgerlichen Parteien das mit der Weimarer Verfassung begründete Regierungssystem stärker als die führende Regierungspartei, die SPD. Symptomatisch war die Überlassung des Ausschußvorsitzes aber auch, weil sich in ihr die parteienübergreifende Sachlichkeit der Ausschußberatungen kundtat, die über den Kreis der Koalitionsabgeordneten hinausging und auch den zur Opposition gehörenden Abgeordneten die Chance gab, die Verfassungsberatungen zu beeinflussen, wenn sie sich konstruktiv beteiligten. Auf diese Weise bekam der Verfassungsentwurf neben

[97] Regierung der Volksbeauftragten, Bd. 2, S. 230.

Hugo Preuß noch viele Väter: So sind neben Haußmann zu nennen die DPP-Abgeordneten Friedrich Naumann und Erich Koch-Weser, die Zentrumsabgeordneten Carl Trimborn und Peter Spahn, der ehemalige Staatssekretär des Innern Clemens von Delbrück (DNVP), der Kirchen- und Staatsrechtslehrer Professor Wilhelm Kahl (DVP), der sozialdemokratische Jurist Dr. Max Quark und sein Fraktionskollege Simon Katzenstein, der Moraltheologe Professor Joseph Mausbach (Z) und der Rechtshistoriker Professor Konrad Beyerle (Z/BVP), auf den in erster Linie der Ausbau der ursprünglich wenigen Grundrechtsartikel zu einem eigenen zweiten Hauptteil der Weimarer Verfassung zurückging. Dieses Interesse des Zentrums kann nicht überraschen, konnte es doch, »wenn überhaupt, dann nur im Rahmen der Grundrechte gelingen ..., diejenigen Werte, die ihm nach seinem Wesen, seinem Programm ... am teuersten sein mußten, wirksam zu schützen«[98]. Das Zentrum erwies sich trotz eines (kleineren) einheitsstaatlich orientierten Flügels mehr als die beiden anderen Regierungsparteien, die im Prinzip unitarisch waren, als feste Stütze des Föderalismus[99]. Solche Politik korrespondierte sowohl den einzelstaatlichen Interessen als auch denen der Preußenregierung[100], in der das Zentrum seit dem 25. März 1919 vertreten war. Die Leitsätze der Partei vom 30. Dezember 1918 hatten ihre Position klar umrissen, die sich dann in den Verfassungsberatungen durchsetzte: »Wahrung der Reichseinheit, Stärkung des Reichsgedankens. Erhaltung des bundesstaatlichen Charakters des Reichs zum Schutz der Eigenart der deutschen Stämme. Dem Reich ist die ausschließliche Regelung der wehrpolitischen und außenpolitischen Fragen, den Bundesstaaten die ausschließliche Regelung der kirchen- und schulpolitischen Fragen vorbehalten!«[101] Ähnlich äußerte sich auch der Vorsitzende der Zentrumsfraktion, Gröber, in seiner Grundsatzrede am 13. Februar in der Nationalversammlung: »Wir wollen die demokratische Republik *auf föderativer Grundlage ...«*[102]

Die Weimarer Verfassung hatte – das kann in einer Demokra-

[98] So der Zentrums-Abgeordnete Prof. Albert Lauscher. In: Schulte (Hrsg.), Nationale Arbeit, S. 175.

[99] Ebd., S. 164ff.

[100] Zentrum zum Preußenproblem: Morsey, Die Deutsche Zentrumspartei, S. 201.

[101] Text in: Ursachen und Folgen, Bd. 3, S. 197.

[102] Heilfron, Nationalversammlung, Bd. 1, S. 121.

tie kaum anders sein – Kompromißcharakter; das Regierungsprogramm war auch im Hinblick auf die Verfassungspolitik, wie Gröber in seiner Rede bemerkte, »ein demokratisches Durchschnittsprogramm der drei Parteien, aber kein sozialistisches Programm«[103]. Damit war auch gesagt, daß die stärkste Regierungspartei sich zwar bei der Besetzung führender Staatsämter ihrem Gewicht entsprechend durchgesetzt hatte, aber in bezug auf die Verfassungspolitik einen kompromißbereiten sozialdemokratischen, und keinen sozialistischen Kurs steuerte. Diese SPD-Politik folgte konsequent der Politik der Parteiführung während des Revolutionswinters; doch hatte sie, wie die spätere Unzufriedenheit mit dem Weimarer Kompromiß demonstrierte, keineswegs die ganze Partei hinter sich: Die politisch »verbürgerlichte« SPD-Führung war in dieser Hinsicht großen Teilen ihrer Gefolgschaft weit voraus.

Aber auch Sprecher der SPD-Fraktion betonten, wie sehr sich das Programm der Koalitionsregierung von ihrem Parteiprogramm unterschied. Der SPD-Abgeordnete Wilhelm Keil erklärte am 14. Februar 1919: »... wenn wir Sozialdemokraten allein ein Regierungsprogramm aufzustellen gehabt hätten, dann würde es erheblich anders ausgefallen sein. (Sehr richtig! Bei den Sozialdemokraten. – Heitere Zustimmung im Zentrum) ... Wir werden aber nicht darauf verzichten, unsere weitergehenden Forderungen auch fernerhin zu vertreten.«[104] Zu diesen Forderungen gehörte die Sozialisierung großer Wirtschaftszweige, eine verschärfte Besteuerung großer Vermögen – über das schon in der Koalitionsvereinbarung vorgesehene Maß hinaus – vor allem in Form einer erhöhten Erbschaftssteuer.

Der SPD kam es über die schon bei Beginn der Verfassungsberatungen realisierten Grundforderungen hinaus auf gesellschafts- und sozialpolitische Ziele sowie auf Demokratisierung von Verwaltung und Justizwesen an. Bezeichnend ist, daß man unter der großen Zahl der Anträge auf dem Weimarer Parteitag der SPD vom Juni 1919 kaum ein verfassungspolitisches Thema findet[105]. Die Frage des Verhältnisses von »Rätesystem und Reichsverfassung«, zu dem zwei SPD-Abgeordnete der Nationalversammlung, Hugo Sinzheimer und Max Cohen-Reuß, referierten, war der einzige ausdrücklich genannte verfassungspolitische Berichts- und Diskussionspunkt des Parteitags. Im Be-

[103] Ebd., S. 117.
[104] Ebd., S. 177.
[105] Vgl. Aufstellung bei Miller, Bürde der Macht, S. 300.

richt der SPD-Fraktion der Nationalversammlung über den Parteitag nahm das Thema »Die Verfassung der deutschen Republik« nur etwas mehr als eine halbe Seite ein und blieb ziemlich nichtssagend[106]. Präziser war die Aussage zur Rätefrage, in der auf den Räteartikel der künftigen Verfassung hingewiesen wurde – er war auf Anregung des Arbeitsrechtlers Sinzheimer, der die SPD im Verfassungsausschuß vertrat, aufgenommen worden. Doch bezog sich dieser spätere Artikel 165 auf tarifpartnerschaftliche Probleme, die gemeinsam mit den Unternehmervertretern in einem sogenannten Reichswirtschaftsrat beraten werden sollten[107].

Auf diesen Reichswirtschaftsrat, der keine allgemeinpolitischen Kompetenzen erhielt, reduzierte sich schließlich die Integration von Arbeiterräten in die Verfassung. Größere politische Bedeutung erlangte dieses laut Verordnung vom 4. Mai 1920 aus insgesamt 326 Mitgliedern zusammengesetzte Gremium nicht. Die Kerngedanken der von der SPD verfochtenen Aufnahme des Rätegedankens in die Verfassung formulierte Sinzheimer bei verschiedenen Gelegenheiten. Er setzte sich dabei vom russischen Modell einer proletarischen Rätediktatur ab, das als Vorbild für die USPD diene. Demgegenüber betonte er, die SPD halte an der Gleichberechtigung aller Individuen und Klassen auch in bezug auf die politischen Rechte fest und lehne eine politische Räteverfassung mit auf die Arbeiter beschränkten politischen Rechten ab. Der SPD gehe es darum, die soziale Selbstbestimmung zu erreichen: »Der Gedanke besteht darin, daß die gesellschaftlichen Kräfte selbst unmittelbar zur Geltung kommen sollen, nicht nur durch die Staatsgesetze und Staatsverwaltung hindurch . . . Neben der Staatsverfassung soll eine eigene Gesellschaftsverfassung entstehen, in der die gesellschaftlichen Kräfte unmittelbar wirken.«[108] Diesem Zweck sollten die Arbeiterräte als Vertretung der Arbeiterinteressen sowie der Reichswirtschaftsrat dienen. Er bekam die Aufgabe, die Interessen von Arbeitern, Arbeitgebern, Verbrauchern und anderen Gruppen zu sichern. Doch durften diese Räte in keiner wie auch immer gearteten Kompetenzkonkurrenz zum politischen Parlament stehen. Zwar sollte der Reichswirtschaftsrat vor der Einbringung aller wirtschaftspolitischen Gesetze gehört werden

[106] Protokoll über die Verhandlungen des Parteitags der Sozialdemokratischen Partei Deutschlands, abgehalten in Weimar vom 10. bis 15. Juni 1919, S. 68f.
[107] Ebd., S. 69f.
[108] Verfassungsausschuß, S. 593.

und außerdem in bezug auf diese Materie ein Initiativrecht erhalten, die Entscheidung aber sollte beim Reichstag verbleiben. In dieser Form war vom Standpunkt des Parlamentarismus nichts gegen die Einführung eines Reichswirtschaftsrates einzuwenden. Von dem Schlagwort »Alle Macht den Räten«, wie es die Kommunisten forderten, waren Sinzheimers Gedanken, die dann in den endgültigen Artikel 165 der Weimarer Verfassung Eingang fanden, durch einen Abgrund getrennt. Immerhin enthielt dieser Artikel, in dessen erstem Absatz auch die Tarifpartnerschaft zwischen Arbeitgeber- und Arbeitnehmerorganisationen und die ihnen zugewiesene Kompetenz der Regelung von Lohn- und Arbeitsbedingungen anerkannt wurden, mancherlei Möglichkeiten. Auch die Anerkennung der Betriebsräte als gesetzlich geregelte innerbetriebliche Interessenvertretungen von Arbeitern und Angestellten gewann sozialpolitische Bedeutung. Das Betriebsrätegesetz vom 4. Februar 1920 gab diesem sozialpolitischen Instrument seine endgültige Form.

Nach der erwähnten ersten Lesung im Plenum der Nationalversammlung und der Überweisung an den Verfassungsausschuß beriet dieser vom 4. März bis zum 18. Juni 1919; vom 3. bis zum 22. Juli fand die zweite und vom 29. bis zum 31. Juli die dritte Lesung des Plenums statt, am 11. August 1919 unterzeichnete Reichspräsident Ebert die Verfassung, am 14. August trat sie in Kraft. Alle diese Beratungen führten zu mehr oder weniger gewichtigen Änderungen des von der Regierung eingebrachten Entwurfs. Insbesondere die Ausschußberatungen und die darauf folgende zweite Lesung waren für die endgültige Gestalt der Verfassung von Bedeutung. Doch wurden die vorangegangenen grundlegenden Weichenstellungen bestätigt. Das gilt vor allem für die Schaffung einer demokratischen Republik mit parlamentarischem Regierungssystem, für das Wahlrecht und für die föderative Struktur mit eingeschränkter einzelstaatlicher Kompetenz und demgemäß stärkeren gesamtstaatlichen Rechten, vor allem im Bereich der Außen-, Militär- und Finanzpolitik.

Die namentliche Schlußabstimmung der Nationalversammlung demonstrierte zweierlei: zum einen die breite parlamentarische Mehrheit für die Verfassung, zum anderen aber auch Unzufriedenheit mit ihrem Kompromißcharakter, selbst in den Koalitionsfraktionen. An der Abstimmung beteiligten sich 338 von 420 Abgeordneten; 262 Abgeordnete von SPD, Zentrum und DDP stimmten dafür, 75 Abgeordnete von DNVP, DVP,

Bayerischem Bauernbund auf der Rechten und USPD auf der Linken stimmten dagegen, ein bayerischer Abgeordneter des Zentrums bzw. der BVP hatte gegen die Verfassung gestimmt, einer sich der Stimme enthalten. Insgesamt also eine klare Entscheidung für die demokratische Republik. Doch waren unter den 82 der Abstimmung ferngebliebenen Abgeordneten auch 65 der Koalitionsfraktionen. Insgesamt also verweigerten 67 Koalitionsabgeordnete der Verfassung ihre Stimme[109]. Mag der eine oder andere auch aus anderen Gründen, zum Beispiel Krankheit, ferngeblieben sein, so hatten doch die meisten ein politisches Motiv: Sie billigten aus unterschiedlichen, zum Teil entgegengesetzten Gründen den erzielten Verfassungskompromiß nicht. Besonders hoch war der Anteil der SPD-Abgeordneten: 43 Sozialdemokraten fehlten, mehr als ein Viertel der Fraktion. Auch der Anteil der nicht teilnehmenden DDP-Abgeordneten war vergleichsweise hoch; er erreichte mit 14 Abgeordneten ein knappes Fünftel der Fraktion, während bei der Zentrumspartei nur acht Mandatsträger fehlten, also weniger als ein Achtel. Die hohe Zahl der Unzufriedenen besonders in der SPD-Fraktion ist aussagekräftig, zumal höchstwahrscheinlich zahlreiche SPD-Abgeordnete aufgrund der Fraktionsdisziplin, nicht aber aus innerer Überzeugung der Verfassung zustimmten. Andererseits war der Anteil der fernbleibenden Oppositionsabgeordneten nur bei der USPD signifikant hoch; es fehlten sieben USPD-Parlamentarier, also nahezu ein Drittel der Fraktion. Bei der DVP gingen fünf Abgeordnete, ein knappes Viertel der Fraktion, nicht zur Abstimmung; bei der DNVP waren es sechs und damit etwa ein Siebentel der Fraktionsmitglieder. Allerdings konnte ein Fernbleiben von Oppositionsabgeordneten sowohl ein positives, von ihrer Fraktion nicht geteiltes Votum über die Verfassung bedeuten, als auch die Resignation von Angehörigen einer aussichtslosen Minderheit. Kein Zweifel jedoch, daß die hohe Zahl der Abwesenden aus der Koalition, vor allem der SPD, kein gutes Omen war und als frühes Indiz späterer Neigung zur Oppositionsrolle bei einem erheblichen Teil der Reichstagsfraktion gelten kann.

[109] Heilfron, Nationalversammlung, Bd. 5, S. 1204. Die z.T. abweichenden Zahlenangaben in bezug auf diese Frage (65 Abgeordnete) erklären sich wohl aus der unterschiedlichen Zuordnung dieser beiden bayerischen Abgeordneten des Zentrums bzw. der BVP.

Friedensschluß: Der Vertrag von Versailles

Die zweite große Aufgabe der Weimarer Nationalversammlung bestand im Friedensschluß mit den Kriegsgegnern. Schon 1925 urteilte der Staatsrechtslehrer Fritz Poetzsch: »Das unerträgliche Versailler Diktat und der zu seiner Durchführung angewandte, die natürlichsten Lebensbedingungen und das Selbstgefühl des deutschen Volkes mißachtende Druck der Feindmächte nahm den republikanischen Nachkriegsregierungen die Freiheit der politischen Entschließung, die für jede Regierung einer großen Nation unentbehrliche Voraussetzung ist. Kaum ein Tag verging, der hier nicht die Abhängigkeit der Verfassungsentwicklung von der Außenpolitik zeigte. In jeder Regierungskrise wurde sie offenbar.«[110] Schon die Geburt der Republik stand unter der Einwirkung ausländischer Mächte; bereits die 14 Punkte des amerikanischen Präsidenten Wilson, die die deutsche Staatsverfassung tangierten, zeigten diesen Bedingungszusammenhang. Und seitdem, so klagte der Staatsrechtslehrer Max Fleischmann, griff »das internationale Recht mit dem Versailler Vertrage« unausgesetzt »in unser nationales Verfassungsrecht«[111] ein.

Die deutschen Regierungen, die Nationalversammlung, ja das politische System von Weimar überhaupt mußten die Verantwortung für den Vertrag von Versailles übernehmen, in dem die Siegermächte eine harte Konsequenz aus der Niederlage des Deutschen Reiches zogen und es mit Reparationen, Gebietsverlusten, diskriminierenden Bestimmungen verschiedenster Art und schließlich mit Besetzungen deutscher Provinzen »bestraften«. Deutsche Politiker und die Bevölkerung verurteilten den Vertrag gleichermaßen als »Schanddiktat«. Die Revision des Friedensvertrages hatte für alle Weimarer Parteien und alle Weimarer Regierungen Priorität – über den Weg zur Revision war man sich allerdings uneinig; von 1919 an wurde um ihn gerungen. Aber es war trotz der Übereinstimmung im Revisionsziel ein Kampf, den die extreme Rechte mit haßerfüllter Feindschaft gegen die politische Mitte führte.

Die Beratung des Vertrages von Versailles brachte denn auch die erste Regierungskrise der Republik. Der sozialdemokrati-

[110] Fritz Poetzsch, Vom Staatsleben unter der Weimarer Verfassung (vom 1. Januar 1920 bis 31. Dezember 1924). In: Jahrbuch des Öffentlichen Rechts der Gegenwart 13 (1925), S. 162.

[111] Max Fleischmann, Die Einwirkung auswärtiger Gewalten auf die deutsche Reichsverfassung. Halle/Saale 1925, S. 32f.

sche Reichskanzler Philipp Scheidemann trat nach nur viermonatiger Amtszeit am 20. Juni 1919 zurück, da er den Versailler Vertrag nicht unterschreiben wollte und eine geschlossene Haltung der Koalitionsparteien in dieser Frage nicht zu erzielen war: *»Welche Hand müßte nicht verdorren, die sich und uns in diese Fesseln legt?«* Stürmischen Beifall verzeichnete das Protokoll nach diesen Sätzen des Reichskanzlers, als die Nationalversammlung zu einer Diskussion der Friedensbedingungen eilig in der Aula der Berliner Universität eine Sondersitzung abhielt[112].

Doch blieb der folgenden, ebenfalls durch die drei Weimarer Koalitionsparteien gebildeten Regierung unter dem sozialdemokratischen Reichskanzler Gustav Bauer aus Einsicht in die Zwangslage des Reiches nichts anderes übrig, als den Vertrag am 28. Juni 1919 in jenem Spiegelsaal des Schlosses von Versailles zu unterzeichnen, in dem am 18. Januar 1871 die Bismarcksche Reichsgründung mit der Kaiserproklamation ihren feierlichen Höhepunkt gefunden hatte – der eine Akt war so symbolträchtig wie der andere; beide waren Ausdruck emotionaler Belastung in den Beziehungen der Nachbarn Frankreich und Deutschland.

Die Unterzeichnung des Vertrages erfolgte, nachdem die Mehrheit der Nationalversammlung gegen die Stimmen von DNVP, DVP, eines Teils der Zentrumspartei und der DDP sich am 23. Juni 1919 notgedrungen mit der bedingungslosen Unterzeichnung einverstanden erklärt hatte[113]. Wieder konnte die eben begründete demokratische Republik fremdes Erbe nicht ausschlagen. Die Republik mußte vor aller Augen die politische Verantwortung für die Niederlage des Kaiserreichs übernehmen, die sie nicht verschuldet hatte. Dabei hatte der den Vertrag ablehnende Chef der OHL, Hindenburg, Reichspräsident Ebert mitgeteilt, daß die deutschen Truppen im Falle eines Kriegsausbruchs zwar die Ostgrenze, nicht aber die Westgrenze halten könnten[114]. Vor diesem zweiten Akt hatte am 11. November 1918 der Zentrumspolitiker Matthias Erzberger für das Reich das Waffenstillstandsabkommen in Compiègne unterzeichnet – ein Zivilist also, nicht die Militärs, die den Krieg geführt und verloren hatten. Wie sich die Oberste Heereslei-

[112] Heilfron, Nationalversammlung, Bd. 4, S. 2646.
[113] Ebd., S. 2772f.
[114] Hindenburg an die Reichsregierung, 17. Juni 1919, in: Ursachen und Folgen, Bd. 3, S. 373.

tung um die Unterzeichnung des Waffenstillstands herumzudrücken verstand und plötzlich gegen alle Gewohnheit den Zivilisten den Vortritt ließ, so drückten sich jetzt die Rechtsparteien vor der Unterzeichnung des Friedensvertrags und überließen dies der politischen Mitte vom Zentrum bis zur Sozialdemokratie. Diese Parteien erwiesen sich der Diffamierung zum Trotz als die wahren Patrioten. Wie schwer der Schritt auch den Politikern der Weimarer Koalition fiel, demonstriert der Rücktritt des von Scheidemann geführten Kabinetts, demonstriert schließlich auch die große Zahl derjenigen, die ihre Zustimmung verweigerten.

In der Öffentlichkeit wurde die Annahme des Vertrags aber nicht als das Opfer verstanden, das sie tatsächlich darstellte, sondern als Zeichen schwächlicher Demokratie. Die Schwäche von Weimar begriff nur eine Minderheit als Folge von Krieg und Kriegsniederlage.

Einen schlechteren Start konnte die Republik in den Augen der politischen Öffentlichkeit nicht haben. »Wenn wir dafür sind, daß dieser *Friedensvertrag unterfertigt* wird, so nur deswillen, weil wir noch Fürchterlicheres ahnen, falls er von uns abgelehnt wird«, erklärte der SPD-Abgeordnete Paul Löbe am 22. Juni 1919 in der Weimarer Nationalversammlung. Er fuhr fort, nicht diejenigen seien für dieses Unglück verantwortlich, »die jetzt dem fürchterlichsten aller Kriege ein Ende machen, sondern jene trifft die Verantwortung, die ihn herbeigeführt haben«[115]. Aber große Teile des deutschen Volkes erkannten diesen Zusammenhang nicht oder wollten ihn nicht erkennen.

Sicher stellte der Versailler Vertrag kein Dokument staatsmännischer Weitsicht dar; aber wie oft haben Sieger Weitsicht und Großmut gezeigt? Und wie hätte das Deutsche Reich sich im Falle eines Sieges verhalten? Die Antwort bleibt notwendig spekulativ, aber sie hat Halt in den von der politischen und militärischen Führung und einflußreichen Gruppen im Ersten Weltkrieg verfochtenen Kriegszielen. Auch die Deutschen hätten die unterlegenen Gegner außerordentlich schwer belastet, auch ein siegreiches Deutschland hätte weitgehende territoriale und finanzielle Forderungen erhoben.

Gewiß, der Vertrag war hart: Deutschland mußte, außer seinen Kolonien, ohne Abstimmung Elsaß-Lothringen abtreten, außerdem Danzig, das Memelland, den polnischen »Korridor«

[115] Heilfron, Nationalversammlung, Bd. 4, S. 2725/6.

sowie nach Abstimmungen – die zum Teil unkorrekt durchgeführt bzw. ausgelegt wurden – Eupen-Malmedy im Westen, Nord-Schleswig im Norden, Teile Oberschlesiens im Osten. Der gesamte territoriale Verlust des Reiches belief sich auf mehr als 70000 km² mit ungefähr 7,3 Millionen Einwohnern. Diese Abtrennungen brachten erhebliche wirtschaftliche Verluste, gingen doch sowohl bedeutende Industriegebiete mit erheblichen Rohstoffvorkommen als auch für die Ernährung der deutschen Bevölkerung kaum ersetzbare landwirtschaftliche Nutzflächen verloren. Neben diesen territorialen Verlusten traf die Besetzung des Saargebiets, über das erst 1935 entschieden werden sollte, sowie des linksrheinischen Gebiets und rechtsrheinischer Stützpunkte Bevölkerung und Wirtschaft schwer.

Erhebliche Forderungen nach finanzieller Entschädigung für die Kriegsverluste der Alliierten traten hinzu: die Reparationen. Ihre Höhe blieb einstweilen offen, da weder die alliierten Ansprüche präzisiert wurden, noch die deutsche Leistungsfähigkeit im Jahre 1919 schon klar erkennbar war. Aber dies vergrößerte das Problem noch, entwickelten sich doch die durch die Reparationskonferenzen und -pläne ausgelösten Auseinandersetzungen zu einer das innenpolitische Klima der Republik weiter vergiftenden Zeitbombe. Die Konflikte um den Dawes-Plan 1924 und noch stärker um den Young-Plan 1929/30 bildeten Kristallisationspunkte politischer Demagogie der Rechtsparteien gegen den Staat von Weimar und seine Protagonisten. Die tatsächlich erfolgten Reparationsleistungen waren für die ohnehin wirtschaftlich geschwächte Republik eine erhebliche Belastung; ausschlaggebend für ihre ökonomischen Probleme sind sie aber nicht gewesen. Doch hatten die sehr viel weitergehenden ursprünglichen alliierten Forderungen bis zum Young-Plan auch ohne ihre Realisierung eine sozialpsychologisch fatale Wirkung und verbreiterten den Resonanzboden für die seit 1919 begonnene Agitation gegen die angeblichen »Erfüllungspolitiker« und die Republik überhaupt.

Ebenso empört reagierten große Teile der Bevölkerung auf die dem deutschen Volk auferlegten Entwaffnungsbestimmungen, die das Selbstverständnis einer Großmacht empfindlich treffen mußten. Zum Gefühl militärischer Ohnmacht trat der Trotz der militärpolitisch entmündigten Nation. Der Versailler Vertrag setzte die Stärke des Heeres auf 100000 und die der Marine auf 15000 Mann fest, die allgemeine Wehrpflicht wurde untersagt.

Auch diese Bestimmung des Versailler Vertrages erwies sich in mehrfacher Hinsicht als politisch unklug. So umging die Reichswehrführung die Sollstärke, indem sie seit 1921 eine illegale Truppe, die sogenannte Schwarze Reichswehr, aufstellen ließ. Ihre Mitglieder rekrutierten sich aus aufgelösten Freikorps und anderen antirepublikanischen Gruppen. Zwar wurden dieser ungefähr 20000 Mann starken Truppe auch staatliche Aufgaben zugewiesen, vor allem der Schutz der deutsch-polnischen Grenze und der Schutz illegaler Waffenbestände, doch bildete die Schwarze Reichswehr auch ein Dach für Verschwörergruppen. Überdies erhöhte die Reichswehr die Zahl der Zeitfreiwilligen. Die Festsetzung einer niedrigen Stärke des Heeres erleichterte es im übrigen der traditionellen militärischen Führungsschicht, die mit wenigen Ausnahmen antirepublikanisch war, unangefochten zu dominieren. Für republikanische Personalpolitik und soziale Verbreiterung des Offizierskorps blieb kein Platz.

Große Empörung löste das im Artikel 80 des Versailler Vertrags implizierte Verbot aus, Österreich als Teil des Deutschen Reiches zu integrieren, wozu sowohl auf deutscher als auch auf österreichischer Seite Bereitschaft bestand.

Eine vermutlich noch schwererwiegende Hypothek der Republik bildete der sog. »Kriegsschuldartikel« des Friedensvertrages, der die Legitimation für materielle Wiedergutmachungsleistungen bieten sollte. Artikel 231 des Vertrages lautete: »Die alliierten und assoziierten Regierungen erklären, und Deutschland erkennt an, daß Deutschland und seine Verbündeten als Urheber für alle Verluste und Schäden verantwortlich sind, die die alliierten und assoziierten Regierungen und ihre Staatsangehörigen infolge des ihnen durch den Angriff Deutschlands und seiner Verbündeten aufgezwungenen Krieges erlitten haben.«[116] Dieser Artikel provozierte in der deutschen Bevölkerung stärkste Empörung – eine Empörung, die sich weniger an der Legitimationsfunktion dieses Artikels entzündete als an der moralisch-politischen Frage der »Kriegsschuld«, war doch die überwältigende Mehrheit des deutschen Volkes im August 1914 mit dem Bewußtsein in den Krieg gezogen, es handele sich um einen von den Feinden aufgezwungenen Verteidigungskrieg. Diese auf mangelhafter Information beruhende Selbsttäuschung

[116] Text des Versailler Vertrags in: Ursachen und Folgen, Bd. 3, S. 388–415 (Auszug).

wurde von deutschnationalen und rechtsextremen Feinden Weimars in die Republik hinübergerettet und um die »Dolchstoßlegende« ergänzt: Auch sie schmeichelte dem durch die Niederlage empfindlich getroffenen Selbstbewußtsein der Deutschen, die sich mit ihrer Hilfe einreden konnten, »im Felde unbesiegt« geblieben zu sein.

4. Krisenjahre der Republik: 1920–1923/24

Die Krisenjahre der Republik beginnen mit ihrer Entstehung: Zeit zur Konsolidierung der durch Krieg und Revolution veränderten politischen und gesellschaftlichen Struktur hatte sie nicht. Die materiellen Folgen, mit denen schon die Regierung der Volksbeauftragten zu kämpfen hatte, waren weiterhin für jedermann spürbar, nicht aber ihre Ursachen. So folgten der revolutionären Übergangsphase 1918–1919 die Krisenjahre 1920–1923, danach scheinbare Stabilisierung 1924–1929/30 und schließlich die Auflösung der Weimarer Republik 1930–1933. Doch gab es kein Jahr, in dem die demokratische Republik nicht schwere Anfechtungen zu bestehen gehabt hätte, auch das vergleichsweise ruhige Jahrfünft zwischen 1924 und 1929 war davon nicht frei. Gravierende Belastungen der Republik schwelten weiter, auch wenn sie nicht im Blickpunkt öffentlichen Interesses lagen, zentrale Probleme blieben während der gesamten Zeitdauer ungelöst, wenngleich sie für einige Zeit nicht mehr aktuell zu sein schienen.

Ein Problem ersten Ranges stellte die Demobilisierung des Millionenheeres dar. Im letzten Kriegsjahr waren etwa zehn Millionen Soldaten eingezogen. Ihre Rückführung, vor allem aber ihre Wiedereingliederung in die Gesellschaft mußte organisatorisch, sozial und ökonomisch schwierig sein, zu schweigen von den sich schnell zeigenden mentalen Wirkungen. Ernst von Salomon hat in seinen Büchern die Mentalität eines Soldatentyps, der der Republik schwer zu schaffen machen sollte und der in den Freikorps eine neue Heimat suchte, instruktiv beschrieben.

Bei Kriegsende 1918 hatte sich die deutsche Industrieproduktion gegenüber dem Vorkriegsstand von 1913 (= 100) fast halbiert (= 57), das Produktions- und Verteilungssystem war zusammengebrochen, die industrielle Leistung nach Kriegsende auf ungefähr 40 Prozent des Vorkriegsstandes abgesunken[117]. Für die landwirtschaftliche Produktion gilt, bei Unterschieden hinsichtlich tierischer und pflanzlicher Produkte, ähnliches. Die Folgen für die Ernährungslage der deutschen Bevölkerung sowie das Steueraufkommen und damit die Finanzlage der öffentlichen Haushalte liegen auf der Hand.

Die Ursache des materiellen Elends großer Teile der deutschen Bevölkerung lag nur zum Teil in der Wirtschaftspolitik der Weimarer Regierungen, die kaum die Freiheit der Entscheidung besaßen. Sofern die internationale Verflechtung der deutschen Wirtschaft beim unkundigen Teil der Gesellschaft empfunden wurde, reagierte er mit Verschwörungsthesen; die Folgen waren nationalistische Verengung des Blicks und Suche nach Sündenböcken, beispielsweise einem vermeintlichen »internationalen Finanzjudentum«, das die Nationalsozialisten hinter den wirtschaftlichen Problemen des Reiches witterten.

Tatsächlich war die 1922/23 auf einen Höhepunkt gelangende Nachkriegsinflation direkt abhängig von der Kriegsinflation und der Kriegsfinanzierung. Der »inflationäre Nachkriegsprozeß« in Deutschland war gekennzeichnet durch »einen Wechsel von Perioden sehr schneller Geldentwertung, wie zum Beispiel in der Revolution 1918/19 und im Winter 1919/20, und solchen relativer Stabilität, wie zum Beispiel vom Frühjahr 1920 bis zum Frühjahr 1921 ... Die deutsche Inflation 1914 bis 1923 läßt sich weder in ihren Ursachen erkennen noch in ihren Wirkungen einschätzen, wenn sie nicht im Kontext des gesamteuropäischen Kriegsgeschehens und des Wiederaufbaus behandelt wird, in den sie politisch und wirtschaftlich als nationale Ausprägung eines gemeinsamen Problems eingebettet war.«[118]

Innere Auseinandersetzungen um das Problem der Sozialisierung, die Entwaffnung des Heeres, Auseinandersetzungen in Grenzgebieten – beispielsweise ein von außen gesteuerter polnischer Aufstand in Oberschlesien, Streiks und politische Gewalttaten kennzeichneten die Lage. Einem dieser Verbrechen fiel der Abgeordnete und Vorsitzende der USPD, der frühere Volksbeauftragte und ehemalige Mitvorsitzende der SPD, Hu-

[117] Vgl. die Tabelle in Dietmar Petzina, Werner Abelshauser, Anselm Faust, Sozialgeschichtliches Arbeitsbuch. Bd. 3: Materialien zur Statistik des Deutschen Reiches 1914–1945. München 1978, S. 61 (mit abweichender Bezugsgröße).

[118] Gerald D. Feldman, Carl-Ludwig Holtfrerich, Gerhard A. Ritter, Peter-Christian Witt (Hrsg.), Die Deutsche Inflation. Eine Zwischenbilanz. Berlin, New York, 1982, S. 3.

go Haase, zum Opfer: Im November 1919 erlag er einem vor dem Reichstagsgebäude auf ihn verübten Attentat. Er war nach Rosa Luxemburg, Karl Liebknecht und Kurt Eisner der vierte führende Politiker der Linken, der 1919 ermordet wurde.

Angesichts dieser politischen Situation überrascht es, daß Nationalversammlung und Reichsregierung außer Beratung und Beschlußfassung über Verfassung und Friedensschluß 1919 noch ein weiteres umfassendes und bedeutendes Gesetzeswerk einleiten und in einer ersten Stufe auch schon realisieren konnten, die sog. Erzbergersche Finanzreform. Vizekanzler und Reichsfinanzminister Matthias Erzberger (Zentrum) sagte in seiner programmatischen Rede, mit der er die Beratung des Reformwerks in der Nationalversammlung am 8. Juli 1919 eröffnete: »Der *Krieg* ist der *Verwüster der Finanzen!* Der hinter uns liegende Weltkrieg ist der erfolgreiche *Schrittmacher des Weltkonkurses ... Eine wesentliche Voraussetzung für den Wiederaufbau des staatlichen Lebens sind geordnete Finanzen.* Darum ist die erste Arbeit am Wiederaufbau eine *grundlegende* Finanzreform ...«[119] Reformen von Einkommens- und Erbschaftssteuern sowie die Einführung einer Vermögensabgabe sollten auf dem Fundament einer Verlagerung der Steuerhoheit erfolgen: War bisher das Reich »Kostgänger« (Bismarck) der Länder gewesen, die sog. Matrikularbeiträge an das Reich zur Deckung der ihm entstehenden Kosten abführten[120], so wurden nun die Länder zu »Kostgängern« des Reiches. Die Erzbergersche Finanzreform schuf eine Steuerverwaltung des Reiches mit Reichsfinanzämtern in den Ländern. Die folgende Reichsabgabenordnung und das im März 1920 beschlossene Landessteuergesetz, das eine progressive Einkommenssteuer zwischen 10 und 60 Prozent des steuerpflichtigen Einkommens vorsah, begünstigte die Zentralisierung der Steuerhoheit beim Reich, dem jetzt alle direkten Steuern zugewiesen wurden. Aber es war weniger diese folgenreiche Fundamentalgesetzgebung, die den Finanzminister erneuten Anfeindungen aussetzte, als seine heftige Kritik an der »unheilvollen« deutschen Wirtschafts- und Finanzpolitik während des Krieges: den damaligen Finanzminister und Vizekanzler Helfferich bezeichnete Erzberger als den »leichtfertigsten aller Finanzminister«. Die gesamte Rechte und Helfferich persönlich, nun DNVP-Abgeordneter, sollten ihm diese Kritik nicht vergessen.

[119] Heilfron, Nationalversammlung, Bd. 5, S. 3356f.
[120] Art. 70 der Reichsverfassung vom 16. April 1871.

Noch weitergehenden Widerspruch bis in die Reihen der bürgerlichen Mittelparteien und des Zentrums hinein provozierte die massive Heranziehung von Vermögen, mit der Erzberger eine sozial gerechtere Besteuerung durchsetzen wollte, die im übrigen an der Notwendigkeit einer extremen Steigerung des Steueraufkommens orientiert war: »Die Einnahmen des Reiches müssen um 900 Prozent gesteigert werden (hört, hört!), die der Einzelstaaten und Gemeinden um vielleicht 100 Prozent.« In Zahlen lautete diese Forderung: für das Reich statt 2 Milliarden Mark an Steuern und Abgaben vor dem Krieg nun 17 Milliarden, für Einzelstaaten und Gemeinden statt 3 Milliarden nun mindestens 6 Milliarden Mark[121].

Woraus resultierte die extreme Erhöhung des staatlichen und kommunalen Finanzbedarfs? Das Reich hatte nun folgende Verpflichtungen, die zu den dauernden Staatsaufgaben hinzutraten: Rückzahlung und Verzinsung der Kriegsanleihen, Zahlung der von den Siegern geforderten Wiedergutmachung, Rentenzahlung für die Kriegshinterbliebenen, enorme Wiederaufbaukosten – neben zahlreichen neuen Aufgaben der Republik die Erbschaft des Krieges.

39,1 Millionen Bürger hatten während des Krieges Anleihen im Wert von 98,2 Milliarden Mark gezeichnet[122]. Im letzten Kriegsmonat, dem Oktober 1918, waren die Kriegskosten des Deutschen Reiches auf eine Monatsrate von 4,8 Milliarden Mark gestiegen, nachdem der Monatsdurchschnitt der ersten Kriegsjahre 1,7 Milliarden Mark betragen und im vierten Kriegsjahr einen monatlichen Durchschnitt von 3,8 Milliarden Mark erreicht hatte. Das sog. Hindenburg-Programm der Kriegsfinanzierung war ein »Programm der Verzweiflung«[123]. Aber die Verzweiflung endete nicht 1918; die Finanzierung des Krieges war in gewisser Weise nur auf die Nachkriegszeit vertagt worden. Die Erzbergersche Finanzreform, die anschließenden Gesetze und ihre Durchführung zählen gewiß zu den bedeutenden Gesetzgebungsleistungen der Weimarer Republik. Kein Zweifel aber auch, daß die Betroffenen diese Reform als unzumutbare Härte verstanden und der Republik, nicht aber dem Kaiserreich anlasteten. Überdies blieben die Streitigkeiten über den dann immer wieder erforderlichen Finanzausgleich –

[121] Heilfron, Nationalversammlung, Bd. 5, S. 3362.
[122] Ebd., S. 3357f.
[123] So bezeichnete es der spätere Reichsfinanzminister Schiffer (DDP), ebd., S. 3382.

das Finanzausgleichsgesetz löste 1923 das Einkommenssteuergesetz von 1920 ab – zugunsten der ärmeren Einzelstaaten ein beständiger Kontroverspunkt, der die Beziehungen zwischen Reich und Ländern und den Ländern untereinander störte.

Ebenfalls noch in die Arbeit der Nationalversammlung fiel das Betriebsrätegesetz, das am 18. Januar 1920 von SPD, Zentrum und DDP angenommen wurde und am 4. Februar in Kraft trat. Das Gesetz war bis in die Reihen des linken Flügels der SPD, in Gewerkschaften und Arbeiterschaft heftig umstritten. Viele sahen darin eher eine Verwässerung des Rätegedankens denn seine Realisierung. Indes wurde das Betriebsrätegesetz »im Laufe der Jahre endlich doch noch ein brauchbares Instrument der Sozialpolitik«[124] und brachte mit anderen sozialpolitischen Reformen, die zum Teil schon mit Hilfe der am 15. November 1918 gebildeten »Zentralarbeitsgemeinschaft der industriellen und gewerblichen Arbeitgeber und Arbeitnehmer Deutschlands« ausgehandelt worden waren – beispielsweise der Einführung des Achtstundentags und der Einführung kollektiver Arbeitsverträge –, tatsächlich einen beachtlichen Fortschritt zugunsten der Arbeitnehmer. Bereits die sozialpoltischen Verordnungen des Rats der Volksbeauftragten enthielten ein Bündel von Maßnahmen, die die arbeitsrechtliche Situation der Arbeiter beträchtlich verbesserten, so die Einführung von Tarifverträgen mit den Gewerkschaften und die Neufassung der arbeitsrechtlichen Stellung der Landarbeiter. Schon die Volksbeauftragten hatten an die Stelle der Gesindeordnung eine provisorische Landarbeitsordnung gesetzt. Die auf dieser Rechtsgrundlage eingeführten Arbeitsverträge regelten z. B. Arbeitszeit, Lohn und Kündigung. Auch wurden seitdem die Landarbeiter – zusammen mit den Hausangestellten – in die Krankenversicherung aufgenommen. Eine Erwerbslosenfürsorge zählte ebenfalls zum sozialpolitischen Paket des Rates der Volksbeauftragten. All dies – nur einige der wichtigsten Maßnahmen sind hier erwähnt worden – zeigt, daß die Republik keineswegs nur verfassungspolitisch demokratisierend gewirkt hat, sondern in den Anfangsjahren auch sozialpolitisch leistungsfähig gewesen ist; allerdings wurden einige dieser sozialpolitischen Reformen in den zwanziger Jahren wieder zurückgenommen.

[124] Ludwig Preller, Sozialpolitik in der Weimarer Republik. 2. Aufl. Düsseldorf 1978, S. 251. Vgl. auch: Deutsche Sozialpolitik 1918–1928. Erinnerungsschrift des Reichsarbeitsministeriums. Berlin 1929.

Die Leistungen der Anfangsjahre wurden freilich durch blutige Auseinandersetzungen überschattet. So demonstrierten USPD und KPD aus Anlaß der zweiten Lesung am 13. Januar 1920 vor dem Reichstag gegen das geplante Betriebsrätegesetz. Demonstranten versuchten, in das Reichstagsgebäude einzudringen, die Polizei löste die innerhalb der Bannmeile stattfindende Demonstration mit Gewalt auf: 42 Tote und 105 Verletzte lautete die traurige Bilanz. Die Nationalversammlung sah sich zum Abbruch der Beratungen genötigt, weitere Unruhen auch außerhalb Berlins folgten, der Reichspräsident verhängte in mehreren deutschen Einzelstaaten den Ausnahmezustand und betraute Reichswehrminister Gustav Noske mit der Übernahme der vollziehenden Gewalt in der Reichshauptstadt und der Provinz Brandenburg. Aber dies war nur der Auftakt zum Jahr 1920, das für die junge Republik nicht ruhiger werden sollte als das vorangegangene Jahr.

Brachten das Inkrafttreten des Versailler Vertrages und die Abstimmungen in einigen Grenzgebieten ohnehin schon Unruhe genug, so belastete ein Beleidigungsprozeß, mit dem sich Reichsfinanzminister Erzberger gegen Verleumdungen des deutschnationalen Abgeordneten Helfferich zur Wehr zu setzen versuchte, das politische Klima zusätzlich. Der Vorgang war charakteristisch für die Zermürbungstaktik des rechten Flügels der Deutschnationalen gegen demokratische Politiker der Republik: »Das ist Herr Erzberger ... der sich eine unsaubere Vermischung politischer Tätigkeit und eigner Geldinteressen zum Vorwurf machen lassen muß ... Das ist Herr Erzberger, der im entscheidenden Augenblick des Krieges im Sinne seiner habsburgisch-bourbonischen Auftraggeber die deutsche Politik mit seiner Juli-Aktion hinterrücks überfiel, im deutschen Volk den Glauben an den Sieg und damit die Kraft zum Sieg zerstörte ... Das ist Herr Erzberger, dessen Namen mit Recht unter dem elenden Waffenstillstandsvertrag steht ... Das ist Herr Erzberger, der uns nach Versailles geführt hat, der während der Friedensverhandlungen den Feinden seine Bereitwilligkeit zu erkennen gab, den Schand- und Knechtschaftsfrieden bedingungslos zu unterzeichnen ... Deshalb gibt es für das deutsche Volk nur eine Rettung. Überall im Lande muß mit unwiderstehlicher Gewalt der Ruf ertönen: Fort mit Erzberger!«[125] So erklang es 1919 und immer wieder in Helfferichs

[125] Ursachen und Folgen, Bd. 4, S. 185/186.

Pamphleten gegen den Finanzminister, der von seinem Amt zurücktrat, als das Landgericht Berlin-Moabit seine Unschuld als nicht voll erwiesen ansah. Der Ruf »Fort mit Erzberger« wurde wörtlich genommen, und der Verdacht ist nicht von der Hand zu weisen, daß der von Haß gegen Erzberger und die Republik erfüllte Helfferich das auch so gemeint, zumindest aber in Kauf genommen hat: Als Erzberger am 26. Januar 1920 das Gerichtsgebäude verließ, verletzte ihn der Schüler und Fähnrich a.D. Oltwig von Hirschfeld mit zwei Schüssen schwer. Im anschließenden Prozeß erklärte er, wie er aus einer Broschüre Helfferichs wisse, sei Erzberger ein »Schädling«, der wissentlich gegen Deutschland gearbeitet habe. Der Täter wurde lediglich wegen Körperverletzung zu einem Jahr und sechs Monaten Gefängnis verurteilt, aber bereits nach wenigen Wochen, am 27. April 1921, »krankheitshalber« aus dem Gefängnis beurlaubt. Er kehrte nicht ins Gefängnis zurück. Als Erzberger dann bei einem weiteren Anschlag am 26. August 1921 in seinem badischen Urlaubsort getötet wurde, hielt sich Hirschfeld in einem benachbarten Ort auf. Die als Täter ermittelten Heinrich Schulz und Heinrich Tillessen waren frühere Offiziere und gehörten zu der am Kapp-Putsch beteiligten Marinebrigade Ehrhardt, zum Deutschvölkischen Schutz- und Trutzbund, der rechtsradikalen Arbeitsgemeinschaft Oberland – einem ehemals in Oberschlesien tätigen Freikorps – und zur deutschnationalen Geheimorganisation Consul. Als die beiden in Budapest verhaftet worden waren, wurden sie nach telefonischer Intervention des zuständigen Polizei-Oberstadthauptmanns wieder freigelassen; ihr »Vorgesetzter« in der OC, der ehemalige Kapitänleutnant Manfred von Killinger, der wegen Beihilfe zum Mord angeklagt worden war, nach dem Mord mit beiden verkehrt hatte und auch sonstige Hilfestellung geleistet hatte, wurde am 13. Juni 1922 vom Schwurgericht Offenburg freigesprochen[126].

1920 versuchten die rechtsextremen Feinde des Weimarer Staates auch das erste Mal, die demokratische Republik gewaltsam zu beseitigen. Die das Ende der Republik in den Jahren 1930–1933 charakterisierende Umklammerung der Demokratie von Kommunisten auf der Linken und Deutschnationalen und Nationalsozialistisch-Völkischen auf der Rechten beherrschte von nun an die politischen Auseinandersetzungen. Trotz aller Feindschaft waren sich Links- und Rechtsextremisten doch im

[126] Gumbel, Vier Jahre, S. 69ff.

Kampf gegen die demokratische Republik einig. In den Anfangsjahren blieb diese Zerstörungswut noch erfolglos. Die politische Mitte war noch nicht so geschwächt, die Extremisten beider Seiten noch nicht so gestärkt wie in der Endphase des Weimarer Staates.

Wie schwach die Rechtsextremen 1920 noch waren, zeigte sich bereits an den Führern der Putschisten. Sie waren bestenfalls dritte Wahl. Der ostpreußische Generallandschaftsdirektor Wolfgang Kapp und der General Walter von Lüttwitz versuchten mit Hilfe der von Lüttwitz befehligten Marinebrigade Ehrhardt – eines Freikorps, das 1919 gegen die Münchener Räterepublik eingesetzt worden war – am 13. März 1920 in Berlin die Regierungsgewalt zu übernehmen. Die Putschisten konnten immerhin die Regierungsgebäude besetzen und die Regierung zur Flucht nach Dresden bzw. Stuttgart zwingen. Vorausgegangen war ein »Ultimatum« des Generals Lüttwitz an die Regierung, in dem er sofortige Neuwahlen des Reichstags und des Reichspräsidenten, die Besetzung bestimmter Ministerien mit Fachministern und Verweigerung der weiteren Verminderung der Reichswehr forderte. Der frondierende General erhielt am 11. März seinen Abschied, verhaftet wurde er nicht. Stattdessen ging in Berlin ein weiteres Ultimatum ein, diesmal vom Kapitän Ehrhardt; auch dieses wurde nicht akzeptiert. Daraufhin marschierte die Brigade Ehrhardt am 13. März um 6 Uhr morgens durch das Brandenburger Tor ins Regierungsviertel. Kapp als »politischer Kopf« der Putschisten erklärte die Nationalversammlung für aufgelöst, Reichspräsident, Reichsregierung und preußische Regierung für abgesetzt und ernannte sich selbst zum Reichskanzler und preußischen Ministerpräsidenten.

Der Spuk war schnell vorbei. Die Reichsbeamten verweigerten dem selbsternannten Regierungschef die Mitarbeit, der Aufruf zum Generalstreik, den SPD und Allgemeiner Deutscher Gewerkschaftsbund noch am 13. März herausgehen ließen, wurde u. a. von der DDP und der USPD sowie weiteren Gewerkschaften unterstützt. Am 17. März brach der Putsch kläglich zusammen, »Reichskanzler« Kapp floh nach Schweden.

Die Reichswehr verhielt sich in diesen kritischen Tagen »neutral« und machte damit deutlich, daß sie nicht gewillt war, sich der verfassungsmäßigen Regierung vorbehaltlos zur Verfügung zu stellen. Während der Weimarer Republik zeigte sich immer wieder, daß die Reichswehr Staat im Staate blieb. Deutlicher konnte dies nicht demonstriert werden als durch die berühmtberüchtigte Ortsbestimmung des Chefs des Truppenamtes, General von Seeckt, der während des Kapp-Putsches am 12. März 1920 dem Reichswehrminister Noske erklärte: »Truppe schießt nicht auf Truppe.«[127] Das hieß: Der überwiegende Teil der Reichswehr, der nicht am Kapp-Putsch teilnahm, war trotzdem nicht bereit, mit Waffengewalt die Weimarer Verfassung zu verteidigen. Die selbstverständliche Reaktion hätte die sofortige Entlassung des Generals sein müssen, der im übrigen selbst seinen Rücktritt angeboten hatte. Aber die Entlassung erfolgte nicht, und darin kam eine empfindliche Schwäche der neuen Regierung zum Ausdruck. Nur einer der bei der Besprechung anwesenden Offiziere war zur Verteidigung der bedrohten Reichsregierung mit der Waffe bereit: General Walther Reinhardt, seit 2. Januar 1919 für kurze Zeit letzter preußischer Kriegsminister und seit Oktober 1919 Chef der neugebildeten Heeresleitung und engster militärischer Mitarbeiter Gustav Noskes. Aber nicht die kooperationsunwilligen Generäle wie Seeckt wurden zum Rücktritt gezwungen, sondern der sozialdemokratische Reichswehrminister, dessen politische Gegner innerhalb der eigenen Partei und der Gewerkschaften den Kapp-Putsch gegen ihn ausnutzten. Mit ihm ging Reinhardt, einer der wenigen verfassungstreuen hohen Offiziere in der Reichswehr – im strikten Sinn vielleicht der einzig verfassungstreue.

Reinhardts Nachfolger wurde wenig später der Chef des Truppenamtes: General Hans von Seeckt. Deutlicher konnte die Schwäche der Republik nicht demonstriert werden; die politische Führung war nach wie vor von der Reichswehrführung abhängig. Die Reichswehr hat während der Weimarer Jahre zu keinem Zeitpunkt einen Putsch versucht oder auch nur beabsichtigt, aber nie stand in kritischen Situationen fest, wieweit sich die Regierung auf sie verlassen konnte.

Auch an anderen Stellen des Reiches gärte es während dieser Monate; im Ruhrgebiet schwelten von Mitte März bis Mitte Mai kommunistische Aufstände, gegen die wiederum Freikorps neben regulären Reichswehrtruppen eingesetzt wurden.

Als unmittelbares Ergebnis des Kapp-Putsches folgte im Reich und auch in Preußen, vor allem aufgrund des Drucks der Gewerkschaften, ein Regierungswechsel, der sich im Bielefelder Abkommen vom 23. März 1920[128] abzeichnete, das Vertreter

[127] Friedrich von Rabenau, Seeckt. Aus seinem Leben 1918–1936. Leipzig 1940, S. 221.

[128] Text in: Ursachen und Folgen, Bd. 4, S. 111–113.

der Regierung, der Regierungsparteien, der USPD, der Gewerkschaften und sogar zwei Kommunisten unterschrieben. Im Reich kam es erneut zu einer Regierung der Weimarer Koalition aus SPD, Zentrum und DDP; Reichskanzler wurde Hermann Müller (SPD). Der sozialdemokratische Reichswehrminister Gustav Noske mußte zurücktreten; ihm wurde vorgeworfen, rechtzeitige Vorsorge gegen die Putschisten versäumt zu haben. Noske war dem linken Flügel seiner eigenen Partei und der gesamten Linken verhaßt, da ihm seit den Januarunruhen 1919 die blutige Niederschlagung des Aufstandes sowie Abhängigkeit von den Generälen zum Vorwurf gemacht wurde. Im Amt hatte er sich unvermeidlich dem linken Teil der SPD-Parteibasis entfremdet. Er teilte dieses Schicksal mit anderen Politikern seiner Partei, so mit Reichspräsident Ebert. Die Ablösung Noskes war einer der folgenreichsten personalpolitischen Fehler der SPD, hatte doch die Partei keinen weiteren Politiker, der für das undankbare Amt des Reichswehrministers in Frage kam und der auch nur die geringsten Aussichten gehabt hätte, die Reichswehr der politischen Führung unterzuordnen. Der Reichspolitik ging wiederum eine gewichtige politische Potenz verloren. Ebert, der das Rücktrittsgesuch nur widerwillig akzeptierte, sah dies deutlich. Er schrieb seinem Parteifreund zum Abschied: »In zielbewußter harter Arbeit hast Du den Boden vorbereitet, auf dem das große Werk der neuen demokratischen Staatsordnung begonnen werden konnte. Daß dies in verhältnismäßig kurzer Zeit gelang, daß das Reich zusammenhielt und bald wieder in Ordnung und Arbeit kam, das ist in erster Linie Dein großes Verdienst, das ist Deine Tat, die in der Geschichte unseres Vaterlandes nicht vergessen wird.«[129]

Andere Personalwechsel erwiesen sich als sinnvoller, so die Ablösung des preußischen Ministerpräsidenten Paul Hirsch (SPD) durch Otto Braun (SPD), der sich im folgenden Jahrzehnt zu einem der führenden Politiker der Republik entwikkelte, und der Wechsel im preußischen Innenministerium von Wolfgang Heine (SPD) zu Carl Severing (SPD), der seitdem ebenfalls eine bedeutende politische Rolle spielte. Den Amtsvorgängern hatte man mangelnde Tatkraft, vor allem aber Versäumnisse in der Personalpolitik vorgeworfen, d. h. zu langsame Demokratisierung der Verwaltung.

Folgenreicher für die Geschichte der Republik als Kapp-

[129] Ebert an Noske, 25. März 1920, ebd., S. 114.

Putsch und kommunistische Unruhen und kaum weniger symptomatisch für ihre geringe Überlebenschance waren die ersten Reichstagswahlen nach Inkrafttreten der Weimarer Verfassung am 6. Juni 1920. Die drei Weimarer Parteien SPD, Zentrum und DDP verloren in unterschiedlichem Ausmaß, insgesamt aber so beträchtlich, daß sie von ihrer ehemals großen Mehrheit in der Nationalversammlung (76,2 Prozent) lediglich 43,6 Prozent behielten. In keiner der folgenden Wahlen gelang es den drei Parteien, die die demokratische Verfassungsordnung von Weimar durchgesetzt hatten, diese Schlappe wieder wettzumachen; nie mehr erhielten sie bei Reichstagswahlen die absolute Mehrheit zurück. Am stärksten traf die Niederlage die DDP, die von 18,6 auf 8,4 Prozent zurückfiel. Aber auch die beiden anderen Koalitionspartner verloren beträchtlich: die SPD sackte von 37,9 auf 21,6 Prozent, das Zentrum von 19,7 auf 13,6 Prozent ab.

Gewinner der Wahl von 1920 waren diejenigen Parteien, die gegen die Annahme der Verfassung und gegen den Versailler Vertrag gestimmt hatten: DNVP, DVP und USPD. Kann sich innerhalb so kurzer Zeit eine solch extreme Verschiebung der politischen Kräfteverhältnisse in Fundamentalfragen ergeben oder muß unter dem Aspekt dieser und der folgenden Reichstagswahlen eher das hervorragende Abschneiden der demokratischen Parteien bei der Wahl zur Nationalversammlung im Januar 1919 als Sonderfall gelten, der mit vielen Fragezeichen zu versehen ist? Die Reichstagswahl von 1920 läßt auch die oben beschriebene Reichspräsidentenwahl von 1925 in spezifischem Licht erscheinen. Alle Wahlen auf Reichsebene seit 1920 demonstrieren, daß in der Bevölkerung keine demokratisch-republikanische Mehrheit existierte. Nach den Reichstagswahlen von 1920 und 1924 konnte die Wahl Hindenburgs nicht mehr überraschen.

Es existierte 1920 und 1924 freilich auch für die Gegner der Republik von Weimar keine absolute Mehrheit. Der Schwebezustand, in dem sich die Republik fortan befinden sollte, war ebenso vorgezeichnet wie die Instabilität der Regierungen. Schließlich zeigten sich schon jetzt die ausschließlich destruktiven Möglichkeiten der Opposition, die auf den Polen des politischen Spektrums angesiedelt blieb und in erster Linie denjenigen Parteien Konkurrenz machte, die zur Mitte hin benachbart waren. Dieser Konkurrenzdruck der Extreme destabilisierte die politische Mitte, zumal schon 1920 offenkundig wurde, wie wenig sich die Übernahme der Regierungsverantwortung auszahlte.

Die unmittelbare Folge der Reichstagswahl vom 6. Juni 1920 lag in einer Regierungsbildung ohne die stärkste Partei – die SPD – und unter Einbeziehung der DVP: Eine Regierungsbildung nach Mitte-Rechts, die keine parlamentarische Mehrheit aufwies. So folgten bis zur Neuwahl des Reichstags am 4. Mai 1924 nicht weniger als sieben Regierungen unter den Reichskanzlern Konstantin Fehrenbach (Zentrum), Joseph Wirth (Zentrum), Wilhelm Cuno (parteilos) und Gustav Stresemann (DVP), von denen nur eine – und eine zweite wenigstens zeitweise – eine parlamentarische Mehrheit besaß, nämlich die Regierungen der Großen Koalition unter Stresemann. Aus der zweiten Regierung Stresemann trat die SPD nach kaum vier Wochen Regierungsbeteiligung aus. Nachdem das Experiment einer Regierung ohne SPD gescheitert war, erneuerte sich eine nun freilich in der Minderheit bleibende Regierung der Weimarer Koalition unter dem zum linken Zentrumsflügel zählenden Kanzler Wirth. Auch diese Regierungen waren nicht von Dauer, denn die Probleme waren geblieben, und eine ausreichende Mehrheit fehlte. Nach dem Debakel vom 6. Juni 1920 fürchteten die Koalitionspartner mehr um ihre Anhängerschaft als um den Koalitionsfrieden – Kompromisse waren also aus der inneren und äußeren Lage der Koalition heraus immer schwieriger zu erzielen und kaum noch parlamentarisch durchzusetzen.

Unter solchen Umständen mußten die folgenden Jahre Krisenjahre bleiben, zumal anhaltender außenpolitischer Druck, vor allem aufgrund der harten Reparationspolitik Frankreichs, diese Phase der Republik bestimmte. Wirtschaftskrise und Inflation, Aufstände und politisch motivierte Verbrechen zählten zu den Begleiterscheinungen. Immer wieder stimulierten die Folgewirkungen des Versailler Vertrags nationalistische Empörung; immer wieder wurden diejenigen als »Erfüllungspolitiker« diffamiert, die von der Maxime ausgingen, daß Deutschland keine andere Wahl habe, als durch Erfüllung des Vertrages bis an die Grenzen seiner Leistungsfähigkeit zu gehen. Der außenpolitische Druck sollte gelockert werden, indem das Reich den Siegern klarmachte, daß der Vertrag Deutschland tatsächlich Lasten auferlegte, die es auch beim besten Willen nicht tragen konnte.

Am 4. Mai 1921 trat die Regierung Fehrenbach zurück, weil sie die alliierten Zahlungsforderungen vom 27. April 1921, die im sog. Londoner Ultimatum vom 5. Mai 1921 zum Ausdruck gebracht wurden, nicht akzeptieren zu können glaubte[130]. Gefordert wurden Reparationen in Höhe von insgesamt 132 Milliarden Goldmark. Für den Fall der Weigerung wurde die Besetzung des Ruhrgebiets angedroht[131]. Wiederum änderte der Rücktritt einer deutschen Reichsregierung nichts an der Zwangslage, in der sich das Reich befand. Am 11. Mai 1921 sah sich die neugebildete Regierung der Weimarer Koalition des Reichskanzlers Joseph Wirth dann doch zur Annahme des Ultimatums genötigt.

Das Reich versuchte, einen gewissen außenpolitischen Handlungsspielraum wiederzugewinnen, indem es Verträge mit einem anderen Unterlegenen des Weltkriegs abschloß, die zwar nur eine begrenzte Reichweite hatten, aber gleichwohl erhebliche Beunruhigung unter den westalliierten Mächten hervorriefen: Am 16. April 1922 schloß während der in Genua stattfindenden Weltwirtschaftskonferenz das Deutsche Reich, durch Außenminister Walther Rathenau vertreten, mit der Russischen Föderativen Sowjetrepublik, durch den Volkskommissar für Auswärtige Angelegenheiten, Tschitscherin, vertreten, den Vertrag von Rapallo, nachdem bereits im Mai 1921 ein deutschsowjetrussischer Handelsvertrag unterzeichnet worden war.

Aufgrund der unnachgiebigen Haltung der Westalliierten in der Reparationsfrage und der deutschen Befürchtung, es könne aufgrund des Artikels 116 des Versailler Vertrags zu einem Reparationsabkommen zwischen England, Frankreich und Sowjetrußland kommen, ließ sich Außenminister Rathenau, der ursprünglich einem Vertrag mit Sowjetrußland ablehend gegenübergestanden hatte, überzeugen. Die Befürwortung dieser Ostpolitik des Reiches wurzelte in unterschiedlichen Motiven. General von Seeckt und seine Umgebung beispielsweise hofften auf sowjetrussische Unterstützung für eine Grenzrevision gegenüber Polen.

Sowohl der Reichspräsident als auch die Reichsregierung wurden durch die Vertragsunterzeichnung überrumpelt, was besonders bei Ebert starke Verstimmung zurückließ. Für die zum rechten Flügel der SPD gehörende Parteiführung war der Abschluß eines Vertrages mit dem bolschewistischen Rußland sehr viel problematischer als für deutsche Konservative und

[130] Ebd., S. 339.
[131] Alliierter Zahlungsplan vom 5. Mai 1921, ebd., S. 340–344.

insbesondere die Militärführung, die zur Umgehung von Entwaffnungsbestimmungen des Vertrages von Versailles ohnehin auf eine Zusammenarbeit mit Sowjetrußland setzte.

Doch war der Inhalt des Rapallo-Vertrages weit weniger spektakulär als seine Entstehung und vor allem weit weniger bedeutsam als seine Wirkung. Das Deutsche Reich und Sowjetrußland – am 5. November 1922 wurde der Vertrag auch auf die anderen Sowjetrepubliken ausgedehnt – verzichteten wechselseitig auf Wiedergutmachung für entstandene Kriegsschäden, auch solche ziviler Art. Das Reich verzichtete darüber hinaus auf das durch die bolschewistische Revolution verstaatlichte deutsche Vermögen in Rußland. Die beiden Staaten nahmen diplomatische und konsularische Beziehungen auf, schließlich sollten die Wirtschaftsbeziehungen nach dem Prinzip der Meistbegünstigung gestaltet werden[132]. Zwar gelang es den Vertragspartnern von Rapallo, mit dem Vertrag die außenpolitische Isolierung zu durchbrechen; die gravierenden Probleme des Reiches konnten durch ihn jedoch nicht gelöst werden.

Diese Probleme wurden, je stärker die Bevölkerung unter ihnen zu leiden hatte, nun erst recht der Republik angelastet. Die Haßtiraden gegen den Weimarer Staat nahmen keineswegs ab, politisch motivierte Verbrechen blieben an der Tagesordnung. Das prominenteste Opfer des Jahres 1922 war Außenminister Walther Rathenau, der am 24. Juni, kurz nach einem fehlgeschlagenen Attentat auf den ehemaligen Ministerpräsidenten Philipp Scheidemann, einem Mordanschlag der Organisation Consul zum Opfer fiel. Rathenau war ein Mann von hoher Kultur und großem wirtschaftlichem Sachverstand. Mitinhaber, Aufsichtsratsvorsitzender und später Präsident der von seinem Vater Emil gegründeten AEG, fungierte er nach 1914 als Leiter der Rohstoffabteilung des preußischen Kriegsministeriums und einer der führenden Organisatoren der deutschen Kriegswirtschaft. Ein von großem gesellschaftlichem Verantwortungsbewußtsein durchdrungener Patriot und liberaler Politiker (DDP), gehörte er zu den nicht zahlreichen Persönlichkeiten, in denen sich Geist und Politik, Wirtschaft und Ethik, Organisationsfähigkeit und Kontemplation verbanden. Daß er aus jüdischer Familie stammte, war neben seiner Diffamierung als »Er-

[132] Horkenbach, Das Deutsche Reich, S. 141. Vgl. Karl Dietrich Erdmann, Deutschland, Rapallo und der Westen. In: Vierteljahrshefte für Zeitgeschichte 11 (1963), sowie Theodor Schieder, Die Entstehungsgeschichte des Rapallo-Vertrags. In: Historische Zeitschrift 204 (1967).

füllungspolitiker« ein weiterer Grund des mörderischen Hasses, mit dem Rathenau verfolgt wurde. Er war als Reichsminister für Wiederaufbau 1921 aus Protest gegen die von den Alliierten verfügte Teilung Oberschlesiens zurückgetreten – ein Mann also, dem man keinen Verrat deutscher Interessen vorwerfen konnte, der im Gegenteil seine ganze Kraft für deutsche Interessen eingesetzt hatte.

Man mag manche seiner Charakterzüge persiflieren – wie Robert Musil in seinem Roman ›Der Mann ohne Eigenschaften‹ –, man mag seine literarischen Visionen und Stilisierungen ablehnen: Aber mit Rathenau wurde der Weimarer Republik wiederum eine führende politische Persönlichkeit genommen, die durch die Kombination ungewöhnlicher Gaben singulären Rang einnahm. »Einen beredteren Anwalt für die Freiheit des deutschen Volkes als Herrn Dr. Rathenau hätten sie in ganz Deutschland nicht finden können! . . . Niemals habe ich einen Mann edlere vaterländische Arbeit verrichten sehen als Dr. Rathenau . . . Da steht (nach rechts) der Feind, der sein Gift in die Wunden eines Volkes träufelt. – Da steht der Feind – und darüber ist kein Zweifel: *dieser Feind steht rechts!*«[133]

Mit diesem oft zitierten Satz beendete Reichskanzler Wirth (Zentrum) im Reichstag am 25. Juni 1922 seine Gedenkrede auf Rathenau. Vielleicht wäre eher der Versuch klug gewesen, den Abscheu über den Mord, den die DVP teilte und der auch einige Deutschnationale ergriff, dazu zu nutzen, die gemäßigte von der extremen Rechten zu trennen[134]. Und der Feind der Republik stand keineswegs allein rechts. Doch war die Empörung nur zu berechtigt und es war nicht von der Hand zu weisen, was der SPD-Abgeordnete Otto Wels in seiner Reichstagsrede bemerkte: »Ihre Partei, die Deutschnationale Partei, bildet für die Mörder das schützende Dach«.[135] Die spätere Distanzierung Helfferichs vom Mord an Rathenau änderte daran nichts[136]. Als Antwort auf politisch motivierte Morde und andere Gewalttaten erließ der Reichspräsident noch am 24. Juni die Verordnung zum Schutz der Republik und setzte einen außerordentlichen Staatsgerichtshof ein. Am 21. Juli 1922 beschloß der Reichstag das Gesetz zum Schutz der Repu-

[133] Ursachen und Folgen, Bd. 4, S. 210–214.

[134] Vgl. Morsey, Die Deutsche Zentrumspartei, S. 457ff., sowie Hagen Schulze, Weimar. Deutschland 1917–1933. Berlin 1982, S. 244.

[135] Ursachen und Folgen, Bd. 4, S. 215.

[136] Ebd., S. 239.

blik[137]. Nach fünfjähriger Geltungsdauer verlängerte er das Gesetz 23. Juli 1927. 1930 sah sich der Reichstag zur Verabschiedung eines zweiten Republikschutzgesetzes genötigt: der »Schutz der Republik« vor rechts- und linksextremistischen Verfassungsfeinden blieb eine Daueraufgabe.

Daß der Staat von Weimar dabei nicht konsequent genug handelte, hatte verschiedene Ursachen. Eine zeigte sich bereits 1922 in der differierenden Auffassung der politischen Richtungen über Notwendigkeit, Ausmaß und Form des Republikschutzes, aber auch im Dissens zwischen dem Reich und einigen Ländern. Die Konstellationen wandelten sich während der zwanziger Jahre je nach Zusammensetzung der betreffenden Regierungen. 1922 sah der Freistaat Bayern im Republikschutzgesetz einen Eingriff in die Hoheitsrechte der Länder und erließ eine eigene Notverordnung zum Schutze der Verfassung, was allein schon zu einer unterschiedlichen Handhabung des Republikschutzes führte und seine Wirksamkeit auch dann vermindert hätte, wenn nicht tiefgreifende Meinungsverschiedenheiten zwischen der Reichsregierung der Weimarer Koalition und der stärker rechtsgerichteten bayerischen Regierung Lerchenfeld (BVP sowie DDP, BBB) geherrscht hätten.

Nachdem im August 1922 endlich eine notdürftige Beilegung des Streits mit Bayern erreicht worden war – unter anderem durch Angliederung eines süddeutschen Senats an den Staatsgerichtshof –, stand wieder einmal eine Regierungskrise ins Haus. Am 14. November 1922 trat die Regierung Wirth zurück, nachdem Verhandlungen über eine vom Reichspräsidenten angesichts der Wirtschaftskrise geforderte Erweiterung der Regierung gescheitert waren. Die bürgerlichen Parteien und die BVP forderten eine Regierungsbeteiligung der DVP, die SPD lehnte sie ab[138]. Die Wiedervereinigung von SPD und USPD am 24. September 1922 hatte einen unverkennbaren Linksruck der Vereinigten Sozialdemokratischen Partei bewirkt, der den Dissens zwischen SPD und DVP über die zur Stabilisierung der deutschen Währung notwendigen Maßnahmen vergrößerte. Auf der anderen Seite handelte es sich um einen Schaukampf zwischen SPD- und DVP-Führung, die sich bereits auf eine spätere große Koalition verständigt hatten. Sieht man von der

[137] Ebd., S. 234–239, vgl. auch: Akten der Reichskanzlei. Die Kabinette Wirth I und II. Bearb. v. Ingrid Schulze-Bidlingmaier. Bd. 2, Boppard 1973, S. 883ff., 901ff., 913ff.

[138] Ebd., S. 1164, 1169.

Rücksichtnahme auf die jeweilige Parteibasis ab, so lag der Grund für die Verzögerung darin, daß man aus unterschiedlichen Motiven keinen Reichskanzler Wirth wollte. Die SPD war über Rapallo verärgert, die DVP nahm Wirth seine Attacken auf die Rechte nach der Ermordung Rathenaus übel[139]. Die ständige Teuerung führte zu Unruhen in zahlreichen Städten. Im November 1922 betrug der Index der Lebenshaltungskosten im Vergleich zu 1913 (= 100) 15040[140].

Am 22. November 1922 bildete der parteilose Generaldirektor der Hamburg-Amerika-Linie ein bürgerliches Minderheitskabinett unter Beteiligung von Zentrum, DDP, DVP und BVP sowie parteilosen Fachministern. Doch die mit dieser Kabinettsbildung verbundene Hoffnung, die »Männer mit diskontfähiger Unterschrift« könnten die wirtschaftlichen und finanzpolitischen Probleme besser lösen und aufgrund der wirtschaftlichen Kompetenz den alliierten Reparationsforderungen erfolgreicher entgegentreten, erfüllte sich nicht. Nach dem Scheitern der Pariser Reparationskonferenz vom 2. bis zum 4. Januar marschierten am 11. Januar 1923 Franzosen und Belgier in das Ruhrgebiet ein, um den Forderungen des französischen Ministerpräsidenten Poincaré mit »produktiven Pfändern« und Sanktionen Nachdruck zu verleihen. Der daraufhin von Reichskanzler Wilhelm Cuno eingeleitete passive Widerstand der Ruhrbevölkerung gegen die Besatzungsmacht in Form von Arbeits-und Produktionsverweigerung bewirkte eine Drosselung der deutschen Produktion, die bis zur faktischen Einstellung ganzer Produktionszweige ging.

Frankreich hatte die Ruhrbesetzung lange vorher geplant, sie erwies sich jedoch als Schlag ins Wasser. Zu der beträchtlichen Produktionseinbuße, die das Faustpfand Ruhrgebiet entwertete, trat die außenpolitische Isolierung infolge dieses radikalen Vorgehens. Die Besatzungstruppe erreichte schnell eine Stärke von nahezu 100000 Mann und mußte gleichwohl ständig mit Sabotageakten rechnen. Zusammenstöße sowie Racheakte der Besatzungsmacht forderten immer wieder Tote und Verletzte, die Hinrichtung des früheren Freikorpsführers Albert Leo Schlageter schuf einen Märtyrer. Die Massenausweisung deutscher Beamter und Mitarbeiter der in französische Regie über-

139 Schulze, Weimar, S. 247.

140 Natürlich verzerrt die Inflation die reale Veränderung der Lebenshaltungskosten extrem. Vgl. etwa die Tabelle in: Carlo M. Cipolla, Knut Borchardt, Europäische Wirtschaftsgeschichte. Bd. 5, Stuttgart, New York 1980, S. 474f.

nommenen Eisenbahnen sowie ihrer Angehörigen erzeugte weitere Unruhe.

Aber die Reichsregierung, die in Übereinstimmung mit dem Reichstag den passiven Widerstand proklamiert hatte, war immer weniger in der Lage, ihn auch zu bezahlen. Der Widerstand brachte die beteiligten Bevölkerungskreise um ihr Einkommen. Auf dem Höhepunkt der Krise mußte das Reich insgesamt ungefähr 2 Millionen Arbeitslose unterstützen.

Der Ruhrkampf erwies sich je länger je mehr als unfinanzierbar. Am 23. November 1923 schlossen die Ruhrindustriellen die sog. MICUM-Verträge ab, die zur Wiederaufnahme der Kohlelieferungen an Frankreich führten und faktisch eine Fortsetzung der unterbrochenen »Erfüllungspolitik« bedeuteten (MICUM = Mission interalliée de Contrôle des Usines et des Mines).

Als Gustav Stresemann (DVP), der seit dem 14. August 1923 als Reichskanzler einer Großen Koalition Nachfolger des durch die SPD-Fraktion gestürzten Wilhelm Cuno war, in einer gemeinsamen Proklamation von Reichspräsident und Reichsregierung am 26. September 1923 den Abbruch des passiven Widerstands verkündete, war Deutschland am Ende seiner Kraft[141]. Die traurige Bilanz des Ruhrkampfes lautete: 132 Tote, elf zum Tode Verurteilte, davon einer hingerichtet, fünf zu lebenslänglichen Freiheitsstrafen Verurteilte, 150000 aus dem Ruhrgebiet Ausgewiesene und ein Schaden für die deutsche Volkswirtschaft, der auf 3,5 bis 4 Milliarden Goldmark geschätzt wurde[142]. Die Unterstützung der betroffenen Bevölkerung durch die Reichsregierung erreichte Mitte September 1923 die schwindelerregende Höhe von 3500 Billionen Reichsmark.

Das zweite große Thema des Krisenjahres 1923 war die galoppierende Inflation. Im Oktober 1923 betrug der Gegenwert zu einem US-Dollar 25 Milliarden deutsche Papiermark. Die Verschlechterung der Papiermark im Verhältnis zur Goldmark nahm folgenden Verlauf: Im Januar 1920 betrug es 15,4:1, im Januar 1922 45,7:1, im Dezember 1922 1807,8:1. Als am 15. November 1923 mit der Einführung der »Rentenmark« eine Sanierung eingeleitet wurde, setzte die Reichsregierung folgende Parität fest: 1 US-Dollar entsprach dem Wert von

141 Text in: Ursachen und Folgen, Bd. 5, S. 203f.

142 Horkenbach, Das Deutsche Reich, S. 175. Die Reichsregierung nannte unter Einbeziehung des Rheinlands die Zahl 180000 (davon Ruhrgebiet: 140000).

4,2 Billionen Papiermark, eine Goldmark einer Billion Papiermark[143].

Ein Blick auf die Preise für Lebensmittel macht das Ausmaß dieser Inflation noch deutlicher: am 9. Juni 1923 kosteten in den Berliner Markthallen ein Ei 800–810 Mark, 1 Pfund Butter 13000–15000 Mark, 1 Pfund Kaffee 26000–36000 Mark, 1 Pfund Kartoffeln 2200–2500 Mark, ein Brot von 1900 Gramm 2500 Mark und eine Schrippe, die Berliner Bezeichnung für Brötchen, immerhin 80 Mark[144].

Die wichtigsten Ursachen der Inflation wurden schon genannt: Kriegsfinanzierung durch Anleihen und extreme Kriegsfolgelasten des Staates – Reparationsleistungen, Demobilmachung, Kriegsrenten, Erwerbslosenunterstützung als Folge kriegsbedingter Arbeitslosigkeit, Absinken der Friedensproduktion und daraus resultierende starke Erhöhung der Importe nach dem Weltkrieg. Zugleich bestand aufgrund der Warenknappheit ein beträchtlicher Geldüberhang. Devisenspekulationen, Kapitalflucht ins Ausland und Vertrauensschwund in die deutsche Währung verstärkten die Geldentwertung. War der Weg in die Inflation schon im Krieg vorgezeichnet, so beschleunigte der Ruhrkampf diese Entwicklung beträchtlich: Produktionsverlust, außerordentliche Kosten, hohe Ausfälle an Steuern und Zöllen rissen Löcher in den Reichshaushalt, die durch ständige Erhöhung der im Umlauf befindlichen Geldmenge gestopft wurden, was jedoch zur beschleunigten und schließlich galoppierenden Geldentwertung führte.

Zu den unmittelbaren Wirkungen der Inflation zählte vor allem eine Vermögensumschichtung, die die wirtschaftliche Basis der Gesellschaftsstruktur beträchtlich veränderte. Neben der Depossedierung breiter Mittelschichten stand andererseits der Inflationsgewinn von Verschuldeten und Spekulanten – der Industrielle Hugo Stinnes, der auch als Politiker der Deutschen Volkspartei aktiv war, ist das bekannteste Beispiel. Die Inflation traf die kleinen Sparer, ihre mühsam zusammengetragenen Guthaben wurden innerhalb weniger Monate wertlos. Auch zahlreiche Angehörige des besitzenden Mittelstands zählten zu den Leidtragenden. Aufgrund aktueller Einkommenseinbußen blieb ihnen häufig nichts anderes übrig, als Sachwerte und Immobilien zu verkaufen, während andere mit der »Flucht in die Sach-

[143] Vgl. im übrigen die Tabelle in: Ursachen und Folgen, Bd. 5, S. 571.
[144] Vgl. Aufstellung ebd., S. 532f.

werte« oft genug ihr Geld in sichere Kapitalanlagen umwandelten und auf diese Weise große Vermögen anhäuften. Wieder andere konnten sich aufgrund der Inflation ihrer Schulden entledigen, da sich diese ebenfalls entwerteten. Agrarischer Grundbesitz beispielsweise profitierte nicht selten von der Inflation. Auch das Reich konnte durch die Inflation seine enormen Schulden tilgen.

Wenngleich die spezifischen Auswirkungen der Inflation auf die einzelnen sozialen Schichten noch keineswegs zureichend untersucht sind, so besteht doch kein Zweifel, daß die Inflation breite bürgerliche Mittelschichten ökonomisch proletarisierte. Was der Soziologe Theodor Geiger später (1931) als »Panik im Mittelstand« diagnostizierte – wachsende gesellschaftliche und politische Desorientierung und weitestgehende Entfremdung von der demokratischen Republik, die abermals als Urheberin des Elends angesehen wurde – zählte zu den kaum überschätzbaren Folgen.

Verschiedene Anläufe zur Sanierung der Währung – beispielsweise der Plan Helfferichs zu einer »Roggenwährung« oder die Empfehlung des noch vorläufigen Reichswirtschaftsrats für eine Reichsanleihe auf der Basis der Goldwährung – scheiterten. Erst der parteilose Reichsfinanzminister Luther und der auf sein Betreiben hin eingesetzte Reichswährungskommissar Hjalmar Schacht hatten Erfolg. Die am 16. November 1923 ausgegebene Rentenmark wurde durch Goldobligationen auf den deutschen Grundbesitz und zusätzliche Garantie durch die deutschen Banken gesichert. Auf dieser Basis erholte sich die deutsche Wirtschaft allmählich, die Reichsfinanzen wurden geordnet, die Preise sanken, das Warenangebot wuchs. Trotzdem: Die Inflation hinterließ ein »Millionenheer der Enttäuschten und Verbitterten« [145].

Die dritte schwere Gefährdung der Republik im Jahre 1923 wurzelte in den Auseinandersetzungen zwischen dem Reich und den Ländern Bayern, Sachsen und Thüringen, sowie im Wiederaufkeimen separatistischer Tendenzen – z. B. in der bayerischen Pfalz und im Rheinland –, die am 21. Oktober 1923 zur Ausrufung einer von Frankreich unterstützten Rheinischen Republik in Aachen führten.

In Sachsen und Thüringen amtierten Volksfrontregierungen aus SPD und KPD. Nachdem die kommunistischen Minister

[145] Albert Schwarz, Die Weimarer Republik 1918–1933. Konstanz 1958, S. 102.

des sächsischen Kabinetts, die in Konflikt mit der Reichsgewalt geraten waren, den von Reichskanzler Stresemann geforderten Rücktritt verweigert hatten, schritt die Reichsregierung aufgrund einer auf Artikel 48 der Reichsverfassung gestützten Notverordnung von Reichspräsident Ebert zur Reichsexekution und setzte die sächsische Landesregierung am 29. Oktober 1923 ab[146]; in Thüringen wiederholte sich ähnliches. Die in beiden Ländern eingeleitete Aufstellung eigener Truppen, sog. proletarischer Hundertschaften, beantwortete das Reich konsequent mit der Einsetzung der Reichswehr. War die Republik in Sachsen und Thüringen durch gegen die Reichsregierung gerichtete linksradikale Aktivitäten und den dortigen Linkskurs der SPD gefährdet, und kam es auch in anderen Gebieten – im Oktober 1923 z. B. in Hamburg und Hannover – zu kommunistischen Aufständen, so drohte der Republik aus Bayern Gefahr von rechts. Der zwischen Bayern und dem Reich von Oktober 1923 bis Februar 1924 dauernde Konflikt begann, als sich der mit der vollziehenden Gewalt in Bayern beauftragte rechtsgerichtete Generalstaatskommissar von Kahr weigerte, gemäß einem Befehl von Reichswehrminister Gessler die NSDAP-Parteizeitung ›Völkischer Beobachter‹ zu verbieten. Die Entlassung des Landeskommandanten, des Generalleutnants von Lossow, der den Befehl des mit der vollziehenden Gewalt im Reich beauftragten Reichswehrministers nicht befolgt hatte, stieß zunächst auf den Widerstand des bayerischen Ministerpräsidenten von Knilling.

Der Generalstaatskommissar erließ am 20. Oktober 1923 einen Aufruf, in dem es u. a. hieß: »Bayern betrachtet es als seine Pflicht, in dieser Stunde eine Hochburg des bedrängten Deutschtums zu sein. Die bayerische Staatsregierung hat deshalb im Einverständnis mit dem Generalstaatskommissar den Generalleutnant von Lossow mit der Führung des bayerischen Teils des Reichsheeres betraut.«[147] Darauf reagierte die Reichsregierung mit der Feststellung: »Der Chef der Heeresleitung konnte nicht dulden, daß klare Befehle, die von ihm gegeben waren, von einem Untergebenen aus politischen Gründen mißachtet wurden.«[148] Und der Chef der Heeresleitung, General von Seeckt, erklärte in einem Tagesbefehl vom 22. Oktober: »Der Schritt der bayerischen Regierung ist ein gegen die Verfas-

[146] Dokumente in: Ursachen und Folgen, Bd. 5, S. 469 ff.
[147] Ebd., S. 395.
[148] Ebd., S. 396.

sung gerichteter Eingriff in die militärische Kommandogewalt.« Eine Befolgung der Anordnung der bayerischen Regierung sei Eidbruch[149]. Die Reichsregierung betonte zu Recht, die fragliche Befehlsverweigerung habe mit dem von Bayern geforderten Kampf gegen den Marxismus gar nichts zu tun[150].

Tatsächlich hätte auch gegenüber Bayern eine Reichsexekution nahegelegen, doch suchte Reichskanzler Stresemann in realistischer Einschätzung der Machtmittel der Reichsregierung einen Kompromiß. Diese Taktik wurde ihm dadurch erleichtert, daß sich die Ministerpräsidenten und Gesandten der deutschen Länder bei der Konferenz vom 24. Oktober in Berlin im Konflikt zwischen Bayern und Reich einmütig auf die Seite der Reichsregierung stellten. Der Reichskanzler ersuchte die bayerische Staatsregierung, »die verfassungsmäßige Befehlsgewalt im bayerischen Teil der Reichswehr in kürzester Frist wiederherzustellen«[151]. Am 8. November ernannte der Reichspräsident General von Seeckt anstelle des Reichswehrministers zum Inhaber der vollziehenden Gewalt.

Die Verwirrung erreichte einen Gipfelpunkt, Gerüchte über eine bevorstehende Rechtsdiktatur und einen Marsch von Kahrs auf Berlin schwirrten umher, die völkisch-nationalsozialistischen Bundesgenossen von Kahrs verloren in Fehleinschätzung ihrer Chancen die Geduld, in der Nacht vom 8. zum 9. November erklärte Adolf Hitler die Reichsregierung und die Bayerische Staatsregierung für abgesetzt und sich selbst zum Reichskanzler – mutatis mutandis eine Neuauflage des Kapp-Putsches, so schien es. Aber am nächsten Tag ließ der in der Nacht von Hitler überrumpelte von Kahr durch von Lossow und die bayerische Polizei die nationalsozialistischen Putschisten, die unter Mitwirkung des ehemaligen Generals Ludendorff in München demonstrierten, vor der Feldherrnhalle auseinandertreiben; Hitler wurde kurz darauf verhaftet, eine Reihe Putschisten getötet. Am 23. November verbot General von Seeckt NSDAP und KPD.

Über dieser doppelten Bedrohung des Reiches von Links- und Rechtsextremisten war wieder einmal eine Regierungskrise ausgebrochen. Am 2. November traten die Sozialdemokraten aus dem Kabinett der Großen Koalition aus, am 23. November wurde ein Vertrauensantrag Reichskanzler Stresemanns mit 230

[149] Ebd., S. 397.
[150] Ebd., S. 396.
[151] Ebda., S. 400.

gegen 150 Stimmen (Zentrum, DVP und DDP) abgelehnt; Stresemann trat zurück. Den Grund hatte die SPD-Fraktion des Reichstags bereits am 31. Oktober 1923 angedeutet, ohne ihn doch explizit zu nennen: Die SPD hätte das Vorgehen gegen die sächsische Volksfrontregierung wohl nur dann toleriert, wenn auch gegen Bayern eine Reichsexekution durchgeführt worden wäre[152]. Deutlicher äußerte sich der SPD-Abgeordnete Wels in der Debatte über Stresemanns Vertrauensantrag am 20. November 1923 im Reichstag, als er Kahr vorwarf, die sozialdemokratische Presse zu verbieten: Während die Reichsregierung gegenüber Bayern schwach sei, führe sie in Sachsen und Thüringen den Ausnahmezustand mit aller Schärfe durch[153]. »Was Euch veranlaßt, den Kanzler zu stürzen, ist in sechs Wochen vergessen, aber die Folgen Eurer Dummheit werdet Ihr noch zehn Jahre lang spüren«[154], soll Reichspräsident Ebert damals der sozialdemokratischen Führungsspitze vorgehalten haben.

Beim Sturz des zweiten Kabinetts Stresemann mußte der Reichstag das erste Mal offen die Verantwortung übernehmen. Stresemann, der eine Zusammenarbeit mit der SPD für unerläßlich hielt, erklärte vor Pressevertretern: »Jede Fraktion hat heute einen rechten und einen linken Flügel. Die Meinungsverschiedenheiten sind selbst innerhalb der einzelnen Fraktionen groß geworden, scharfe Risse zeigen sich bei den Demokraten und Sozialdemokraten genau so wie bei meiner eigenen Partei ... Wir leben inmitten von fieberhaften Zuständen ... Die Not treibt die Menschen ins Extreme ... und jene Politik ... der nationalen Demütigungen ... treibt einen großen Teil unseres Volkes, vor allem unsere Jugend, in die Arme der Rechten.«[155] Zweifellos hatten die beiden Kabinette Stresemann erhebliches Verdienst an der Meisterung der Krise des Jahres 1923. Bei ihrer Bewältigung spielte allerdings auch die Reichswehr eine gewichtige Rolle. Wo stand die Reichswehr?

Die von Seeckts Mitarbeiter von Rabenau überlieferte Antwort des Chefs der Heeresleitung trifft zwar nicht zu, ist aber gut erfunden: »Die Reichswehr steht hinter mir«, soll der General dem Reichspräsidenten im Krisenjahr 1923 in einer Kabinettssitzung geantwortet haben[156]. Eine solch dreiste Antwort

[152] Vgl. ebd., S. 501.
[153] Horkenbach, Das Deutsche Reich, S. 184.
[154] Stresemann, Vermächtnis, Bd. 1, S. 245.
[155] Ebd., S. 245f.
[156] Rabenau, Seeckt, S. 341 mit falscher Datierung auf Februar 1922. Es kann

hätte Ebert sich damals kaum bieten lassen können. Seeckt ist als Inhaber der vollziehenden Gewalt im Reiche gleichermaßen gegen Links- und Rechtsputschisten vorgegangen. Insofern ist an seinem Verhalten in dieser Situation nichts auszusetzen. Trotz verschiedener deutschnationaler Ermunterungen hat er keinen Versuch zur Etablierung einer Militärdiktatur gemacht und die vollziehende Gewalt im Februar 1924 ordnungsgemäß an die zivilen Stellen zurückgegeben. Doch ist dies nur eine Seite der Sache. Seeckt versuchte sehr wohl, seine Kompetenzen und die der Reichswehr zu überschreiten. Er intrigierte in jenen kritischen Tagen gegen Stresemann und erklärte dem Reichspräsidenten unumwunden, der Reichskanzler habe nicht das Vertrauen der Reichswehr[157] – ein groteskes Verhalten in einer Demokratie, das allein schon den Umkehrschluß begründete, daß die Reichswehr nicht mehr das Vertrauen der demokratischen Politiker hätte haben dürfen. Seeckt beteiligte sich an allerlei Planspielen über Regierungssturz und Regierungsneubildung und versuchte damit die Machtstellung der Reichswehr politisch umzumünzen, beispielsweise gegen den volksparteilichen Reichskanzler, die sozialdemokratische Regierungsbeteiligung, die preußische Regierung. Er bastelte sogar an einem Regierungsprogramm[158], in dem gravierende Verfassungsänderungen enthalten waren. Besonders aufschlußreich ist ein Brief Seeckts an den bayerischen Generalstaatskommissar vom 2. November 1923. Seeckt bekannte, es habe nach außen den Eindruck erwecken müssen, als seien die Reichswehr und er persönlich die stärkste Stütze einer Regierung gewesen, mit der er »innerlich in wichtigen Fragen nicht übereinstimmte. Der Grund hierfür lag darin, daß die Reichswehr die einzige zuverlässige Stütze der Reichsautorität war. Die Reichswehr zu einer solchen Stütze der Autorität des Reiches, nicht einer bestimmten Regierung, umzugestalten, das habe ich von Anfang an für meine Aufgabe gehalten ... Hierin liegt auch mein Festhalten an den verfassungsmäßigen Formen und Wegen, deren Aufgabe meiner Überzeugung nach große Gefahren birgt und die des-

sich nur um November 1923 gehandelt haben. Zuverlässiger dagegen Gessler, Reichswehrpolitik, S. 299; sowie Akten der Reichskanzlei. Kabinett Stresemann I und II. Bearb. v. Karl Dietrich Erdmann und Martin Vogt. Boppard 1978, Einleitung und Anhang Nr. 1.

157 Ebd., S. 1190f., 1196ff. und Gessler, Reichswehrpolitik, S. 299.

158 Akten der Reichskanzlei. Kabinett Stresemann I und II. Anhang, Dokumente 1,2; S. 1176ff., 1203ff. Sowie Deutsche Wirtschaftskunde. Bearb. im Statistischen Reichsamt. Berlin 1930.

halb nur im Fall äußerster Not aufgegeben werden sollten. Die Weimarer Verfassung ist für mich an sich kein noli me tangere; ich habe sie nicht mitgemacht und sie widerspricht in den grundlegenden Prinzipien meinem politischen Denken. Ich verstehe daher vollkommen, daß Sie ihr den Kampf angesagt haben ...«[159] Diese Worte des damals höchsten deutschen Offiziers bezeichnen klar die Stellung der Reichswehrführung und verweisen damit auf eine der gravierendsten Hypotheken der Weimarer Demokratie: auf die fragwürdige Rolle führender Militärs hinter den Kulissen der Politik, wie sie bis zu ihrem Ende charakteristisch gewesen ist – z. B. in den Intrigen des Generals von Schleicher zur Torpedierung der Regierung Brüning. Die Reichswehr blieb Staat im Staate, auch wenn sie für den Bestand der Weimarer Republik gelegentlich unentbehrlich gewesen ist.

Nach Stresemanns Sturz bildete Wilhelm Marx (Z) ein Minderheitskabinett aus Zentrum, DVP, DDP und BVP, das am 30. November sein Amt antrat – Reichsaußenminister wurde wieder Gustav Stresemann, der von 1923 bis zu seinem Tode im Oktober 1929 eine verständigungsorientierte Außenpolitik gegen schärfste Widerstände durchsetzte und für ihre innenpolitische Absicherung unentbehrlich blieb. Über alle Gegensätze und Instabilitäten hinweg waren sich die Parteien von der SPD bis zur DVP darüber im klaren, daß auf Stresemann nicht verzichtet werden konnte.

Die Republik überlebte das Krisenjahr 1923 und den anschließenden harten Winter. Nach dem Rücktritt des Generalstaatskommissars von Kahr und des Generals von Lossow am 18. Februar 1924 ließ sich schließlich auch der Konflikt zwischen dem Reich und Bayern beilegen. Im zweitgrößten deutschen Einzelstaat begann seit dem Amtsantritt des Ministerpräsidenten Heinrich Held (BVP), der von 1924 bis 1933 regierte, eine Mitte-Rechts orientierte politische Beruhigung. Die Lösung der finanz- und wirtschaftspolitischen Hauptprobleme trug entscheidend zu einer Stabilisierung bei, die die nächsten Jahre prägen sollte.

[159] Akten der Reichskanzlei. Kabinett Stresemann I und II, S. 1212f.

Aber diese Stabilisierung blieb weitgehend oberflächlich. An den strukturellen Belastungen und der außenpolitischen Zwangslage der Republik hatte sich ebensowenig geändert wie an der Feindschaft der extremen Rechten und der extremen Linken gegen den Staat von Weimar.

Auch die folgenden Regierungen hatten mit der gleichen parlamentarischen Konstellation zu kämpfen. Es bestand weiterhin nur die Alternative von Minderheitsregierungen oder aber Regierungen, die im Reichstag zwar eine absolute Mehrheit besaßen, aber aufgrund des Auseinanderstrebens der Flügelparteien kaum zu den notwendigsten politischen Kompromissen in der Lage waren. Trotzdem standen die Zeichen der Republik 1924 erheblich günstiger als im Vorjahr, realisierte doch das nach dem amerikanischen Bankier Dawes benannte Abkommen die Einsicht, eine Zahlung von Reparationsleistungen sei nur unter der Voraussetzung wirtschaftlicher Erholung des Deutschen Reiches und einer aktiven Handelsbilanz möglich. Der Dawes-Plan schloß einseitige Gewaltakte seitens der Gläubigerstaaten – wie im Falle des französisch-belgischen Einmarsches ins Ruhrgebiet – aus. In der Londoner Reparationskonferenz, an der die Deutschen durch Reichsaußenminister Stresemann und Reichsfinanzminister Luther vertreten waren, wurde am 16. August 1924 der Dawes-Plan zur Grundlage eines neuen Zahlungsmodus: jährlich sollte das Deutsche Reich 2,5 Milliarden Goldmark zahlen, allerdings sah der Plan die volle Höhe der Zahlungen erst für das fünfte Jahr vor. Zur Sicherung der deutschen Zahlungsverpflichtungen wurden Reichsbank und Reichsbahn belastet, Zölle und Verbrauchssteuern des Reiches verpfändet, der deutschen Industrie Zinsen für Obligationen in Höhe von 5 Milliarden Goldmark auferlegt[160].

Auf der anderen Seite erhielt das Reich eine Starthilfe von 800 Millionen Mark. Im Ergebnis überstiegen die internationalen Kredite, die infolge des Dawes-Plans nach Deutschland strömten, die Reparationsleistungen beträchtlich. Zwischen 1924 und 1931 wurden 10,8 Milliarden Reichsmark Reparatio-

[160] Text des Londoner Abkommens zwischen den Alliierten und dem Deutschen Reich v. 30. August 1924. In: Ursachen und Folgen, Bd. 6, S. 123–128. Zur Kapitalbildung in Deutschland 1924–1928 vgl. auch die zeitgenössische Untersuchung des Instituts für Konjunkturforschung, zit. bei Horkenbach, Das Deutsche Reich, Jg. 1931, S. 143f.

nen gezahlt, während im gleichen Zeitraum 20,5 Milliarden Reichsmark an Krediten ins Reich flossen. Diese Kredite begünstigten eine Ankurbelung der deutschen Wirtschaft, die überdies vom nur geringen Anstieg der Reallöhne profitierte. Einen mittelfristig entscheidenden Mangel beseitigte aber auch dieses Abkommen nicht. Wieder blieb die endgültige Höhe der Zahlungen offen, wieder vergiftete der außen- und innenpolitisch beherrschende Streit darüber das politische Klima.

So unerläßlich und wirkungsvoll die Kreditgewährung an die notleidende deutsche Wirtschaft war, sie konnte nicht den gravierenden deutschen Kapitalmangel beseitigen, machte im Gegenteil die Abhängigkeit der deutschen Wirtschaft von ausländischem Kapital noch augenfälliger, die Zinslast wuchs. Der Pferdefuß lag jedoch in der Implikation dieser finanziellen Abhängigkeit der deutschen Wirtschaft. Die ausländischen Kredite waren in der Regel kurzfristig gegeben, aber für langfristige Investitionen angelegt worden. Jede ökonomische Krise der Kreditgeber mußte massiv auf das Deutsche Reich zurückwirken. Im Jahre 1929 betrug die deutsche Auslandsverschuldung 25 Milliarden Reichsmark, davon 12 Milliarden kurzfristige Kredite. Den deutschen Schulden standen insgesamt 10 Milliarden deutsche Auslandsguthaben gegenüber.

Unter dieser Konstellation wird klar, daß eine nachhaltige und nicht nur scheinbare Erholung der deutschen Wirtschaft nur langfristig möglich war und entscheidend von der weltwirtschaftlichen Entwicklung abhing. In sehr viel stärkerem Ausmaß als andere Volkswirtschaften traf die 1929 beginnende Weltwirtschaftskrise das Deutsche Reich. Allerdings gehen neuere wirtschaftshistorische Studien davon aus, daß nicht in erster Linie die weltwirtschaftliche Entwicklung ausschlaggebend für den ökonomischen Kollaps gewesen ist, sondern daß eine Reihe binnenwirtschaftlicher Ursachen, z. B. die Höhe des Lohnniveaus, eine erhebliche Rolle spielten. Die sozialökonomische Gefährdung der Republik demonstriert allein schon ein Blick auf die Arbeitslosenzahl der angeblich »Goldenen Zwanziger Jahre«. Sie blieb auch während dieses Jahrfünfts hoch. Um die Jahreswende 1925/26 erreichte sie im Schnitt rund 2 Millionen – 1925 im Dezember 2,4 Millionen, im Juli 1,1 Millionen –, sank dann im September 1927 auf 867000 ab, um im Jahresdurchschnitt 1928 schon wieder 1,355 Millionen oder 7 Prozent der Arbeitnehmer zu betragen. Seit 1929 stieg die Zahl der Arbeitslosen rapide; im Jahresdurchschnitt 1930 waren 3,076 Millionen oder 15,7 Prozent der Arbeitnehmer betroffen, im Dezember 1930 waren es bereits 4,384 Millionen[161].

Zum Erfolg des Dawes-Plans gesellte sich im Juli 1925 die Räumung des Ruhrgebiets durch die Franzosen, der am 25. August auch der französische Abzug aus Düsseldorf und Duisburg und bis zum 31. Januar 1926 die Räumung der Kölner Zone durch die Briten folgte. Am 30. Juni 1930 verließen die Alliierten schließlich auch das Rheinland. Zu außenpolitischen Erfolgen hatte es das Reich vor allem dank Stresemanns hartnäckiger und planvoller Außenpolitik auch schon vorher gebracht. Auf der Konferenz von Locarno erreichte Stresemann am 16. Oktober 1925 einen Vertrag Frankreichs, Großbritanniens, Belgiens, Italiens, Polens und der Tschechoslowakei mit dem Deutschen Reich, in dem die Unverletzlichkeit der deutschen Westgrenze garantiert, die Entmilitarisierung des Rheinlands erklärt und ein deutsch-polnischer Gewaltverzicht enthalten war. Die Krönung dieses Vertragswerks, mit dem ein europäisches Sicherheitssystem bezweckt und zeitweise auch erreicht wurde, bildete die Aufnahme Deutschlands in den Völkerbund am 10. September 1926. Insgesamt hatte das Deutsche Reich ein erhebliches Stück außenpolitischen Bewegungsspielraums zurückgewonnen.

Eine weitergehende Verständigung mit Frankreich strebte Stresemann in Verhandlungen mit seinem in dieser Hinsicht ebenso engagierten französischen Amtskollegen Aristide Briand an. Als sich die beiden Außenminister am 17. September 1926 trafen, hegten sie hochfliegende Pläne deutsch-französischer Aussöhnung. Wenngleich diesen Gesprächen aus verschiedenen Gründen, die die Außenminister nur in geringem Ausmaß beeinflussen konnten, im ganzen gesehen der Erfolg versagt blieb, wurden doch auch hier einzelne Verbesserungen erreicht, etwa die Aufhebung der alliierten Militärkontrolle in Deutschland vom 31. Januar 1927 an. Verständigung erlangte für Briand und Stresemann höchste Priorität – 1926 erhielten sie gemeinsam mit Austen Chamberlain, dem britischen Außenminister, den Friedensnobelpreis –, obwohl die Gegner dieser Politik in beiden Staaten die Außenminister zu Konzessionen an den Zeitgeist zwangen, manchmal auch zu diplomatisch außerordentlich störenden Manövern. Ein Beispiel ist die »Gambrinus-Rede« Stresemanns am 21. September 1926, in der er tem-

[161] Siehe auch Tabelle im Anhang.

peramentvoll die alliierte Kriegsschuldthese zurückwies. Gleich wie es damit stehen mochte, Stresemann irritierte seine eigene Außenpolitik beträchtlich, zumal die Gegner Briands in Frankreich die Rede als erneuten Beweis deutscher Unbotmäßigkeit betrachteten.

Eine weitere Station auf dem Wege der Verständigungspolitik bildete der Kellogg-Pakt (auch Briand-Kellogg-Pakt) vom 27. August 1928, mit dem die Staaten des Locarno-Vertrages und eine Reihe weiterer Mächte, z. B. die USA, die Ächtung des Krieges beschlossen und sich wechselseitig versicherten, auf Krieg als »Werkzeug nationaler Politik in ihren gegenseitigen Beziehungen« zu verzichten.

Schließlich setzte Stresemann gegen beträchtliche innenpolitische Widerstände, vor allem von seiten der DNVP und der gesamten übrigen Rechten, noch die deutsche Annahme des Young-Plans durch, der eine endgültige Regelung des Reparationsproblems einleiten sollte und Voraussetzung der Rheinland-Räumung 1930 war. Doch erwies sich auch er schon nach wenigen Jahren als vorläufig. Dieses Abkommen vom Juni 1929 beendete die internationale Zahlungskontrolle und legte Laufzeit und Raten der deutschen Reparationszahlungen fest. Der Young-Plan, der erst am 13. März 1930 durch ein Reichsgesetz angenommen wurde, trat vom 1. September 1929 an rückwirkend in Kraft. Er sah vor, daß das Deutsche Reich insgesamt 37 Jahresraten von jeweils 2,05 Milliarden Reichsmark zahlen sollte. In den ersten zehn Jahren sollten diese Zahlungen zum Teil in Form von Sachlieferungen geleistet werden. Weitere 22 Jahresraten bis zum Jahr 1988 sollten jeweils 1,65 Milliarden Reichsmark, zum Schluß etwas weniger, betragen.

Das waren die Forderungen. Und was ist tatsächlich bezahlt worden? Von 1919 bis zum 30. Juni 1931 zahlte das Deutsche Reich nach eigener Berechnung insgesamt 53,15 Milliarden, in Wahrheit etwa 25 Milliarden Reichsmark an Reparationen (davon rund 13 Milliarden in bar) und hatte daneben 14,5 Milliarden Reichsmark an sonstigen besatzungs- und abrüstungsbedingten Kosten aufzubringen[162]. Aufgrund der weltweiten, in Deutschland aber auch aus binnenwirtschaftlichen Ursachen

[162] Vgl. Tabelle bei Karl Dietrich Erdmann, Die Zeit der Weltkriege. Stuttgart 1976, S. 826 (Gebhardt, Handbuch der deutschen Geschichte, 9. Aufl. Bd. 4, 2). Vgl. zur Problematik der Zahlenangaben, die u. a. wegen der Bewertung von Sachlieferungen unterschiedlich sind: Peter Krüger, Das Reparationsproblem der Weimarer Republik in fragwürdiger Sicht. In: VfZ 29 (1981), S. 21–47.

besonders gravierenden wirtschaftlichen Schwierigkeiten wurden mit dem sog. Hoover-Moratorium die Zahlungen 1931 sistiert, doch stand eine definitive Regelung auch jetzt noch aus. Nach langwierigen zähen Verhandlungen brachte die in den Monaten Juni und Juli 1932 in Lausanne stattfindende Reparationskonferenz schließlich das faktische Ende der Reparationszahlungen. Unverdient konnte der neue Reichskanzler von Papen diesen außerordentlichen Erfolg für sich in Anspruch nehmen, tatsächlich gebührt das Verdienst dafür jedoch vor allem seinem Amtsvorgänger Heinrich Brüning, dessen Sturz Papen betrieben hatte und der gegen Ende seiner Amtszeit diesen entscheidenden Durchbruch gegenüber den ehemaligen Kriegsgegnern erzielt hatte.

Eine ihrer finanziell gravierendsten Hypotheken hat die Weimarer Republik schließlich selbst abtragen können, die positiven Auswirkungen aber erntete die NS-Diktatur.

Während der Auseinandersetzung über den Young-Plan stieg die Fieberkurve der Republik deutlich an. Das Volksbegehren gegen den Young-Plan – das neben anderen Rechtsextremisten vor allem die NSDAP, dic unter ihrem neuen Vorsitzenden Alfred Hugenberg mehrheitlich weiter nach rechts gerückten Deutschnationalen und der Stahlhelm organisierten – erhielt zwar nur die erforderliche Mindestzahl an Stimmen, doch waren dies immerhin 4,1 Millionen. Als dann der Volksentscheid am 22. Dezember 1929 scheiterte, stimmten sogar 5,8 Millionen Wahlberechtigte zu – 13,81 Prozent aller Stimmberechtigten. In dem vom »Reichsausschuß für das Volksbegehren« vorgelegten Entwurf eines »Gesetzes gegen die Versklavung des deutschen Volkes« wurde u.a. die Reichsregierung zur völkerrechtlichen Ungültigkeitserklärung des Versailler Kriegsschuldbekenntnisses aufgefordert, die mit ihm begründeten Reparationsleistungen sollten für ungültig erklärt werden. § 4 des Entwurfs sah vor, alle Reichsminister oder Bevollmächtigte des Reiches, die entgegen diesen Bestimmungen Verträge schließen würden, wegen Landesverrats unter Anklage zu stellen[163]. Nicht sachliche Diskussion über den Young-Plan war das Ziel, sondern Diffamierung der Politiker, die eine friedliche Regelung der Reparationsfrage anstrebten.

Außenminister Stresemann fiel dem mehr als sechs Jahre

[163] Text in: Ursachen und Folgen, Bd. 7, S. 613f.; Stimmergebnis: Horkenbach, Das Deutsche Reich, S. 296, zum Young-Plan: ebd., S. 356–363.

währenden zermürbenden Kampf um eine durchaus am nationalen Interesse ausgerichtete Außenpolitik schließlich zum Opfer, zwar nicht einem Attentat wie Erzberger und Rathenau, nicht wie Ebert einer aus politischen Gründen verschleppten Krankheit, sondern der ständigen Überstrapazierung seiner Kräfte. Mit ihm verlor die Republik am 3. Oktober 1929 eine ihrer bedeutendsten politischen Persönlichkeiten – vielleicht ihre bedeutendste überhaupt. Stresemann war keineswegs nur ein überragender Außenpolitiker – was immer auch das letzte Ziel seiner sicher nicht im heutigen Sinn europäisch orientierten Außenpolitik gewesen sein mochte –, er war als Parteivorsitzender zugleich ein taktisch versierter Parlamentarier, den die Republik nicht ersetzen konnte. Repräsentant der liberalkonservativen bürgerlichen Mitte, war es allein sein Verdienst, die DVP auf den Kurs der Weimarer Republik gebracht zu haben. Stresemanns Ansehen reichte weit über Parteigrenzen hinaus, wenngleich er in kaum geringerem Maße starke Abneigungen hervorrief. Seine persönliche und politische Tragik war, daß sein Werk der schrittweisen Verständigung und außenpolitischen Stärkung des Weimarer Staates nur von kurzer Dauer blieb. Schon wenige Monate nach seinem Tod zerfiel die seit 1928 regierende Große Koalition, deren entscheidende Stütze er gewesen war: am 27. März 1930 war das Verständigungspotential dieser Regierung aufgebraucht, keiner der Minister hatte die Autorität und Kraft Stresemanns, um die von Beginn an auseinanderstrebenden Flügel zusammenzuhalten.

Von rechts ebenso torpediert wie von links, von der Reichswehr ebenso wie vom Reichspräsidenten, zerbrach diese Koalition an einer sozialpolitischen Streitfrage zwischen SPD und DVP, die jeweils die Interessen ihrer Klientel – der Gewerkschaften bzw. der Unternehmer – vertraten. Man konnte sich über die Erhöhung des Beitragssatzes für die Arbeitslosenversicherung nicht einigen; an der Auseinandersetzung um ein halbes Prozent zugunsten oder ungunsten von Arbeitgebern bzw. -nehmern scheiterte die letzte im strengen Sinne parlamentarische Regierung der Weimarer Republik. Das war natürlich nur ein Anlaß, ein willkommener Anlaß für viele, die in der sich nun rapide beschleunigenden Wirtschafts-, Gesellschafts- und Staatskrise der Republik meinten, man könne engstirnige ökonomische oder soziale Interessenpolitik betreiben.

Wirtschaftliche Besserung und außenpolitische Erfolge trugen zum besseren Jahrfünft der Republik bei; die Wahlen vom

7. Dezember 1924 und vom 20. Mai 1928 demonstrierten das. Besonders die letztgenannte Wahl brachte einen Rückgang des NSDAP-Anteils auf 2,6 Prozent und eine Stärkung der SPD – deren Oppositionsrolle offenbar viele Wähler positiv beurteilten – auf 29,8 Prozent; bei der Maiwahl 1924 hatte die SPD nur 20,5 und bei der Dezemberwahl 1924 immerhin 26 Prozent der Stimmen erzielt. Der Zentrumspartei wurde die integrative Regierungsarbeit kaum honoriert; sie blieb zwar stabil, hatte aber mit 12,1 Prozent ihr schlechtestes Ergebnis vor 1930. Auch die DDP fiel mit bescheidenen 4,9 Prozent weiter zurück; die DVP verlor ebenfalls und brachte es nun trotz ihres überragenden Vorsitzenden und Außenministers Stresemann nur auf 8,7 Prozent. Tröstlich für Republikaner war indes, in welchem Ausmaß die stärkste Gegnerin der Republik von Weimar, die DNVP, verloren hatte: von ihrem im Dezember 1924 errungenen Weimarer Spitzenergebnis von 20,5 Prozent rutschte sie auf 14,2 Prozent im Mai 1928, während sich die KPD von 9 auf 10,6 Prozent leicht verbesserte.

Dank des Wahlerfolgs der SPD kamen die Weimarer Parteien SPD, Zentrum und DDP insgesamt nahe an die absolute Mehrheit heran, sie erzielten 46,8 Prozent. Das war ihr zweitbestes Ergebnis nach der Wahl zur Nationalversammlung, aber trotzdem noch 30 Prozent weniger als 1919! Allerdings reichte es zusammen mit der DVP für eine Große Koalition der Vernünftigen, und unter diesem quantitativen Aspekt hätten für die Jahre 1928 bis 1932 vergleichsweise günstige Aussichten bestanden, im Reichstag die Mehrheit für eine stabile Regierung zustande zu bringen. Aber dies war lediglich eine zahlenmäßige, keine politische Rechnung. Und jegliche politische Rechnung mußte 1928 außer den Mehrheitsverhältnissen im Reichstag berücksichtigen, daß 1925 ein antirepublikanischer Reichspräsident gewählt und zweimal eine Mitte-Rechts-Regierung unter Einschluß der Deutschnationalen gebildet worden war: vom 15. Januar 1925 bis zum 20. Januar 1926 unter dem parteilosen Reichskanzler Hans Luther und vom 29. Januar 1927 bis zum 29. Juni 1928 unter dem Zentrums-Reichskanzler Wilhelm Marx. Insgesamt zweieinhalb Jahre saß die ganz überwiegend antirepublikanische und antidemokratische DNVP in der Reichsregierung und übernahm so zentrale Ämter wie das des Innenministers, des Justizministers und zeitweise des Finanzministers. Der Eintritt der DNVP in ein Reichskabinett war kein Zeichen einer Konsolidierung der Republik, sondern ein

Zeichen ihrer Schwäche. Außerdem konnten sich nur die beiden Mitte-Rechts-Regierungen zwischen 1924 und 1928 auf eine parlamentarische Mehrheit stützen, die übrigen Regierungen der bürgerlichen Mitte, die Kabinette Marx I und II, Luther II und Marx III blieben ohne parlamentarische Mehrheit.

Schon dieser kurze Blick zeigt, daß auch in politischer Hinsicht die Republik in ihrer stabilsten Phase alles andere als konsolidiert war. Symptomatisch dafür waren gerade Streitpunkte von geringerem politischen Gewicht, die die Gemüter erhitzten: die Fürstenenteignung, die Flaggenfrage, der Bau des Panzerkreuzers A. Insbesondere die Flaggenfrage ist von ihrem Symbolwert her zu beurteilen. Von Beginn der Republik an hatte es Streit um die deutschen Farben gegeben, die Republikaner waren in Anlehnung an die Beschlüsse der ersten deutschen Nationalversammlung von 1848/49 für Schwarz-Rot-Gold, die Monarchisten für Schwarz-Weiß-Rot, die Farben des Kaiserreichs. Die Republikaner setzten sich 1919 durch. Doch akzeptierte die unterlegene Seite ihre Niederlage keineswegs, sondern versuchte immer wieder den Streit zu entfachen. Es gab Schuldirektoren, die sich weigerten, die Reichsflagge zu hissen. Am 5. Mai 1926 erließ Reichspräsident Hindenburg eine Flaggenverordnung, die die deutschen Farben gleichsam splittete, indem er die als Kompromiß eingeführte Handelsflagge Schwarz-Weiß-Rot aufwertete. Die deutschen Gesandtschaften und Konsulate im Ausland sollten künftig neben der offiziellen schwarz-rot-goldenen Reichsflagge auch die schwarz-weiß-rote Handelsflagge zeigen. Ein Schildbürgerstreich – oder mehr? Reichskanzler Luther, der politisch für die Flaggenverordnung verantwortlich zeichnete, mußte aufgrund heftiger Kritik aus der Öffentlichkeit und eines erfolgreichen Mißtrauensvotums der DDP zurücktreten.

6. »Die Staatsgewalt geht vom Volk aus, aber wo geht sie hin?« Verfassungsordnung in der Praxis 1920–1930

Grundlagen

Die 1919 in Weimar beschlossene Reichsverfassung gliedert sich in eine Präambel und zwei Hauptteile, die insgesamt 165 Artikel umfassen. Hinzu treten Übergangs- und Schlußbestimmungen (Art. 166–181). Der 1. Hauptteil (Art. 1–108) regelt Aufbau und Aufgaben des Reichs sowie die Organisation der Reichsgewalt. Der 2. Hauptteil (Art. 109–165) hat Grundrechte und Grundpflichten der Deutschen zum Gegenstand. Dabei enthält auch schon der Abschnitt Rechtspflege im 1. Hauptteil (Art. 103–108) Bestimmungen, die die Grundrechte des einzelnen Staatsbürgers unmittelbar berühren, etwa die Bestimmung des Artikel 105: »Ausnahmegerichte sind unstatthaft. Niemand darf seinem gesetzlichen Richter entzogen werden.« Und Artikel 107 schreibt bindend Verwaltungsgerichte in Reich und Ländern zum Schutz des einzelnen Staatsbürgers gegen Anordnungen und Verfügungen der Verwaltungsbehörden vor. Rechtsstaatlichkeit, Garantie und Schutz der Bürgerrechte erhielten also in dieser Verfassung unübersehbar großes Gewicht. Verfassungsrechtler mögen in Übereinstimmung mit der pragmatisch begründeten Skepsis von Hugo Preuß über Notwendigkeit und Wünschbarkeit eines so ausführlichen Grundrechtskatalogs streiten, die Absicht der Verfassungsväter aber verdient hervorgehoben zu werden. Sie verdient es um so mehr, als die Außerkraftsetzung der Weimarer Reichsverfassung durch die nationalsozialistisch geführte Regierung mit der Aufhebung von Grundrechten und der Beseitigung rechtsstaatlicher Prinzipien begann, bevor noch die NS-Diktatur begründet war. Die Beseitigung dieser Elemente der Weimarer Verfassung war der erste Schritt zur Beseitigung der Demokratie. Weimar hatte die schon vor 1918 bestehende rechtsstaatliche Tradition dezidiert fortgeführt, sie vertieft und erweitert, bevor sie für mehr als ein Jahrzehnt unterbrochen wurde.

Die Präambel nennt trotz ihres unvermeidlich deklaratorischen Charakters bereits politische Prämisse und ethischen Grund dieser Verfassungsordnung: »Das deutsche Volk, einig in seinen Stämmen und von dem Willen beseelt, sein Reich in Freiheit und Gerechtigkeit zu erneuern und zu festigen, dem inneren und dem äußeren Frieden zu dienen und den gesellschaftlichen Fortschritt zu fördern, hat sich diese Verfassung gegeben.« Das hieß das Volk als Souverän, als Ausgangspunkt allen Verfassungsrechts und aller legalen politischen Gewalt anerkennen. Das Reich war also kein Fürsten- und Staatenbund mehr wie noch 1871, als die deutschen Fürsten ihm eine Verfassung gaben[164]. Unitarismus und Föderalismus verbanden sich in der Formel »Das deutsche Volk, einig in seinen Stämmen«, die

[164] Anm. 56.

Reichsidee wurde nicht aufgegeben, sollte vielmehr erneuert werden. Es entstand kein neuer Staat, sondern eine neue Staatsverfassung. Maßgebliche ethische Postulate aber waren Freiheit und Gerechtigkeit, innerer und äußerer Friede. Gesellschaftlicher Fortschritt blieb die künftige innenpolitische Aufgabe dieser Verfassungsordnung. Dieses Ziel sollte also nicht in das Belieben der jeweiligen Entscheidungsträger in Regierung und Reichstag gestellt werden.

Staatsform und demokratische Organisation staatlicher Gewalt werden, in konsequenter Anwendung der Präambel, sogleich in Artikel 1 der Verfassung genannt: »Das Deutsche Reich ist eine Republik. Die Staatsgewalt geht vom Volke aus.« Diese Sätze haben normativen Charakter; eine Änderung könnte nur auf dem Wege einer Verfassungsänderung eintreten. Das Prinzip der Volkssouveränität ist also Grundlage staatlicher Herrschaft und seiner Organisation. Das besagt in Verbindung mit dem folgenden Artikel 2 – »Das Reichsgebiet besteht aus den Gebieten der deutschen Länder« – bei Anerkennung einer eigenständigen Landesstaatsgewalt, die vom jeweiligen Landesvolk ausgeht, daß auch die Länder republikanisch und demokratisch verfaßt sein müssen. Obwohl die konservativen Parteien weder die Staatsform des Reiches noch die der Länder in der Verfassung verbindlich normieren wollten, um den Rückweg zur Monarchie offenzuhalten, blieb die Mehrheit konsequent und schrieb in der zutreffenden Einsicht, daß nicht innerhalb einer Republik Monarchien bestehen können, diese beiden Grundprinzipien auch dem Landesverfassungsrecht bindend vor. Artikel 17 bestimmt: »Jedes Land muß eine freistaatliche Verfassung haben. Die Volksvertretung muß in allgemeiner, gleicher, unmittelbarer und geheimer Wahl von allen reichsdeutschen Männern und Frauen nach den Grundsätzen der Verhältniswahl gewählt werden. Die Landesregierung bedarf des Vertrauens der Volksvertretung.« Nach Interpretation von Hugo Preuß bedeutet das Wort »freistaatlich« nichts anderes als »republikanisch«[165]. Wahlrecht und demokratisch-parlamentarisches Regierungssystem stimmten mit den entsprechenden Regelungen für den Reichstag in den Artikeln 22 und 54 überein. Auch in dieser zweiten zentralen Frage wurden für Reich und Länder analoge Verfassungsnormen eingeführt, während im Bismarckreich das Verfassungsrecht von Reich und Ländern

[165] Vgl. auch Anm. 55.

auch in Grundprinzipien voneinander abweichen konnte – beispielsweise in bezug auf das Wahlrecht von Reichstag und Landtagen. Auf der Grundlage dieser prinzipiellen Weichenstellungen für Staatsform und Regierungssystem, die konsequent die seit Oktober/November 1918 erfolgten Verordnungen und die Übergangsverfassung fortführten, blieben unterschiedliche Gestaltungsformen denkbar.

Die 1919 in Weimar getroffenen Entscheidungen blieben also im Rahmen der schon seit Monaten vorgezeichneten Bahn und waren im übrigen der klassischen Gewaltenteilung verpflichtet, die in der englischen und französischen Staatstheorie des 18. Jahrhunderts entwickelt worden war und die europäische Verfassungsgeschichte des 19. und frühen 20. Jahrhunderts bestimmt hatte. Die Justiz war unabhängig; legislative Gewalt des Reichstags und exekutive Gewalt von Reichsregierung und Reichspräsident waren jedenfalls in der Kompetenz getrennt. Allerdings ist die Einschränkung notwendig, daß eine strikte Entgegensetzung von Legislative und Exekutive in parlamentarischen Demokratien nicht existiert. In der Weimarer Republik stand die Regierung in Abhängigkeit vom Reichstag, weil sie dessen Vertrauen zur Amtsführung bedurfte, wie andererseits die Legislative im Falle der Gesetzgebung oft oder sogar in der Regel Vorlagen beriet, die aus der Regierung stammten.

Verfassungs- oder Staatstreue? Das Beispiel der Justiz

In bezug auf die Justiz wurde die Gewaltenteilung jedoch konsequenter realisiert, allerdings nicht unbedingt im Sinne der Verfassungsväter, standen doch zahlreiche Richter nicht auf dem Boden der demokratischen Verfassung. Im Ergebnis wirkte sich die für einen Rechtsstaat unerläßliche Unabhängigkeit der jurisdiktionellen Gewalt, die im Artikel 102 der Weimarer Reichsverfassung normiert und in Artikel 104 spezifiziert wurde – »Die Richter sind unabhängig und nur dem Gesetz unterworfen« – rechtspolitisch und allgemeinpolitisch verhängnisvoll aus: So waren die Gerichtsurteile in den erwähnten Beleidigungsprozessen des Reichspräsidenten Ebert zum Teil äußerst fragwürdig, so kamen rechtsextreme Straftäter, die politisch motivierte Morde begangen hatten, in der Weimarer Republik oft mit geringen Strafen davon. Während die Justiz häufig gegenüber Rechtsextremen beide Augen zudrückte, verfuhr sie gegenüber kommunistischen Straftätern, sogar wenn sie harmloser waren, meist mit unnachsichtiger Härte. Neben der Reichswehr war die Justiz die zweite Säule staatlicher Herrschaft, bei der trotz verfassungsrechtlich garantierter Norm die Personalpolitik nicht dazu führte, ausschließlich oder auch nur ganz überwiegend verfassungstreue Beamte einzusetzen.

Solch negative Gesamteinschätzung der Weimarer Justiz, sofern sie die politische Dimension der Rechtsprechung und die Verfassungstreue eines außerordentlich großen Teils der Richter angeht, läßt die Frage aufkommen, ob nicht die in den Rätekonzeptionen der USPD und anderer Linksgruppierungen geforderte Volkswahl der Richter hätte Abhilfe schaffen können. Tatsächlich wäre dieses Verfahren aber erheblich fragwürdiger gewesen als der eingeschlagene Weg. Die Wahl von Richtern und auch die Möglichkeit ihrer Abwahl hätte nicht nur die Unabhängigkeit der Justiz aufs schwerste beeinträchtigt oder gar von vornherein ausgeschlossen, sondern auch die Institutionalisierung des Laienrichters zur Folge gehabt; der Gesichtspunkt beruflicher Qualifikation wäre sekundär oder völlig unerheblich gewesen. Auf diesem Weg hätte Verfassungstreue der Justiz nicht herbeigeführt werden können. Auch hier ist kaum ein konstruktiver Weg in Sicht, der 1919 die politische Fehlentwicklung der Weimarer Justiz vermieden hätte. Ganz sicher jedoch hätte, in erheblich stärkerem Maße, als es geschehen ist, von den Angehörigen des Justizdienstes – und den übrigen Staatsbeamten – nicht nur »Staats«treue, sondern über jeden Zweifel erhabene Verfassungstreue verlangt werden müssen: Diese Unterscheidung nämlich erlaubte nicht verfassungstreuen Beamten einen bequemen Rückzug. Der Begriff Verfassungstreue als Richtschnur für das dienstliche und außerdienstliche Verhalten der Beamten galt während der Weimarer Republik nicht im strengen, heute üblichen Sinne[166]. Eben hier lag die Problematik disziplinarrechtlicher Konsequenzen.

»Was wir wollen«: Unter dieser Überschrift begründete Hugo Sinzheimer im Oktober 1925 die Publikation einer neuen Zeitschrift, die in Chroniken den Mißstand der Weimarer Justiz zu beschreiben und seine Gründe offenzulegen suchte. »Die Gründung der Zeitschrift beruht auf dem Gedanken, daß das Vertrauen zur Rechtspflege in Deutschland in weiten Kreisen des Volkes erschüttert ist und es als eine Aufgabe von höchster

[166] Vgl. jetzt Rudolf Morsey, Verfassungsfeinde im öffentlichen Dienst der Weimarer Republik – ein aktuelles Lehrstück? In: Baum, Benda, Isensee, Krause, Merritt, Politische Parteien und öffentlicher Dienst. Bonn 1982, S. 108ff.

Bedeutung angesehen werden muß, dieses Vertrauen wieder herzustellen ... *In einem republikanischen und demokratischen Deutschland kann auch die Rechtspflege nur demokratischen und republikanischen Geistes sein.* Sie verfällt sonst in einen Gegensatz zu dem obersten aller Auslegungsgrundsätze, daß nämlich in jeder Einzelfrage das Gesetz im Geiste der *ganzen* Rechtsordnung auszulegen ist. Es ist ein unerträglicher Zustand, daß sich oft richterliche Gesinnung bewußt oder unbewußt nach einem Geiste richtet, der nicht der Geist des heutigen Rechtes ist.«[167]

Nun waren sich die Vertreter der demokratischen Parteien bei differierender Gesamtbeurteilung durchaus über die Notwendigkeit von Justizreformen einig. Als der ehemalige Reichsjustizminister Bell in einem Sammelwerk seiner Partei 1929 die Verdienste des Zentrums darstellte, betonte er die Notwendigkeit »unbedingter Verfassungstreue und Staatsverbundenheit bei allen deutschen Richtern« sowie der »besonderen Vorsorge« bei der Auswahl der Strafrichter[168], nahm freilich die Justiz gegen verallgemeinernde Kritik in Schutz. Aber auch bei weitgehender Übereinstimmung zwischen den Parteien der Mitte wären die beträchtlichen Hindernisse einschneidender Personalpolitik im Justizapparat nur schwer überwindbar gewesen. Ein Problem der Weimarer Justizpolitik führte Bell an: »Die Tatsache, daß seit der Weimarer Nationalversammlung die Leitung des Justizministeriums nicht weniger als vierzehnmal gewechselt hat und von Deutschnationalen bis Sozialdemokraten abwechselnd hin und her zwischen allen Fraktionen verteilt worden ist, spricht geradezu Bände und läßt es als verständlich erscheinen, wenn der gesamten, an eine vornehme Tradition gewohnten Beamtenschaft des Reichsjustizministeriums dadurch das Vorwärtsstreben und zweckdienliche Gemeinschaftswirken außerordentlich erschwert wird.«[169]

Die zum Teil hervorragende Besetzung dieses Ministeriums – etwa durch den Sozialdemokraten Gustav Radbruch, den Zentrumspolitiker Wilhelm Marx, den zur Wirtschaftspartei des deutschen Mittelstandes gehörenden Juristen Johann Viktor Bredt, die Demokraten Eugen Schiffer und Erich Koch-Weser – änderte daran kaum etwas, waren sie doch meist nur wenige

[167] Hugo Sinzheimer, Ernst Fraenkel, Die Justiz in der Weimarer Republik. Eine Chronik. Neuausgabe Neuwied, Berlin 1968, S. 19.
[168] Schulte (Hrsg.), Nationale Arbeit, S. 393.
[169] Ebd., S. 443 f.

Monate im Amt. Diese Fluktuation der Reichsjustizminister gab andererseits den zum Teil aus der vorrevolutionären Zeit stammenden führenden Beamten eine starke Position und das Gefühl, sie seien die einzigen, die für Kontinuität in der Justiz sorgten.

Nur am Rande sei erwähnt, daß auch die extreme Rechte der Weimarer Justiz Parteilichkeit zugunsten republikanischer Politiker vorwarf. Einzelne Skandale, etwa um die Gebrüder Barmat in Berlin 1925, die Verbindungen zu sozialdemokratischen Politikern hatten, dienten immer wieder der Diffamierung. So erreichte etwa der erste Band der rechtsradikalen Propagandaschrift ›Gefesselte Justiz‹ gegen den »politischen Sumpf in der Justiz« innerhalb eines Jahres zehn Auflagen[170]. So fehlerhaft und entstellend diese Darstellung auch war, solche Berichte trugen doch zum Autoritätsverlust des Rechtsstaates bei.

Ein grundsätzliches Problem, das sich nicht nur in der Justizverwaltung stellte, ergab sich aus der Garantie des Rats der Volksbeauftragten und später der Weimarer Reichsverfassung für die Beamten. Artikel 129 der neuen Verfassung garantierte die wohlerworbenen Beamtenrechte, und das beinhaltete den Schutz vor Entlassung und engte Disziplinarmaßnahmen gegen Beamte ein, da ihnen, wie allen Staatsbürgern, das Recht zur freien politischen Betätigung zuerkannt wurde. Diese Regelungen und die Garantie der Beamtenrechte wurzelten keineswegs nur in der pragmatischen Überlegung, daß man gerade in der Zeit des militärischen Zusammenbruchs und der Revolution zum staatlichen Neuaufbau und zur Bewältigung schwierigster wirtschaftlicher und sozialer Probleme auf gut ausgebildete Beamte nicht verzichten konnte, sondern auch im Prinzip der Rechtsstaatlichkeit. Folglich hatte die Regierung die rechtlichen und sozialen Verpflichtungen des Staates unabhängig von der Staatsform zu wahren. Einmal abgesehen von der Schwierigkeit, Beamte zu entlassen, die nicht zur Kategorie der Politischen Beamten zählten, stand aber die Revolutionsregierung vor dem Problem, in ihren eigenen Reihen nicht genügend Juristen zu haben, mit denen wenigstens die Schlüsselstellungen von Justiz und Verwaltung hätten besetzt werden können. Aufgrund der Ausschließung vom höheren Staatsdienst in der Zeit des Kaiserreichs, aber auch der weitgehenden sozialen Be-

[170] Gottfried Zarnow, Gefesselte Justiz. Politische Bilder aus deutscher Gegenwart. Bd. 1, 10. Aufl. München 1931; Bd. 2, München 1932.

grenztheit der SPD-Mitglieder und Anhänger auf Arbeiter und kleine Angestellte, zählte die Partei nur wenige – meist freiberuflich oder wissenschaftlich tätige – Juristen.

Die Feststellung eines so bedeutenden Juristen und SPD-Politikers wie des Heidelberger Professors, Reichstagsabgeordneten und Reichsjustizministers Gustav Radbruch, verweist auf die begrenzten Möglichkeiten: »Das Reichsjustizministerium hatte mehr juristischen als politischen Charakter. Es war infolgedessen durch die neuen staatlichen Verhältnisse unberührt geblieben. Eine Durchsetzung mit politischen Elementen war ausgeschlossen, da sich gegenüber den fachlichen Aufgaben des Ministeriums nur starkes Fachwissen behaupten konnte.« Wenngleich Radbruch den Mitarbeitern überwiegend eine politische Nähe zur DVP attestierte, lobte er den »ernsten Willen« der Beamten, den Minister sachlich zu beraten. Doch kam auch er zu dem Schluß, er hätte sein Amt wohl politischer auffassen müssen, als er es tatsächlich getan hatte[171].

Gerade Radbruch rügte das in den Schriften des Heidelberger Privatdozenten Emil Julius Gumbel »erschütternd dargelegte Versagen der Justiz gegenüber Morden an linksgerichteten Politikern«[172]. Er selbst hatte nach der Ernennung zum Reichsjustizminister die von ihm als Abgeordneter am 5. Juli 1921 im Deutschen Reichstag geforderte Denkschrift über das Buch Gumbels ›Zwei Jahre politischer Mord‹[173] erstellen lassen. Hier stand nicht die politische Gesinnung des linksgerichteten Gumbel zur Debatte, sondern die Frage: Treffen Gumbels Angaben über Hunderte von politischen Morden und die einseitige bzw. mangelhafte Strafverfolgung zu? In der ersten Auflage seines Buches hatte Gumbel erklärt, die deutsche Justiz habe 300 politische Morde unbestraft gelassen. Gumbels Überraschung über die Wirkung seines Buches war berechtigt und erschütternd zugleich: ». . . die höchste zuständige Stelle, der Reichsjustizminister, hat meine Behauptungen mehrmals ausdrücklich bestätigt. Trotzdem ist nicht ein einziger Mörder bestraft worden.«[174] Die von Radbruch in Auftrag gegebenen Recherchen ergaben, daß die Angaben Gumbels »großenteils« zutrafen[175].

[171] Gustav Radbruch, Der innere Weg. Aufriß meines Lebens. 2. unveränd. Aufl. Göttingen 1961, S. 106f.

[172] Ebd., S. 112.

[173] Ergänzte (5.) Neuauflage unter dem Titel: Vier Jahre politischer Mord. Berlin-Friedenau 1922.

[174] Ebd., Vorwort.

[175] Ebd., S. 118ff. und Radbruch, Der innere Weg, S. 112.

Gumbel selbst publizierte schließlich die Materialien, die nach dem Ausscheiden Radbruchs aus dem Amt am 22. November 1922 nicht veröffentlicht worden waren. Als Radbruch am 13. August 1923 wiederum Justizminister wurde, teilte er Gumbel mit, die Denkschrift werde voraussichtlich Mitte Oktober 1923 vorliegen, doch bereits am 6. Oktober trat das erste Kabinett Stresemann zurück. Zwar wurde Radbruch im folgenden zweiten Kabinett Stresemann erneut Justizminister, doch war die Lebensdauer dieser Regierung noch kürzer; die SPD zog nach nicht einmal vier Wochen am 3. November 1923 ihre Minister, unter anderem Radbruch, zurück. Zu diesem Zeitpunkt war die Denkschrift fertiggestellt, aber noch nicht publiziert. Gumbel spottete: »Zweieinhalb Jahre hat also die Denkschrift gebraucht, um nicht zu erscheinen. Das ist bei einer so unangenehmen Geschichte sozusagen ein normaler Verlauf.«[176] Zwar legte der Reichsjustizminister die Denkschrift dann tatsächlich dem Deutschen Reichstag vor, doch wurde sie nicht wie üblich als Reichstagsdrucksache veröffentlicht.

Das Reichsjustizministerium erklärte nun auf Anfrage, es sei nicht im Besitz von Abschriften der von den Landesjustizverwaltungen eingegangenen Darstellungen, die Originale lägen im Reichsministerium nicht mehr vor[177]. Inzwischen aber lag Gumbels – zutreffende – Behauptung auf dem Tisch, »daß in den letzten Jahren etwa 400 politische Morde vorgekommen sind, daß sie alle von rechtsradikaler Seite begangen wurden und daß so ziemlich keine Bestrafungen erfolgt seien«[178]. Emil Julius Gumbel ließ sich schließlich auf eigene Kosten Abschriften anfertigen und veröffentlichte als Privatmann – oder pflichtbewußter Staatsbürger – im Mai 1924 die durch seine Dokumentation von 1922 ausgelösten amtlichen Denkschriften. Die schon erwähnten Morde an Rosa Luxemburg, Karl Liebknecht, Kurt Eisner, Hugo Haase, Matthias Erzberger, Walther Rathenau und andere Fälle hatte Gumbel dokumentiert, und das Preußische Justizministerium – das der Zentrumspolitiker Hugo Am Zehnhoff leitete – kam, beispielsweise im Falle Erzbergers, zu dem Schluß: »Die Darstellung Gumbels ist zutreffend.«[179]

[176] Denkschrift des Reichsjustizministeriums zu Vier Jahre politischer Mord. Hrsg. v. E. J. Gumbel, Berlin 1924, S. 6.
[177] Ebd., S. 7.
[178] Ebd., S. 6.
[179] Ebd., S. 35.

Die Strafverfolgung der Rathenau-Mörder bildete insofern eine Ausnahme, als hier die bei solchen Verbrechen damals übliche »Nachsicht« der zuständigen Behörden gegenüber den Haupttätern nicht vorlag, der eine wurde bei der Festnahme erschossen, der andere beging Selbstmord. Doch auch in diesem Fall ließ man die Hintermänner ungeschoren, viele der Mordgehilfen kamen mit vergleichsweise geringen Strafen davon.

Emil Julius Gumbel schrieb: »Formal hat sich in Deutschland wirklich etwas geändert. Denn seit der Weimarer Verfassung ist Deutschland nominell eine Demokratie ... Wer diese herrlichen Bestimmungen ... liest, wird schwerlich daran zweifeln können, daß Deutschland eine vollendete Demokratie sei. Aber es ist eine bekannte Tatsache, daß es leider unmöglich ist, aus dem Wortlaut einer Verfassung auf den Grad der Demokratie zu schließen, den ein Land hat ... Man muß vielmehr noch die Ausführungsbestimmungen, die weiteren Gesetze, die Rechte der Polizei, den Geist der Verwaltung und vor allem den geistigen Zustand eines Landes berücksichtigen, um unsere Frage zu entscheiden ... Die Republik ist unerhört demokratisch – gegen ihre Feinde.«[180]

Verfassungsfeindliche Aktivitäten, gleich welcher Art und Provenienz, wurden tatsächlich nicht entschlossen genug und häufig überhaupt nicht bekämpft. Die Nationalversammlung konnte eben nur die geschriebene Verfassung erlassen, nicht aber mit einem Schlag die geistige, gesellschaftliche, politische Mentalität des deutschen Volkes oder doch die seiner Mehrheit ändern. Eine Demokratie vollendet sich nicht in der Verfassung allein, diese kann ihr nur die Verfahrensregeln für politische, gesellschaftliche und rechtliche Prozesse und Entscheidungen liefern – nicht mehr, aber auch nicht weniger. Zutreffend bemerkte Hugo Sinzheimer zur Eröffnung seiner Zeitschrift ›Die Justiz‹ 1925: »Es ist in vielen Fällen der formale Charakter des Rechts, gegen den sich das Rechtsbewußtsein aufbäumt. Das Recht kann indessen ohne diesen formalen Charakter nicht bestehen ..., weil rechtliche Betrachtungsweise ohne formale Betrachtungsweise nicht möglich ist. Aber es darf nicht sein, daß die Handhabung des Rechts in dieser formalen Tätigkeit sich erschöpft.«[181]

[180] Gumbel, Vier Jahre, S. 91 f.
[181] Sinzheimer, Fraenkel, Die Justiz, S. 19.

Zwischen parlamentarischem und Präsidialsystem – ein fragwürdiger Kompromiß

Auch in bezug auf das Regierungssystem, das die neue Reichsverfassung 1919 normierte, stellten sich die am Teilbereich der Justiz demonstrierten Probleme. Die Verfassung strebte die vollendete Demokratie an, das zeigte sich im Wahlrecht, in der Ausbalancierung der obersten Verfassungsorgane, der Regelung der Reich-Länder-Beziehungen ebenso wie in den Bestimmungen über den Rechts- und den Sozialstaat. Es zeigte sich vor allem in der Einführung direkt-demokratischer Elemente wie des Plebiszits. Aus solchen Motiven nahm die Nationalversammlung Volksbegehren und Volksentscheid in die Verfassung auf, der Reichspräsident sollte aus einer Volkswahl hervorgehen. Die Mehrheit der Verfassungsväter wollte also die demokratische Republik. Aber sollte der Staat von Weimar eine parlamentarische oder eine Präsidialdemokratie sein? Diese Frage bewegte die Verfassungsväter in Weimar insbesondere bei der Gestaltung des Verhältnisses der obersten Verfassungsorgane zueinander.

Der erste Abschnitt der Verfassung enthält die Rechte von Reich und Ländern und fixiert ihr Wechselverhältnis. Dieser Abschnitt gibt der föderativen Struktur der Weimarer Republik definitiv Gestalt. Die folgenden Abschnitte enthalten die das Weimarer Regierungssystem prägenden Funktionsbestimmungen und Kompetenzen der obersten Verfassungsorgane des Reiches: des Reichstags (Art. 20–40), des Reichspräsidenten und der Reichsregierung (Art. 41–59) sowie des Reichsrats (Art. 60–67). Die Abschnitte 5 bis 7 sind der Gesetzgebung, der Reichsverwaltung und der Rechtspflege gewidmet.

Der Reichstag, der nach dem gleichen Wahlrecht wie die Nationalversammlung, nämlich nach den Grundsätzen des Verhältniswahlrechts und des allgemeinen, gleichen und freien Wahlrechts auf vier Jahre gewählt wurde, erhielt das Recht der Gesetzgebung, beschloß in Gesetzesform über den Haushaltsplan und übte die Kontrolle von Regierung und Verwaltung aus. Er war befugt, Untersuchungsausschüsse einzusetzen, Auskunft von Regierungsmitgliedern und ihre Anwesenheit bei Reichstagssitzungen zu verlangen. Vor allem aber hatte der Reichstag die Möglichkeit, die Reichsregierung durch ein Mißtrauensvotum zum Rücktritt zu zwingen; mit Zweidrittelmehrheit konnte er die Verfassung ändern. Daneben erhielt bzw. behielt der Reichstag eine ganze Reihe von Parlamentsrechten, die der Ausübung des Mandats durch die Abgeordneten des deutschen Volkes dienen sollten, die nur ihrem Gewissen unterworfen und an Aufträge nicht gebunden waren. Der Reichstag hatte das Recht zur Selbstversammlung, das heißt, er wurde nicht, wie im konstitutionellen Regierungssystem üblich, vom Staatsoberhaupt einberufen. Er bestimmte auch den Schluß der Tagung und den Zeitpunkt des Wiederzusammentritts. Der Reichstagspräsident war im Besitz des Hausrechts, und die Abgeordneten genossen parlamentarische Immunität; sie waren also vor Strafverfolgung geschützt, es sei denn, der Reichstag hob die Immunität auf.

Die Nationalversammlung entschied sich also im Prinzip für ein repräsentatives Regierungssystem, fügte jedoch einzelne plebiszitäre Elemente hinzu, die aber in der Verfassungspraxis keine große Rolle spielten: kein Gesetz ist durch Volksbegehren und Volksentscheid zustandegekommen. Jedoch diente das Plebiszit der extremen Rechten (NSDAP, DNVP, Stahlhelm) wie auch der extremen Linken (KPD) als willkommenes Propagandainstrument gegen die Republik, beispielsweise beim Volksbegehren gegen den Young-Plan 1929/30. Ziel der Einführung plebiszitärer Elemente in eine im Prinzip repräsentative Verfassungsordnung war, soweit als möglich der Volkssouveränität Raum zu geben, und zwar auch direkten politischen Entscheidungen des Volkes. Angesichts der Kompliziertheit moderner Gesetzgebung und Regierung sowie der Schwierigkeit, ein Volksbegehren ohne politische Parteien zu organisieren, erwies sich aber das Plebiszit als zweifelhafte »Geste« der Verfassung und wurde keineswegs Ausdrucksform »unverfälschten Volkswillens«.

Eine vergleichbare Absicht lag der von der USPD geforderten extremen Verkürzung der Legislaturperiode auf zwei Jahre zugrunde. Zu Recht lehnte Hugo Preuß dies unter Hinweis auf die Arbeitsfähigkeit des Parlaments ab: »Je kürzer die Wahlperiode, desto ohnmächtiger die Parlamente.«[182] Diese Ansicht setzte sich im Verfassungsausschuß durch, da das Parlament Repräsentant des Volkswillens und folglich Träger der Reichsgewalt sein sollte: Der Reichstag übt die Reichsgewalt aus, soweit sie nicht ausdrücklich anderen Verfassungsorganen, dem Reichspräsidenten, der Reichsregierung und dem Reichsrat, durch die Verfassung übertragen war. Aber trotz dieser klaren

[182] Verfassungsausschuß, S. 246.

Willensbekundung des Verfassunggebers tauchte in den Verfassungsberatungen immer wieder die Formel »Parlamentsabsolutismus« auf. Der vermeintlichen Allmacht des Reichstags wollte man um der Demokratie willen Sicherungen entgegenstellen: durch das Plebiszit und vor allem in Form eines starken Reichspräsidenten. Auch seine Volkswahl – die ihm eine gleiche Legitimation wie dem Reichstag gab – brachte ein plebiszitäres Element in die Verfassung und begrenzte so die Superiorität des Reichstages im Weimarer Regierungssystem.

Der Reichspräsident behielt die ihm in der provisorischen Verfassung zugestandene dominierende Stellung. Die gemeinsame Regelung der ihm und der Reichsregierung zugebilligten Kompetenzen und Funktionen in einem Abschnitt war konsequent, da man beide Verfassungsorgane als Exekutive betrachtete und ein wechselseitiges Zusammenspiel vorsah. Allerdings ließ diese Wechselseitigkeit insofern zu wünschen übrig, als der Reichspräsident unter bestimmten Konstellationen ein eindeutiges Übergewicht erhielt. Die Dominanz leitete sich allein schon aus der Wahl her: anders als der damals amtierende Reichspräsident Ebert gelangte sein Nachfolger 1925 und 1932 durch Volkswahl ins Amt. Das Mandat war auf sieben Jahre begrenzt, Wiederwahl war möglich. Wählbar war jeder Deutsche, der das 35. Lebensjahr vollendet hatte. Absetzbar war der Reichspräsident durch ein nur schwer zu praktizierendes Verfahren, das keine Bedeutung erlangt hat: der Reichstag hätte mit Zweidrittelmehrheit eine Volksabstimmung beschließen müssen, durch die über die Absetzung des Staatsoberhaupts entschieden worden wäre.

Der Reichspräsident durfte nicht zugleich Mitglied des Reichstags sein. Zu seinen Kompetenzen zählte die völkerrechtliche Vertretung des Deutschen Reiches, er schloß im Namen des Reiches Verträge und Bündnisse, die allerdings – sofern sie Gegenstände der Gesetzgebung betrafen – der Zustimmung des Reichstags bedurften. Der Reichspräsident ernannte und entließ die Beamten, fertigte die verfassungsmäßig zustandegekommenen Gesetze aus und verkündete diese (Art. 70). Damit hatte der Reichspräsident das Recht und die Pflicht, das verfassungsmäßige Zustandekommen eines Gesetzes zu prüfen.

Der Reichspräsident hatte schließlich den »Oberbefehl über die gesamte Wehrmacht des Reichs« (Art. 47). Durch Verordnung vom 20. August 1919 übertrug der Reichspräsident allerdings die Ausübung des Oberbefehls dem Reichswehrminister, soweit er nicht selbst unmittelbare Befehle erteilte. Grundsätzlich bedurften sämtliche Anordnungen und Verfügungen des Reichspräsidenten, auch solche militärischer Art, zu ihrer Gültigkeit der Gegenzeichnung durch den Reichskanzler oder den zuständigen Reichsminister, die damit die Verantwortung übernahmen (Art. 50). Diese Gegenzeichnung übernahm bei den die Richtlinien der Politik betreffenden Angelegenheiten, also bei solchen von allgemeinpolitischer Bedeutung, grundsätzlich der Reichskanzler. Im Zweifelsfall stand ihm die Entscheidung zu. Diese Regelung war nur konsequent, bestimmte doch der Reichskanzler die Richtlinien der Politik, wofür er dem Reichstag – und nicht dem Reichspräsidenten – verantwortlich war. Innerhalb dieser Richtlinien leitete jeder Reichsminister sein Ressort selbständig und unter eigener Verantwortung gegenüber dem Reichstag (Art. 56). Die Weimarer Verfassung wies also dem Reichskanzler die »Stellung eines nicht für die Einzelheiten, sondern für das Ganze verantwortlichen leitenden Staatsmannes« zu[183]. Unter dem Vorsitz des Reichskanzlers wurden alle Gesetzentwürfe beraten, die die Ressortminister dem Kabinett vorlegen mußten, er hatte im Falle von Stimmengleichheit bei der Beschlußfassung der Reichsregierung ein sog. Mehrstimmenrecht: seine Stimme gab den Ausschlag. In Angelegenheiten, die die Richtlinien der Politik betrafen, konnte der Reichskanzler ohnehin nicht überstimmt werden. Kam es in solchen Fällen zum Konflikt, dann entschied allerdings kaum der Wortlaut der Verfassung, sondern die Kompromißfähigkeit der Koalition über das weitere Schicksal der Regierung – der Austritt einer Partei konnte dem Reichskanzler dann die Basis für weiteres Verbleiben im Amt entziehen. Eine Sonderstellung im Kabinett nahm im Hinblick auf Entscheidungen mit finanziellen Auswirkungen der Finanzminister ein. In bestimmten Fällen stand ihm ein zumindest suspensives Veto zu. Zu den Aufgaben der Reichsregierung zählte im übrigen die Einbringung von Gesetzesvorlagen im Reichstag nach vorheriger Zustimmung des Reichsrats. Lehnte dieser die Vorlage ab, so war die Reichsregierung befugt, ihren Gesetzesentwurf mit der abweichenden Stellungnahme des Reichsrats gleichwohl im Parlament einzubringen (Art. 69).

Die Verfassung gab dem Reichstag das Recht zur Anklage

[183] Gerhard Anschütz, Die Verfassung des Deutschen Reichs vom 11. August 1919. 14. Aufl. Berlin 1933, S. 327.

von Mitgliedern der Reichsregierung sowie des Reichspräsidenten vor dem Staatsgerichtshof, doch bedurfte eine solche Anklage einer Zweidrittelmehrheit.

Im Zusammenspiel der Verfassungsorgane hatte der Reichspräsident folgende Kompetenzen: Ernennung und Entlassung der Reichsregierung, das Recht zur Parlamentsauflösung, schließlich das im Artikel 48 begründete Notverordnungsrecht sowie weitere aus diesem Artikel resultierende außerordentliche Befugnisse. Die Kombination dieser Rechte verlieh dem Reichspräsidenten eine ungewöhnliche Machtfülle.

Zunächst also die Ernennung der Reichsregierung: Gemäß Artikel 53 ernannte der Reichspräsident den Reichskanzler und auf dessen Vorschlag die Reichsminister. Der Reichspräsident und der Reichskanzler waren in der Auswahl der Kandidaten formell frei, materiell aber durch den Artikel 54 gebunden. Der Sinn dieses Artikels war, daß die Ernennung eines Reichskanzlers und der Vorschlag von Reichsministern durch den Reichskanzler nur Persönlichkeiten betreffen dürfe, »von denen bekannt oder den Umständen nach anzunehmen ist, daß der Reichstag ihnen sein Vertrauen nicht versagen wird«[184].

In der Verfassung stand nicht, der Reichspräsident müsse sich mit den Reichstagsfraktionen vorher darüber verständigen, wen er zum Regierungschef ernannte. Der Reichspräsident hatte also durchaus die Möglichkeit, einen Kandidaten zu ernennen, von dem er *annahm*, er würde das Vertrauen des Reichstags finden. Allerdings bedeutete dies wiederum nicht, er habe einen unbegrenzten Ermessensspielraum, da sich eben die beiden Artikel 53 und 54 ergänzten. Tatsächlich konnte der Reichspräsident dem Artikel 54 nur Genüge tun, wenn er mit den Reichstagsfraktionen vor der Ernennung eines Reichskanzlers Fühlung aufnahm, um festzustellen, ob der von ihm in Aussicht genommene Kandidat mehrheitsfähig sein würde. Ein solches Verfahren aber setzte einen mehrheitsfähigen Reichstag voraus. Je zahlreicher die Fraktionen waren, desto schwieriger mußte es werden, im Reichstag eine Majorität zu bilden. Das aber konnte den Reichspräsidenten tatsächlich in den Stand versetzen, von sich aus einen Kandidaten vorzuschlagen, der eine Mehrheit noch gar nicht besaß, aber immerhin die Aussicht hatte, nach erfolgter Ernennung eine Koalitionsregierung zustandezubringen, die die Mehrheit des Reichstags hinter sich hatte. Die Ver-

[184] Ebd., S. 313.

fassung selbst ließ also notwendigerweise einen Spielraum, der je nach parteipolitischer Konstellation im Reichstag vom Reichspräsidenten unterschiedlich genutzt werden konnte oder auch mußte. Aufgrund dieser Konstellation waren Konflikte kaum auszuschließen, wenn Reichstagsmehrheit und Reichspräsident unterschiedlicher Auffassung waren.

Oft erteilte der Reichspräsident lediglich den Auftrag zur Regierungsbildung, ohne den entsprechenden Kandidaten schon zu ernennen. Dies war durchaus verfassungskonform, wenn eine Mehrheitsbildung im Reichstag sich nicht abzeichnete. Allerdings ließ ein solches Verfahren die Möglichkeit offen, daß der Beauftragte seinen Auftrag an den Reichspräsidenten zurückgab, wenn eine seinen Vorstellungen entsprechende Regierungsbildung sich als unrealisierbar erwies. So teilte der parteilose Geheimrat Wilhelm Cuno dem Reichspräsidenten am 18. November 1922 mit, daß ihm eine Kabinettsbildung nicht möglich sei, da die Parteien in Sach- und Personalfragen Forderungen erhöben, die einer »sachlichen Führung der Geschäfte« entgegenstünden. Cuno war vom Reichspräsidenten Ebert beauftragt worden, nachdem Vorgespräche mit den Parteiführungen ergeben hatten, daß eine Regierung Cuno das Vertrauen des Reichstags erhalten würde.

Die Verfassungspraxis demonstrierte in diesem Fall, daß der Vorschlag der Minister keineswegs ausschließlich in der Kompetenz des Reichskanzlers lag, sondern Bestandteil von Koalitionsvereinbarungen war, die die Reichstagsfraktionen bei der Regierungsbildung aushandelten. Im Falle Cunos kam es wenige Tage später dennoch zu einer Regierungsbildung unter seiner Führung, nachdem der Reichspräsident ihn mit der Bildung eines »Geschäftsministeriums« beauftragt hatte. Auch unter der Weimarer Verfassung blieb es also möglich, ein sog. Fachministerium zu bilden, dessen Bindung an die Parteien des Reichstags alles andere als eng war. Cuno – ehemaliger höherer Ministerialbeamter, Wirtschaftsfachmann und Generaldirektor der Hamburg-Amerika-Linie – wurde während einer innenpolitischen Krise gerade wegen der ihm attestierten fachlichen Qualifikation berufen; als Politiker war er bis dahin nicht hervorgetreten. Doch konnte auch dieser ungefähr neun Monate im Amt bleibende »unpolitische« Fachmann schließlich keine Regierung leiten, die völlig auf parteipolitische Rückbindung im Reichstag verzichtete – eine solche Regierung hat in der parlamentarischen Demokratie keinen Platz.

Aufschlußreich ist die Kontroverse zwischen dem DNVP-Vorsitzenden Hergt und Reichspräsident Ebert nach einer erneuten Kabinettskrise im Herbst 1923. Auf die Forderung der DNVP, einen Oppositionspolitiker mit der Kabinettsbildung zu betrauen, antwortete Ebert: In Ausübung des ihm verfassungsmäßig zustehenden Rechts habe er »bisher mit der Bildung einer neuen Regierung stets eine Persönlichkeit betraut, deren politische Stellung die meiste Aussicht auf eine schnelle Zusammenstellung eines arbeitsfähigen Kabinetts zu bieten schien ... Wenn ich davon abgesehen habe, eine der beiden Oppositionsparteien mit der Neubildung der Regierung zu betrauen, so geschah das, weil ich durch meine vertrauliche Aussprache mit den Führern der Reichstagsfraktionen ... zu der Überzeugung kommen mußte, daß für keine der beiden Oppositionsparteien die Möglichkeit der Bildung einer Regierung auf verfassungsmäßiger Grundlage vorhanden war.«[185]

Das von Ebert hier erwähnte Verfahren ist tatsächlich bis zur Kabinettsbildung nach der Reichstagswahl vom 20. Mai 1928 eingehalten worden. Zwar sah die Verfassung ein solches Vorgehen nicht ausdrücklich vor, schloß es aber auch nicht aus. Der Ermessensspielraum des Reichspräsidenten wurde bewahrt und zugleich der Notwendigkeit des parlamentarischen Vertrauens für die Regierung Rechnung getragen. Die Beauftragung mit der Regierungsbildung ohne vorherige Ernennung ließ es in der politischen Praxis zu, im Falle des Mißlingens eine andere Persönlichkeit zu benennen und so das Risiko ständigen Regierungssturzes zu verringern. So wurden nach der Reichstagswahl vom 6. Juni 1920 nacheinander drei führende Politiker verschiedener Parteien mit der Koalitionsbildung beauftragt. Erst als dies erfolglos blieb, ernannte der Reichspräsident den Präsidenten der Nationalversammlung, Konstantin Fehrenbach (Z), zum Reichskanzler. Er bildete eine Minderheitsregierung, die sich allerdings auf drei Fraktionen (Z, DVP, DDP) stützen konnte und der der Reichstag während ihrer knapp elfmonatigen Amtszeit dreimal das Vertrauen aussprach – das ermöglichte die Tolerierung durch die SPD. Das Modell Fehrenbach von 1920/21 wurde später wiederholt praktiziert: Die beiden Reichsregierungen Brüning von 1930 bis 1932 hatten eine vergleichbare Basis.

Trotzdem erwies sich angesichts schwerer innen- und vor

[185] Poetzsch, Vom Staatsleben (1925), S. 164.

allem außenpolitischer Belastungen eine derartige Regierungsbildung 1920/21 nicht als stabil genug; der »Abgesang einer Übergangsregierung«[186] kam schnell. Das »Londoner Ultimatum« der Alliierten vom 5. Mai 1921, mit dem die Annahme der Beschlüsse der Londoner Reparationskonferenz innerhalb von sechs Tagen gefordert und andernfalls die Besetzung des Ruhrgebiets angedroht wurde, ließ die breitere parlamentarische Basis einer Reichsregierung nötig erscheinen, die sich vor schwerwiegende politische Entscheidungen gestellt sah[187].

Diese wenigen Beispiele zeigen, daß es nach 1920 kaum einen »Normalfall« der Regierungsbildung gab, bei dem von vornherein klar war, daß der Reichspräsident eine bestimmte Persönlichkeit ernennen würde, die die Mehrheit des Reichstags hinter sich hatte: So wäre in einem Zweiparteiensystem verfahren worden, zumindest aber wäre ein Parlament mit nur wenigen Parteien und klarer politischer Frontstellung zwischen Mehrheit und Minderheit Voraussetzung gewesen. Der Deutsche Reichstag aber war in mehrere Gruppen jeweils annähernd gleich großer Parteien zersplittert – und nicht zu vergessen, daß der Reichstag während der zwanziger Jahre neben zahlreichen Splittergruppen mit der KPD und der DNVP gleich zwei größere Oppositionsparteien aufwies, die die Weimarer Verfassung ablehnten, ihrerseits jedoch nur zu gemeinsamer »Obstruktion« (Carl Schmitt), nicht aber zu gemeinsamer konstruktiver Oppositionspolitik in der Lage waren, da sie auf gegensätzlichen Flügeln des Parlaments standen.

Aufgrund dieser Konstellation fiel dem Reichspräsidenten jeweils eine Schlüsselstellung bei der Regierungsbildung bzw. bei der Ernennung des Reichskanzlers zu. Sein Gewicht vergrößerte sich noch durch die Zurückhaltung der SPD in bezug auf die Übernahme der politischen Verantwortung. Wenn der Reichstag zur Mehrheitsbildung außerstande war, verlagerte sich das Schwergewicht mehr und mehr zugunsten des Reichspräsidenten; der dem Artikel 53 korrespondierende Artikel 54 wurde dann vom Reichstag nicht mehr im positiven Sinn des Vertrauensbeweises, sondern lediglich im negativen des Vertrauensentzugs angewandt. Letzteres war zweifellos eine legitime Waffe des Reichstags, doch veränderte er dann den Sinn des parlamen-

[186] Morsey, Die Deutsche Zentrumspartei, S. 353; dort auch Näheres zur Regierungsbildung, S. 329ff.

[187] Text in: Ursachen und Folgen, Bd. 4, S. 339f. sowie Zahlungsplan v. 5. Mai 1921, ebd., S. 340ff.

tarischen Systems, wenn er seine destruktive Kompetenz von der konstruktiven löste. Je unabhängiger die Regierung von einer konstruktiven Mehrheitsbildung des Parlaments wurde, in desto stärkere Abhängigkeit geriet sie vom Reichspräsidenten. Im Widerspruch zum parlamentarischen System stellte sich dann ein strikter Gegensatz von Reichsregierung und Reichstag ein, die Regierung wurde zur Regierung des Reichspräsidenten. Vom Konstitutionalismus unterschied sich diese Konstellation nur noch durch die Möglichkeit des parlamentarischen Mißtrauensvotums.

Zweifellos bildete der Vertrauensentzug – neben dem Recht der Gesetzgebung sowie der parlamentarischen Kontrolle von Regierung und Verwaltung – die wichtigste Kompetenz des Reichstags der Weimarer Republik. Doch war dieses Recht nicht uneingeschränkt einsetzbar. Der Reichspräsident besaß aufgrund des Artikels 25 der Verfassung die Möglichkeit zur Reichstagsauflösung. Die in diesem Artikel enthaltene Einschränkung, er dürfe dies nur einmal aus dem gleichen Anlaß tun, erwies sich nicht als ein wirkliches Hemmnis, konnte doch der gleiche Anlaß unterschiedlich formuliert werden, waren doch verschiedene Anlässe zur Auflösung denkbar. Auch die Bestimmung, die Neuwahl müsse spätestens am 60. Tag nach der Auflösung stattfinden, entschärfte die Waffe der Reichstagsauflösung kaum, verging doch vom Zeitpunkt der Auflösung des vorhergehenden bis zum Wiederzusammentritt eines neugewählten Reichstags in der Regel ein Vierteljahr – ein Vierteljahr ohne wirksame parlamentarische Kontrolle der Regierung. Der »zur Wahrung der Rechte der Volksvertretung gegenüber der Reichsregierung für die Zeit außerhalb der Tagung und nach Beendigung einer Wahlperiode« (Art. 35 Abs. 2) vorgesehene Reichstagsausschuß konnte die Rechte des Reichstags nur unvollkommen wahrnehmen. Daran änderte auch das Reichsgesetz vom 15. Dezember 1923 wenig, das den zitierten Passus durch den Zusatz ergänzte: »oder der Auflösung des Reichstags bis zum Zusammentritt des neuen Reichstags«. Das Auflösungsrecht sollte es dem Reichspräsidenten ermöglichen, an die Wähler zu appellieren; dieser Artikel ergänzt insofern die Artikel 73 und 74, die dem Reichspräsidenten das Recht zugestanden, über ein vom Reichstag beschlossenes Gesetz den Volksentscheid anzuordnen. Er konnte das aus eigenem Ermessen tun, aber auch dann, wenn der Reichsrat das fragliche Gesetz abgelehnt hatte. Auch die Auflösungsverfügung des

Reichspräsidenten gegenüber dem Reichstag bedurfte ministerieller Gegenzeichnung.

Die verfassungsrechtliche Konstellation zwischen den drei obersten Verfassungsorganen bedarf einer weiteren Klärung. Mit dem Artikel 48 der Verfassung war dem Reichspräsidenten ein Mittel zur Stabilisierung der Exekutive in die Hand gegeben, das ihn in Zeiten parlamentarischer Instabilität wiederum zu Lasten von Reichstag und Reichsregierung stärkte. Dieser sog. Notstandsartikel sah unter anderem vor: Verletzte ein Land seine durch die Reichsverfassung normierten Pflichten, durfte der Reichspräsident notfalls mit Hilfe der Reichswehr einschreiten. Für den Fall einer erheblichen Störung oder Gefährdung der öffentlichen Sicherheit und Ordnung im Deutschen Reich erhielt der Reichspräsident ebenfalls die Ermächtigung zu militärischem Vorgehen. Das Staatsoberhaupt durfte überdies die notwendigen Maßnahmen zur Wiederherstellung von Recht und Ordnung treffen, sowie vorübergehend sogar die in den Artikeln 114, 115, 117, 118, 123, 124 und 153 garantierten Grundrechte außer Kraft setzen. Ein solches Notstandsrecht billigte die Reichsverfassung auch den Landesregierungen zu. Zur Sicherung dieses Artikels gegen Mißbrauch sahen die Verfassungsväter vor, daß die vom Reichspräsidenten getroffenen Maßnahmen unverzüglich dem Reichstag zur Kenntnis zu geben und auf sein Verlangen unverzüglich außer Kraft zu setzen seien. Diese Regelung konnte tatsächlich nur funktionieren, wenn der Reichstag versammelt und außerdem mehrheitsfähig war, benötigte er doch zur Außerkraftsetzung der aufgrund des Artikels 48 ergriffenen Maßnahmen eine – wenn auch nur negative – Majorität.

Die Verfassungsväter hatten ein Ausführungsgesetz zum Artikel 48 vorgesehen, doch hat der Reichstag es versäumt, ein solches Gesetz zu erlassen. Damit entfiel diese Möglichkeit, einen Mißbrauch des Notstandsrechts zu erschweren. Der Artikel 48 regelte zwei durchaus verschiedene Sektoren, zum einen die Reichsexekution gegen Einzelstaaten, die ihre Pflichten nicht erfüllten, zum anderen außerordentliche diktatorische Maßnahmen von Reichspräsident und Reichsregierung sowie der Landesregierungen im Falle eines Notstands[188]. Reichsexekution und Diktaturgewalt sind daher scharf zu trennen und haben in der Verfassungspraxis auch unterschiedliche Wirkung

[188] Vgl. Anschütz, Die Verfassung, S. 269 ff.

gezeitigt, wenngleich eine Verbindung beider Bereiche nicht auszuschließen war. So wurde die Reichsexekution gegen den Freistaat Preußen am 20. Juli 1932 – der sog. Preußenschlag des Reichskanzlers Franz von Papen, eine machtpolitisch begründete Absetzung der rechtmäßigen preußischen Regierung Braun – zugleich auf Artikel 48 Absatz 1 *und* 2 gestützt. Tatsächlich aber entbehrte diese Begründung der verfassungsrechtlichen Grundlage und diente lediglich dazu, den machtpolitischen Ehrgeiz des Reichskanzlers und der hinter ihm stehenden restaurativen politischen und gesellschaftlichen Kräfte zu verschleiern[189]. Auch in anderen Fällen, in denen der Reichspräsident die Reichsexekution angeordnet hatte, fehlte es trotz verfassungspolitischer Berechtigung häufig an juristischer Klarheit, welcher Absatz des Artikels 48 der Entscheidung zugrundelag – beispielsweise beim Einschreiten der Reichsregierung in Sachsen im Oktober 1923. In zwei weiteren Fällen wurde die Reichsexekution spezifisch mit Artikel 48 Absatz 1 begründet – im März 1920 gegen Thüringen und im April 1920 gegen Gotha[190]. Verglichen mit diesen frühen Beispielen der Reichsexekution zur Amtszeit Eberts stellt der erwähnte Preußenschlag vom 20. Juli 1932 einen ausgesprochenen Sonderfall dar, der die Agonie der Republik erheblich beschleunigte. Hier handelte es sich keineswegs nur um eine Reichsexekution, sondern um eine faktische Änderung der Weimarer Verfassung. Dieser Staatsstreich beseitigte die politische Eigenständigkeit Preußens und machte den größten deutschen Einzelstaat de facto zum Reichsland.

Die Reichsexekutive erwies sich also nur im Falle nicht verfassungsgemäßer Handhabung als politisch destruktiv. Indem der Reichspräsident den Reichskanzler zu diesem Vorgehen ermächtigte, verstieß er gegen die Verfassung. Das keineswegs salomonische, sondern widersprüchliche Urteil des Staatsgerichtshofs für das Deutsche Reich vom 25. Oktober 1932, das zwar die Preußenregierung wieder einsetzte, zugleich aber die Reichskommissare weiter amtieren ließ, bestätigt nur diese Einschätzung. Die Widersprüchlichkeit erklärte sich daraus, daß man zwar die verfassungsrechtliche Problematik des Preußen-

[189] Texte in: Huber, Dokumente, Bd. 3, S. 506ff.; und: Preußen contra Reich vor dem Staatsgerichtshof. Stenogrammbericht der Verhandlungen vor dem Staatsgerichtshof in Leipzig vom 10. bis 14. und vom 17. Oktober 1932. Mit einem Vorwort von Ministerialdirektor Dr. Brecht. Berlin 1933.

[190] Poetzsch, Vom Staatsleben (1925), S. 99.

schlags durchaus erkannte, aber den Reichspräsidenten nicht desavouieren wollte. So weit war es gekommen, daß die Rücksicht auf die Person des Staatsoberhaupts das zuständige Gericht zwar nicht zur konsequenten rechtlichen, aber doch zur politischen Deckung eines Verfassungsverstoßes veranlaßte. Und die Regierungen Papen, Schleicher und Hitler dachten gar nicht daran, den Spruch des Gerichts in dem Teil zu befolgen, der ihnen nicht paßte. Der angeblich bis 1933 peinlich genau die Verfassung einhaltende Hindenburg deckte diese dem Verfassungsrecht und dem Urteil hohnsprechende Politik.

Der im Artikel 48 enthaltene »Diktaturparagraph« gab dem Reichspräsidenten im Zusammenspiel mit der Reichsregierung die Möglichkeit zu gesetzesvertretenden Verordnungen, betraf also die legislative Kompetenz des Reichstags unmittelbar. Schon während der Amtszeit von Reichspräsident Ebert wurden 136 Notverordnungen auf der Grundlage des Artikels 48 Absatz 2 erlassen, die meisten im Krisenjahr 1923[191]. Ein nicht geringer Teil entfiel auf wirtschaftliche Notstandsmaßnahmen bzw. den infolge der Hyperinflation 1923 ständig notwendig werdenden Inflationsausgleich, beispielsweise in der Anpassung der Beamtengehälter. Die Feststellung der Beamtengehälter bedurfte der Gesetzesform; das entsprechende parlamentarische Verfahren war jedoch viel zu langwierig. Als ähnlich dringliche Notverordnungen galten Steueranpassungen, Gebührenänderungen sowie die entsprechende Regelung finanzieller Transaktionen aller Art. In all diesen Fällen handelte es sich um einen anders kaum zu behebenden Notstand. Schließlich waren eine Reihe von Notverordnungen bloße Aufhebungsverordnungen. Auf der anderen Seite kam es immer wieder vor, daß Gesetzesvorhaben auf diesem den Reichstag umgehenden Wege erledigt wurden, weil eine parlamentarische Mehrheitsbildung auf Schwierigkeiten stieß. Eine solche Notverordnungspraxis verlagerte das Gesetzgebungsrecht des Reichstags partiell auf die Reichsregierung und den Reichspräsidenten. Die in der Verfassung intendierte Gewaltenteilung wurde damit faktisch von Fall zu Fall aufgehoben.

Einige Jahre schien es, als ob alle Befürchtungen, die ausufernde Notverordnungspraxis der Jahre 1920/21 und 1923/24 könne das Weimarer Verfassungssystem aushöhlen, unberechtigt seien. Reichspräsident von Hindenburg hat in den ersten

[191] Vgl. Aufstellung ebd., S. 141 ff. und ebd., Bd. 17 (1929), S. 99 sowie ebd., Bd. 21 (1933/34), S. 127 ff.

fünf Jahren seiner Amtszeit von 1925 bis 1930 keine neuen Notverordnungen erlassen, sondern lediglich achtmal in Kraft befindliche Verordnungen aufgehoben[192]. Zweifellos diente dies der Festigung der verfassungsmäßigen Ordnung. Voraussetzung war allerdings die relative wirtschaftliche und politische Stabilität in den mittleren Jahren der Republik. Insofern waren weder die Notverordnungspraxis Eberts willkürlich noch der Verzicht Hindenburgs auf solche Maßnahmen in den ersten Jahren seiner Amtszeit politisch besonders schwierig. Und trotzdem: war auch eine große Zahl der Notverordnungen und der Ermächtigungsgesetze zur Amtszeit Eberts mehr oder weniger erzwungen, so bildete der etwas unbedenkliche und über das Unvermeidliche hinausgehende Erlaß von Notverordnungen einen verhängnisvollen Präzedenzfall für spätere Krisenzeiten. Und solche Zeiten kamen seit 1930, als das Deutsche Reich in ökonomische und gesellschaftliche Krisen vorher nicht gekannten Ausmaßes geriet, die das politische System immer stärker erschütterten. Die 6,128 Millionen Arbeitslosen im Februar 1932 waren Ausdruck und Motor dieser fundamentalen Krise von Staat und Gesellschaft. Mit der Notverordnungsabstinenz war es nun schnell vorbei: 1930 erließ der Reichspräsident 5, 1931 bereits 44 und 1932 schließlich 60 Notverordnungen. Aber es geht nicht nur um die Zahl, sondern auch um die qualitative Seite dieser politischen Praxis: »Wie die Verordnung vom 26. Juli 1930 zeigte, stand schon der Beginn der Notverordnungsperiode im Zeichen einer *weitherzigen Auslegung* des Art. 48.« Die zum größten Teil wirtschafts- und finanzpolitischen Notverordnungen enthielten nun die heterogensten Bestandteile, sie glichen oft kleinen Gesetzbüchern[193]. Sie traten also mehr und mehr an die Stelle des ordentlichen Gesetzgebungsverfahrens im Parlament. Ein Verfassungswandel war unverkennbar. Und dies wird noch deutlicher, wenn wir daneben die Aktivität des Reichstags betrachten:

	1930	1931	1932
Vom Reichstag beschlossene Gesetze	98	34	5
Präsidiale Notverordnungen	5	44	60
Sitzungstage des Reichstags	94	41	13

[192] Ebd., Bd. 17 (1929), S. 99.
[193] Ebd., Bd. 21 (1933/34), S. 127f.

Nicht nur die exekutive, sondern mehr und mehr auch die legislative Gewalt verlagerte sich vom Reichstag auf Reichspräsident und Reichsregierung. Entscheidend aber ist, daß die Anwendung des Artikel 48 Absatz 2 eine doppelte Kompetenzverlagerung bewirkte und die von den Verfassungsvätern intendierte Verteilung der politischen Gewichte der Weimarer Verfassungsordnung erheblich verschob. Die politische Abstinenz des Reichstags bezog sich keineswegs nur auf die partielle Überlassung der Gesetzgebungsarbeit an die vom Reichspräsidenten ermächtigte Reichsregierung, sondern betraf das Abhängigkeitsverhältnis der Regierung unmittelbar: Das Regieren mit Notverordnungen war ein Regieren ohne, oder wie sich zeigen sollte, sogar gegen den Reichstag. Ein solches Regieren aber war auf die Zustimmung des Reichspräsidenten angewiesen. Mit anderen Worten: Der wachsende Spielraum gegenüber dem Reichstag wurde erkauft durch wachsende Abhängigkeit der Reichsregierung vom Reichspräsidenten. Er wurde in solcher Situation zwangsläufig zum machtpolitischen Zentrum der Republik. Die Kombination der Verfassungsartikel 25 (Recht des Reichspräsidenten zur Auflösung des Reichstags), 48, Absatz 1 und 2 (Reichsexekution und Diktaturgewalt) mit dem Artikel 53 (Ernennung und Entlassung des Reichskanzlers und der Reichsminister) wirkte sich so nachhaltig zugunsten der Machtstellung des Reichspräsidenten aus, daß er den Reichstag immer wieder für Monate außer Gefecht setzen konnte und die Reichsregierung schließlich in vollständige Abhängigkeit vom Reichspräsidenten geriet.

Das Recht des Reichstags zum Mißtrauensvotum gegenüber der Reichsregierung konnte für Monate umgangen werden, wenn der Reichspräsident die Ermächtigung zur Auflösung des Parlaments erteilte: Die Gewährung bzw. Nichtgewährung der Auflösung durch den Reichspräsidenten war der Faden, an dem seit der Septemberwahl 1930 alle Reichsregierungen hingen. Tatsächlich hatte die Weimarer Verfassung zwei Ebenen: eine parlamentarische Ebene, auf der der Reichstag das politisch entscheidende Verfassungsorgan war und die Reichsregierung in erster Linie vom Vertrauen der Reichstagsmehrheit abhing, und eine »präsidentielle Reserveverfassung«, die in Krisenzeiten immer praktiziert worden ist. Die Verfassungsväter von Weimar haben also keineswegs ein konsequent parlamentarisches Regierungssystem, sondern einen »Semiparlamentarismus« (Bracher) begründet, und wenn die Republik vielleicht nur mit Hilfe der präsidentiellen Reserveverfassung ihre schweren Krisen eine Zeitlang überleben konnte[194], so hat andererseits diese Verfassungskonstruktion zweifellos das Ausweichen der politischen Parteien und des Reichstags vor der Verantwortung begünstigt.

Natürlich konnte der Reichspräsident seine in der Reserveverfassung liegende Machtfülle nur dann voll ausschöpfen, wenn die anderen Verfassungsorgane ihre Kompetenzen mehr oder weniger brachliegen ließen. Dabei konnte die Regierung als parlamentarische Regierung nicht stabiler sein als das Parlament selbst. Allein als Präsidialkabinett gewann sie eine gewisse Stabilität, aber nur in einer auf Gedeih und Verderb gehenden Bindung an den Präsidenten, wie sie sich nach 1930 als Verhängnis erwies.

Kein Reichstag der Weimarer Republik überdauerte eine volle Wahlperiode, alle wurden vom Reichspräsidenten aufgrund des Artikels 25 aufgelöst. Allein diese Tatsache demonstriert das politische Gewicht des Reichspräsidenten und die politische Ohnmacht des Reichstags. Der Grund der Auflösungen lag regelmäßig in der Tatsache, daß eine Mehrheitsbildung im Reichstag auf Schwierigkeiten stieß oder die amtierende Regierung die Mehrheit verloren hatte bzw. zu verlieren drohte. Die Auflösung des Reichstags wurde zur Waffe der Exekutive gegenüber einem Reichstag, dessen Parteien wechselnde Mehrheitsverhältnisse während der Legislaturperiode herbeiführten. Auch die verfassungsrechtliche Regelung der Parlamentsauflösung zeigt, daß das Weimarer Regierungssystem keinen konsequenten Parlamentarismus darstellte.

Trotzdem meinten die Verfassungsväter, sie hätten mit der Schaffung eines starken exekutiven Gegengewichts zum Reichstag – das sie fälschlich auch in der Reichsregierung sahen – einen »echten Parlamentarismus« realisiert. Dieser Trugschluß beruhte auf der schon erwähnten Furcht vor einem vermeintlichen »Parlamentsabsolutismus« und auf einer Fehlinterpretation der englischen Verfassungsordnung. Die Fixierung auf einen Ersatzmonarchen findet sich in einer zeitgenössischen Schrift des Staatsrechtslehrers Robert Redslob, die u. a. auf Hugo Preuß große Wirkung ausübte. Diese Überlegungen kamen den verfassungspolitischen Vorstellungen eines Max Weber und der deutschen Verfassungstradition entgegen: Sie alle retteten ein

[194] Wie im Gegensatz zur hier vertretenen Interpretation etwa Schulze, Weimar, S. 100, meint.

Stück Monarchie in die Republik – und das bekam dieser schlecht.

Wie begründeten die Reichspräsidenten die Auflösung des Reichstags? Drei Beispiele sind typisch: Als am 13. März 1924 der erste Reichstag kurz vor Ablauf seiner am 6. Juni 1924 endenden Wahlperiode aufgelöst wurde, erklärte der Reichspräsident: »Nachdem die Reichsregierung festgestellt hat, daß ihr Verlangen, die auf Grund der Ermächtigungsgesetze vom 13. Oktober und 8. Dezember 1923 . . . ergangenen und von ihr als lebenswichtig bezeichneten Verordnungen zur Zeit unverändert fortbestehen zu lassen, nicht die Zustimmung der Mehrheit des Reichstags findet, löse ich auf Grund des Art. 25 der Reichsverfassung den Reichstag auf.«[195] Die Oppositionsparteien, an ihrer Spitze die SPD, hatten Anträge auf Aufhebung bzw. Verhinderung der in der Auflösungsverfügung des Reichspräsidenten genannten Verordnungen gestellt. Diese Aufhebungsanträge hatten alle Aussicht, im Reichstag angenommen zu werden. Noch lakonischer lautete die Begründung für die Auflösung des folgenden Reichstags, der am 4. Mai 1924 gewählt und bereits am 20. Oktober 1924 wieder aufgelöst wurde: »Parlamentarische Schwierigkeiten machen die Beibehaltung der gegenwärtigen Reichsregierung und gleichzeitig die Bildung einer neuen Regierung auf der Grundlage der bisher befolgten Innen- und Außenpolitik unmöglich. Aufgrund des Art. 25 der Reichsverfassung löse ich deshalb den Reichstag auf.«[196] War die erste Auflösung erfolgt, weil die aufgrund eines vom Reichstag selbst beschlossenen Ermächtigungsgesetzes erlassenen Verordnungen die parlamentarische Mehrheit verloren hatten, so lag der Grund für die Auflösung des folgenden Reichstags in mangelnder Kompromißfähigkeit der Fraktionen sowie einer äußerst knappen Mehrheit jeder denkbaren Koalition.

Dem Reichspräsidenten stand das Recht zu, die Verfügung zur Auflösung zu erlassen, wenn er es für richtig hielt. Trotzdem demonstriert das erste Beispiel, daß der Reichstag das ihm zustehende Recht, Notverordnungen wieder aufzuheben, faktisch nur sehr begrenzt praktizieren konnte, wenn er nicht seine Auflösung riskieren wollte. Die Auflösungsbefugnis des Reichspräsidenten konterkarierte also das Recht des Reichstags,

[195] Poetzsch, Vom Staatsleben (1925), S. 161.

[196] Ebd. sowie das instruktive Braun-Zitat: Die Protokolle der Reichstagsfraktion der Deutschen Zentrumspartei 1920–1925. Bearb. v. Rudolf Morsey und Karsten Ruppert. Mainz 1981, S. 537.

die Aufhebung einer Notverordnung zu verlangen. Nur für den Augenblick der Aufhebung war der Reichstag stärker, danach war er ohnmächtig.

Im zweiten Beispiel hingegen manifestiert sich die Kehrseite, die Ohnmacht des Reichstags zu einer konstruktiven Politik, die Ausdruck in der Koalitionsbildung gefunden hätte. Der Reichspräsident konnte und mußte selbst die Initiative zur Regierungsbildung ergreifen, aber gerade diese Sicherung erlaubte es den Reichstagsfraktionen, immer wieder eine destruktive Politik zu betreiben und vor einer politische Kompromisse erfordernden Koalition zurückzuschrecken. So hätte beispielsweise im zweiten Reichstag eine Koalition der drei Weimarer Parteien mit DVP und BVP durchaus eine ausreichende Mehrheit gehabt. Das zweite Kabinett Marx, das zu diesem Zeitpunkt amtierte, besaß keine Majorität, mußte allerdings auch kein Mißtrauensvotum befürchten. Alle Versuche, die Regierung nach links durch die SPD und vor allem nach rechts durch die DNVP parlamentarisch zu erweitern, scheiterten. Die DVP bestand jedoch auf der Hinzuziehung der DNVP, die DDP lehnte dies ab. Aufschlußreich ist die Diskussion des Reichskabinetts zu dieser Frage. So schlug der parteilose Finanzminister Hans Luther vor, der Reichskanzler möge die drei freien Kabinettsposten ohne Rücksprache mit den Fraktionen besetzen, erst dann solle das Kabinett vor den Reichstag treten. Reichskanzler Wilhelm Marx indes stellte realistisch fest, es »würde doch unvermeidlich sein, mit den Fraktionen über bestimmte Personen zu sprechen«[197]. Die Einschätzung des Reichswehrministers Otto Gessler in der Kabinettssitzung vom 20. Oktober 1924 wurde vermutlich von den übrigen Ministern in ihrer Tragweite nicht ernstgenommen, bezeichnete aber gleichwohl die Tendenz. Gessler bemerkte: »Die Auflösung sei das letzte Mittel, das zur Verfügung stehe. Sie würde entweder zu einem stärkeren Zusammenschluß oder letzten Endes zur Änderung des geltenden Systems führen.«[198] Tatsächlich verschoben sich mittelfristig die politischen Gewichte der Verfassungsordnung: Ein Parlament, das, kaum gewählt, wiederum das Risiko der Auflösung auf sich nahm, obwohl eine Mehrheitsbildung derjenigen Parteien möglich war, die im Jahr zuvor noch koaliert hatten – also prinzi-

[197] Akten der Reichskanzlei. Die Kabinette Marx I und II. Bearb. v. Günter Abramowski. Boppard 1973, S. 1122; vgl. auch die Sitzungen v. 18. Okt., S. 1125ff., und 20. Okt., S. 1129ff.

[198] Ebd., S. 1130f.

piell durchaus koalitionsfähig waren –, verzichtete auf seine Rechte und verstieß gegen den politischen Sinn parlamentarischer Prinzipien.

Eine weitere Reichstagsauflösung verschärfte die politische Krise der Weimarer Republik erheblich. Auf Wunsch des Reichskanzlers Heinrich Brüning (Z), der seit dem Ende der Großen Koalition aus SPD, Zentrum, DDP, DVP und BVP ein im allgemeinen von der SPD toleriertes Minderheitskabinett der »bürgerlichen« Mitte – also aller hier genannten Parteien außer der SPD – führte, erteilte Reichspräsident von Hindenburg am 18. Juli 1930 die Ermächtigung zur Auflösung des Reichstags. Die Begründung lautete: »Nachdem der Reichstag heute beschlossen hat, zu verlangen, daß seine auf Grund des Art. 48 der Reichsverfassung erlassenen Verordnungen vom 16. Juli außer Kraft gesetzt werden, löse ich aufgrund des Art. 25 der Reichsverfassung den Reichstag auf.«[199]

Diese Reichstagsauflösung erfolgte also wiederum, weil der Reichstag von seinem Recht zur Aufhebung von Notverordnungen Gebrauch machte. Dem entsprechenden Antrag der SPD-Fraktion des Reichstags stimmten KPD, NSDAP und ein Teil der DNVP zu. Das Angebot des deutschnationalen Parteiführers Hugenberg an den Reichskanzler, seine Fraktion würde für eine Vertagung stimmen, wenn Brüning zur »Umwandlung der Reichsregierung in eine wirkliche Rechtsregierung und eine Umwandlung der preußischen Regierung« bereit sei, lehnte dieser ab[200]. Die Neuwahl vom 14. September 1930 brachte einen politischen Erdrutsch, der die NSDAP von einer Splittergruppe mit zwölf Reichstagsmandaten (2,6 Prozent) zur zweitstärksten Partei mit 107 Sitzen (18,3 Prozent) anschwellen ließ.

Die Politik der SPD trug an der Auflösung ein gerüttelt Maß Mitschuld. Viele Sozialdemokraten hatten offenbar aus dem Auseinanderbrechen der Großen Koalition wenige Monate zuvor noch immer nicht gelernt, daß die Partei mehr und mehr ihren konservativen Gegnern in die Hand arbeitete. Die Umgebung des Reichspräsidenten, Teile der Reichswehrführung, die DNVP, die Konservative Volkspartei und andere Konservative ließen zumindest seit Frühjahr 1929 keine Chance ungenutzt, die SPD um jeglichen politischen Einfluß zu bringen.

Worum ging es in den umstrittenen Notverordnungen? Vor

[199] Poetzsch-Heffter, Vom Staatsleben (1933/34), S. 66.

[200] Horkenbach, Das Deutsche Reich, S. 315. Zum Hintergrund: Heinrich Brüning, Memoiren 1918–1934. Bd. 1, München 1972, S. 183ff.

allem bezweckten sie eine Sanierung der Staatsfinanzen. Die von der Regierung eingebrachten Deckungsvorlagen enthielten auch eine Bürgerabgabe für die Gemeinden, die in den Vorgesprächen zwischen Reichsregierung und Fraktionen nicht die Zustimmung von SPD und DNVP fand. Zwar wurde ein Teil der Gesetzesvorlage angenommen, ein anderer – der die Reichshilfe für einen bestimmten Personenkreis betreffende § 2 – jedoch mit den Stimmen von SPD, KPD, NSDAP und eines Teils der DNVP abgelehnt.

Statt nun die Versuche fortzusetzen, mit der SPD zu einem Kompromiß zu kommen, erklärte der Reichskanzler, er lege keinen Wert mehr auf weitere Verhandlungen. Den Grund hierfür nannte Brüning in der Ministerbesprechung vom 15. Juli 1930. Er hatte Bedenken, »weil bei Abhaltung einer gemeinsamen Verhandlung mit der sozialdemokratischen Partei jede Unterstützung von rechts aufhören werde«[201]. Trotzdem konnte es zu diesem Zeitpunkt noch scheinen, als ob die Reichsregierung aufgrund der parlamentarischen Konstellation im Amt bleiben könne. So lehnte der Reichstag einen von der Wirtschaftspartei gestellten Antrag auf Reichstagsauflösung ab. Auch ein von der KPD-Fraktion eingebrachtes Mißtrauensvotum scheiterte, weil sich die SPD-Fraktion der Stimme enthielt. Regierung und Fraktionen befanden sich in einer Patt-Situation: die Regierung fand keine Mehrheit für eine von ihr als finanzpolitisch essentiell angesehene Gesetzesvorlage, doch wurde ihr auch nicht das Vertrauen entzogen.

In dieser Situation griff sie zu dem schon früher praktizierten Mittel, die gescheiterten Gesetze auf nicht-parlamentarischem Wege durchzusetzen. In modifizierter Form legte der Reichskanzler die Deckungsvorlagen mit Zustimmung des Reichspräsidenten als Notverordnungen vor. Für den Fall, daß der Reichstag diese ablehnen würde, hatte er die Auflösungsverfügung des Reichspräsidenten in einer roten Mappe vor sich auf der Regierungsbank liegen[202]. Im Reichskabinett bestand Einverständnis darüber, »daß die Auflösung des Reichstags erfol-

[201] Akten der Reichskanzlei. Die Kabinette Brüning I und II. Bearb. v. Tilman Koops, bisher 2 Bde. Boppard 1982, Bd. 1, S. 321. Zur Entscheidungsbildung vgl.: DDP-Vorstandssitzung vom 10. 7. 1930. In: Linksliberalismus in der Weimarer Republik, S. 554 ff., sowie: Politik und Wirtschaft in der Krise 1930–1932. Quellen zur Ära Brüning. Eingel. v. Gerhard Schulz. Bearb. v. Ilse Maurer und Udo Wengst unter Mitwirkung v. Jürgen Heideking. Teil 1, Düsseldorf 1980, S. 300 ff.

[202] Brüning, Memoiren, Bd. 1, S. 191.

gen müsse, sofern der Reichstag die ihm selbstverständlich unverzüglich vorzulegende Notverordnung aufheben sollte«[203]. Allerdings hatte der Reichskanzler noch am 9. Juli 1930 in der Fraktionssitzung des Zentrums erklärt, er wünsche die Erledigung der Deckungsvorlage auf parlamentarischem Wege und wolle den Artikel 48 nur im Falle des Versagens des Parlaments anwenden, weil die Lage Deutschlands und sein Kredit dadurch entscheidend berührt werde[204]. Reichsfinanzminister Dietrich (DDP) hatte vor der Abstimmung den Reichstag beschworen: »Wir kämpfen nicht darum, den Etat in Ordnung zu bringen, sondern wir kämpfen um die Erhaltung der Arbeitslosenversicherung. Die Frage ist jetzt nachgerade die, ob wir Deutschen ein Haufen von Interessenten oder ein Staatsvolk sind.«[205] Doch konnte der Reichstag in dieser Lage, selbst bei größerer politischer Einsicht, es der Regierung kaum durchgehen lassen, daß sie eine von ihm kurz zuvor abgelehnte Vorlage nur geringfügig verändert als Notverordnung erließ. Das war, so berechtigt die Position der Regierung in der Sache auch sein mochte, nur um den Preis der ausdrücklichen Selbstausschaltung des Parlaments möglich. Also verlangte, wie gesagt, die Mehrheit des Reichstags die Aufhebung der Notverordnung, und daraufhin löste der Reichspräsident den Reichstag auf.

Reichsinnenminister Wirth (Z) rief vor der Abstimmung dem Reichstag zu: »Stürzen Sie diese Regierung oder treiben Sie es zur Auflösung, dann laufen Sie das Risiko, vor der Krise des Parlaments in die Krise des Systems der Demokratie zu geraten.«[206] Diese Prognose erwies sich als allzu berechtigt. Nach dem spektakulären Wahlerfolg der Nationalsozialisten wurde die Mehrheitsbildung im Reichstag noch schwieriger, das Regieren mit Notverordnungen zur Regel. Sicher wäre rechnerisch auch jetzt noch eine Koalition von der bürgerlichen Rechten bis zur SPD möglich gewesen, aber nicht einmal eine Große Koalition von SPD, Zentrum, DDP, DVP und BVP hatte jetzt eine Mehrheit, weitere kleinere Parteien der gemäßigten Rechten hätten hinzutreten müssen. Doch war schon die Große

[203] Sitzung vom 14. Juli 1930: Akten der Reichskanzlei. Die Kabinette Brüning I und II, Bd. 1, S. 315 u. 320.

[204] Die Protokolle der Reichstagsfraktion und des Fraktionsvorstands der Deutschen Zentrumspartei 1926–1933. Bearb. v. Rudolf Morsey. Mainz 1969, S. 466.

[205] Text in: Ursachen und Folgen, Bd. 8, S. 48ff.

[206] Horkenbach, Das Deutsche Reich, S. 315.

Koalition funktionsunfähig gewesen, eine über diese fünf Parteien hinausgehende Regierungsbildung also von vornherein unrealistisch. Der Obstruktionsblock entschieden antiparlamentarischer und antidemokratischer Parteien aus NSDAP und DNVP auf der einen und KPD auf der anderen Seite hatte nun fast 40 Prozent der Mandate inne.

Vier Jahre sollte eine Legislaturperiode des Reichstags betragen. Außer der Nationalversammlung wurde von 1920 bis zum 5. März 1933 acht Mal ein Reichstag gewählt: Nur der erste und der dritte Reichstag brachten es wenigstens auf knapp vier Jahre, der vierte 1928 gewählte blieb etwas über zwei Jahre, der 1930 gewählte weniger als zwei Jahre im Amt; alle anderen Reichsparlamente amtierten noch kürzer, der zweite bestand 1924 nur wenige Monate, desgleichen der sechste und siebte, die am 31. Juli und 6. November 1932 gewählt wurden. Allein schon diese Instabilität demonstriert das abnehmende politische Gewicht des Reichstags. Insofern bedeutete der seit 1930 eintretende Verlust der parlamentarischen Machtstellung nicht bloß eine Reprise der parlamentarischen Ohnmacht von 1922 bis 1924, war auch keineswegs nur Folge einer aktuellen Krise, sondern Konsequenz der Verfassungsentwicklung der zwanziger Jahre. Sie resultierte aus dem Wechselverhältnis von Verfassungsrecht und Verfassungspraxis mit der Parteienentwicklung und war nicht zuletzt Ausdruck einer gesellschaftlichen Fundamentalkrise, die sich in den Wahlergebnissen widerspiegelte. Konnte der Reichstag stabiler, kompromißbereiter und mehrheitsfähiger sein als die Bevölkerung, die ihn wählte? Ein ähnlicher Zusammenhang manifestierte sich im ständigen Wechsel der Reichsregierungen: Sie konnten, solange sie parlamentarisch gebildet wurden, also durch Koalitionsbildung im Reichstag oder doch wenigstens im Einverständnis mit seiner Mehrheit, ihrerseits nicht frei von der problematischen Entwicklung des Reichstags bleiben, vielmehr wirkte sich die parlamentarische Instabilität direkt auf sie aus.

Auch hier lassen allein schon die Zahlen Rückschlüsse zu: von 1919 bis zum Beginn des Jahres 1933 amtierten nicht weniger als zwanzig Reichsregierungen. Die dauerhafteste von ihnen, die Große Koalition des Reichskanzlers Hermann Müller (SPD), brachte es zwischen dem 29. Juni 1928 und dem 30. März 1930 auf eine Amtszeit von 21 Monaten, war aber aufgrund der politischen Gegensätze zwischen den Flügelparteien SPD und DVP nur begrenzt handlungsfähig und lavierte zunächst noch ohne formelle Koalitionsvereinbarung der beteiligten Fraktionen. Alle anderen Regierungen blieben noch kürzere Zeit im Amt, manche nur wenige Monate, die Weimarer Koalitionsregierung unter Hermann Müller im Frühjahr 1920 nicht einmal ein Vierteljahr; die beiden Kabinette Stresemann im Krisenjahr 1923 hatten eine noch kürzere Lebensdauer, das letzte Präsidialkabinett der Weimarer Republik unter Leitung des Generals von Schleicher schließlich überdauerte keine zwei Monate. Auch die Präsidialkabinette waren, sieht man einmal von der insgesamt 26-monatigen Amtszeit Brünings ab, keineswegs langlebiger.

Vergleicht man die Amtsdauer von Reichspräsidenten und Reichsregierungen und Legislaturperioden der Reichstage, dann ist offenkundig, daß die Reichspräsidenten in diesem Machtdreieck den einzigen stabilen Faktor darstellten. Zur verfassungsrechtlichen Machtfülle des Staatsoberhaupts trat die faktische Stärkung seiner Stellung durch die Schwäche der beiden anderen obersten Verfassungsorgane.

Die Dialektik von Verfassungsrecht und politischer Konstellation zeigte sich darin, daß die Verfassung den ideologischen Dogmatikern in den politischen Parteien, die Kompromisse ablehnten, immer einen Ausweg bot. Der Reichspräsident nahm den Parteien die Regierungsbildung nicht nur formal und moderierend, sondern auch materiell ab, wenn sie sich nicht einigen konnten. Ihm blieb in solcher Situation gar nichts anderes übrig. Aber gerade hierin lag das Problem: Die präsidentielle Reserveverfassung erlaubte, ja begünstigte das Ausweichen der Fraktionen – die damals in ungleich stärkerem Maße als heute von Ideologien, Klassenbindungen und Parteiapparaten geprägt wurden – vor konstruktiver Übernahme der politischen Verantwortung. Die Doppelbödigkeit der Verfassung war gewiß nicht die einzige Ursache der mangelnden Funktionsfähigkeit des Parlamentarismus gewesen, aber doch Bedingung für ein verfassungspolitisches Abgleiten in ein praktiziertes, wenn auch nicht offen erklärtes Präsidialsystem. So krankte die Weimarer Republik am stillen Verfassungswandel vom semiparlamentarischen zum präsidentiellen Regierungssystem, ohne daß die dann notwendigen verfassungspolitischen Änderungen – beispielsweise in bezug auf Rechtsstellung und Kompetenzen des Reichstags – erfolgt wären. Die Verfassungspraxis beseitigte also den Zwiespalt der Verfassungsväter zwischen repräsentativ-parlamentarischem Regierungssystem und einer Präsidialverfassung mit plebiszitären Elementen zugunsten einer verkappten Präsidialverfassung.

Die Nationalversammlung hatte aus Furcht vor parteipolitischer Interessenpolitik, aus Furcht auch vor der in einer Demokratie völlig normalen Austragung politischer und gesellschaftlicher Konflikte, die Funktion der Parteien in der Verfassung nicht geregelt. Sie erwähnte die Parteien nur einmal, und zwar negativ. »Die Beamten sind Diener der Gesamtheit, nicht einer Partei.« (Art. 130 der Reichsverfassung) Die große Mehrheit der Nationalversammlung stellte sich den Reichspräsidenten als politisch neutrale Instanz vor, als einen über den Parteien stehenden Schiedsrichter. Ein Staatsoberhaupt kann jedoch nur solange neutral bleiben, als es nicht selbst politische Entscheidungen zu fällen hat. Die Neutralität des Reichspräsidenten erwies sich schnell als Fiktion, wenn sich die Mehrheit des Reichstags durch bloß destruktive Politik um Kompromisse und die Übernahme der Verantwortung für unpopuläre Entscheidungen herumdrückte.

Allerdings hat die von Gustav Radbruch beim Namen genannte »Parteienprüderie«[207], die in der Bevölkerung wohl noch weiter ging als bei den Verfassungsvätern, den Parteien das Leben erheblich erschwert. Übernahmen sie Verantwortung, dann wurden sie häufig genug vom Wähler »bestraft«, betrieben sie eine Republikanisierung der Beamtenschaft, um Verfassungstreue der Verwaltung zu erreichen, dann warf man ihnen parteipolitische Engstirnigkeit und »Bonzentum« vor. Nur allzuviele Deutsche hielten es damals für möglich, auch in einer Demokratie Politik ohne Parteien zu machen. Und insofern korrespondierten Verfassungsrecht, Verfassungspraxis und politische Haltung der Mehrheit der Wähler. Die Verfassungsväter von Weimar hatten kein Verfassungsvolk (Heinrich Potthoff), zumindest blieb der verfassungstreue Teil der Bevölkerung in der Minderheit.

Indes war die Instabilität der Regierungen keineswegs ausschließlich verfassungspolitisch bedingt, sondern sie wurde auch von den massiven Problemen verursacht, mit denen sich die neue Republik von ihrem Beginn an konfrontiert sah: Einige Regierungsstürze waren außenpolitisch motiviert, andere wirtschafts- bzw. sozialpolitisch. Die »Problemlösungskapazi-

[207] Gustav Radbruch, Die politischen Parteien im System des deutschen Verfassungsrechts. In: Gerhard Anschütz, Richard Thoma (Hrsg.), Handbuch des Deutschen Staatsrechts. Bd. 1, Tübingen 1930, S. 285ff.

tät« der Weimarer Demokratie reichte im allgemeinen nicht aus, um ihre gravierenden Belastungen zu bewältigen.

7. Das Ende: Demokratische Republik oder was sonst?

Wie erklärt sich die Diskrepanz zwischen den unter schwierigsten innen- und außenpolitischen Umständen erbrachten Leistungen des Weimarer Staates und seiner von Anfang bis Ende charakteristischen Krisenhaftigkeit? Von Kaiserreich und Krieg überkommene Belastungen und die durch sie betroffene Bevölkerung stellten an den Staat von Weimar außerordentlich hohe Anforderungen.

Das gilt nicht nur für Verfassungsprobleme, sondern auch für alle anderen gesellschaftlichen Sektoren, z. B. für die Sozialpolitik: Seit 1924 kam der Staat hier in die Rolle des Schlichters, die durch Kompromisse hervorgerufene Unzufriedenheit traf den Staat stärker als die Tarifparteien: »Der größere Umfang staatlicher Aktivität, die sehr viel stärkere Politisierung des wirtschaftlich-sozialen Bereichs – so ist die Tarifautonomie seit 1924 in Deutschland faktisch aufgehoben – bewirken, daß der Staat gewissermaßen überbürdet wird, daß man Leistungen verlangt, die er nicht erbringen kann.«[208]

Bereits die Wahl zur Nationalversammlung am 19. Januar 1919 ließ hoffen, die demokratische Republik würde alle Probleme schnell lösen, die demokratischen Parteien erhielten durch diese spontane Reaktion auf Krieg und Revolution einen überwältigenden Vertrauensvorschuß. Die Enttäuschung konnte angesichts der nur langfristig zu bewältigenden erschreckenden Erbschaft kaum ausbleiben, sie fand Ausdruck in der für die demokratischen Parteien der Weimarer Koalition verheerenden Wahl vom 6. Juni 1920. Die Reichspräsidentenwahlen von 1925 bestätigten die Unzufriedenheit mit der Republik und erschienen als stabilisierende Rückwendung zur vorrevolutionären Zeit. Von autoritären Verfassungsumbildungen, die das labile Gleichgewicht zwischen Reichspräsident, Reichsregierung und Reichstag unter der geschilderten Konstellation zuließ, erwartete ein Großteil der Bevölkerung eher eine Lösung

[208] So Gerhard A. Ritter in: Deutschlands Weg in die Diktatur. Hrsg. v. Martin Broszat, u. a. Berlin 1983, S. 92.

der gravierenden Probleme als von mühsamer demokratisch-parlamentarischer Entscheidungsbildung. Die Parteien wurden dadurch unter Zugzwang gesetzt, wie sie andererseits durch ihr oft genug wenig systemkonformes Verhalten die wachsende Abneigung der Bevölkerung gegen die Parteien stimulierten. Die Wahl Hindenburgs 1925 enthielt bereits eine verfassungspolitische Option des Wählers: Den dualistischen Verfassungskompromiß von Weimar deutete diese Wahl zur präsidentiellen Verfassung um und bestätigte damit den in jeder Krise der Republik offenbar werdenden stillen Verfassungswandel. Auch hier blieben verschiedene Wege denkbar, wie die differierende Amtsführung von Ebert und Hindenburg sowie der konträre Symbolgehalt beider Präsidentschaften zeigt. Die Reichskanzlerschaft Brünings zog aus dieser Entwicklung eine gewollte Konsequenz zum Präsidialkabinett, die partiell errungene Unabhängigkeit vom mehr oder weniger handlungsunfähigen Reichstag wurde erkauft durch die Abhängigkeit vom Reichspräsidenten. In ungleich stärkerem Maße als vor 1930 kam es nun auf dessen persönliche Qualitäten an. Und doch handelte es sich nur um die Vertagung der Entscheidung, da weder die parlamentarische Demokratie noch die präsidentiell-autoritäre Regierung wirklich funktionsfähig waren und beiden der Rückhalt der Massen fehlte. In der latent seit 1918/19 fortbestehenden Krise scheiterten beide Alternativen an der Übermacht der Probleme; revolutionärer Dynamik konnten sie immer weniger standhalten, da die Mehrheit der Bevölkerung die Weimarer Verfassungsordnung nicht akzeptierte.

Diese Linien erscheinen heute klarer als damals, das zeigen auch die vielfältigen Forderungen einer Reichsreform. In ihnen verbanden sich sinnvolle Konzepte einer Verwaltungsreform mit der Fixierung auf das Reich-Länder-Problem, in erster Linie auf das Preußen-Problem. Der zwei Drittel des Reiches umfassende Freistaat Preußen erschien als Belastung der politischen Struktur des Reiches, vor allem dann, wenn die parteipolitische Zusammensetzung der Regierungen differierte. Aber es waren nicht die Länder, an denen Weimar scheiterte – auch nicht das übermächtige Preußen, das in seiner parlamentarischen Verfassung, seiner – allerdings unter erheblich leichteren Bedingungen errungenen – relativen politischen Stabilität, mit einer fast dauernden Regierungsbeteiligung der drei Weimarer Koalitionsparteien SPD, Zentrum und DDP, geradezu ein positives Gegenmodell zur Entwicklung auf Reichsebene bot. Bis zu Beginn der dreißiger Jahre konnte Preußen als »Bollwerk der Demokratie« angesehen werden.

Es frappiert, wie stark in den nicht realisierten Konzepten zur Reichsreform das Preußenproblem dominierte und die tatsächlichen verfassungspolitischen Belastungsfaktoren ignoriert wurden oder eine untergeordnete Rolle spielten. Die Reichsreformbestrebungen waren ihrerseits Indiz für die Krise einer Verfassungsordnung, die kaum begründet, schon als reformbedürftig beurteilt wurde, und zwar auch von der politischen Mitte. Die Revolution von 1918/19 hatte keine dauerhafte Akzeptierung der neuen Staats-, Verfassungs- und Gesellschaftsordnung bewirkt. Eine solche Anerkennung bei der Mehrheit der Bevölkerung, ein Verfassungskonsens, aber wäre zur Beendigung der revolutionären Übergangsphase notwendig gewesen. Die tiefgreifende Verunsicherung des Rechtsempfindens, das mangelnde Vertrauen in die neue Legalität zeigten immer wieder, daß die Revolution 1919 nur scheinbar abgeschlossen worden war; sie gärte weiter, in jeder Krise konnte sie wieder aufflammen. Der Staat von Weimar konnte das nicht leisten, was die Deutschen von ihm erwarteten und leistete doch viel mehr, als unter den extremen Bedingungen seiner Existenz bei realistischer Einschätzung erwartet werden konnte. Er blieb in einem spezifischen Sinn eine unvollendete Demokratie.

8. Epilog: Das Ende der Weimarer Demokratie und die nationalsozialistische Revolution von 1933/1934[209]

»Warum habt ihr Hitler nicht verhindert?« Immer wieder stellen jüngere Generationen diese bohrende Frage an ihre Eltern, an die Zeitgenossen von 1933. Immer wieder bleiben auch noch so umsichtige Antworten unbefriedigend. Und in der Tat: Die Frage nach den Ursachen für das Scheitern der Demokratie in Deutschland und die Etablierung der nationalsozialistischen Diktatur bleibt eine zentrale, wenn nicht die Kardinalfrage der deutschen Zeitgeschichte im 20. Jahrhundert. Doch handelt es sich nicht nur um eine Frage an die Forschung, es handelt sich auch um eine eminent politische Frage, eine Aufgabe für die politische Bildung in der

[209] Das folgende Kapitel überarbeitet und gekürzt nach: Horst Möller in: Martin Broszat, Horst Möller, Das Dritte Reich. Herrschaftsstruktur und Geschichte. 2. Aufl. München 1986, S. 9–37.

Gegenwart: Scheitern der Demokratie, Etablierung, Aufstieg und Niederlage der NS-Diktatur und schließlich die Demokratiegründung in Westdeutschland bilden eine Trias, ein politisches Lehrstück für die Nachgeborenen.

In den letzten Jahrzehnten haben intensive Forschungen unsere Kenntnis über die Auflösung der Weimarer Republik und die sogenannte Machtergreifung des Nationalsozialismus ungemein bereichert. Diese Untersuchungen haben gezeigt: einfache Antworten, die der Nichtfachmann von den Historikern häufig erwartet, führen in die Irre. Die Gründe für die Auflösung der Demokratie sind vielfältig, ein komplexes Ursachenbündel muß entwirrt werden. Jedes tiefere Eindringen demonstriert schnell, daß keiner der Gründe, die man als Belastungsfaktoren für die Weimarer Republik ansehen kann, allein ausreichend ist, um ihr Scheitern zu erklären.

Wann scheiterte die Weimarer Republik? Schon diese Frage läßt verschiedene Antworten zu. So ist es möglich, das Ende der Weimarer Demokratie auf den 27. März 1930 zu datieren. Damals wurde die Regierung der Großen Koalition des sozialdemokratischen Reichskanzlers Hermann Müller gestürzt. Seitdem, vom 30. März 1930 bis zum 30. Mai 1932, bestand ein toleriertes Minderheitskabinett des der Zentrumspartei angehörenden Reichskanzlers Heinrich Brüning. Dieses Kabinett war nicht mehr nach den Regeln der parlamentarischen Demokratie gebildet, sondern ein vom Reichspräsidenten abhängiges Präsidialkabinett, aber immerhin handelte es sich um eine Regierung, die vom Reichstag toleriert wurde und toleriert werden wollte. Für ihre Existenz war die Zusammenarbeit mit großen Teilen des Reichstags unerläßlich. Diese parlamentarische Rückbindung galt nicht mehr für das vom 1. Juni 1932 bis zum 2. Dezember 1932 im Amt befindliche Präsidialkabinett von Papen, und es galt ebensowenig für das folgende Kabinett des Generals von Schleicher, das vom 3. Dezember 1932 bis zum 30. Januar 1933 amtierte. Je nach Beurteilungskriterium ist es also möglich, das Ende der Weimarer Republik auf den März 1930 oder aber auch auf den Mai 1932 zu datieren. Andererseits wurde mit Adolf Hitler am 30. Januar 1933 der Führer der mit Abstand stärksten Fraktion des Reichstags zum Reichskanzler ernannt. Die NSDAP hatte damals 196 von 584 Sitzen, die zweitstärkste Fraktion, die SPD, hatte hingegen nur 121 Mandate. Es erscheint paradox, aber die Bildung der Regierung Hitler entsprach eher parlamentarischen Usancen als die Bildung der vorangegangenen Kabinette von Papen und von Schleicher. Trotzdem resultiert hieraus die dritte Möglichkeit, das Ende der Weimarer Republik zu datieren, da zweifellos Hitlers Ernennung der erste entscheidende Schritt zur Etablierung der NS-Diktatur gewesen ist, bekämpfte die NSDAP doch offen die parlamentarische Demokratie. Aber es besteht noch eine vierte Möglichkeit, das Ende der Weimarer Republik zu datieren, und zwar auf den 24. März 1933. Damals beschloß der Deutsche Reichstag das Gesetz zur Behebung der Not von Volk und Staat, das sogenannte Ermächtigungsgesetz, mit dem die Weimarer Verfassung faktisch außer Kraft gesetzt wurde.

Wie immer man die verschiedenen Antworten auf die Frage nach dem Ende der Weimarer Republik beurteilen mag, eines zeigen diese Stationen zweifelsfrei: die Auflösung der Republik ist ein langwieriger Prozeß gewesen. Allerdings würde es in die Irre führen, diesen Prozeß erst mit dem Ende der Regierung Hermann Müller im März 1930 beginnen zu lassen. Vielmehr hat die neuere Forschung immer wieder gezeigt, daß schon vor dem Bruch der Großen Koalition eine krisenhafte Zuspitzung sich abzuzeichnen begann. Die Erklärung der Staats- und Verfassungskrise allein aus der seit 1929 einsetzenden, in Deutschland aber erst verzögert wirksam werdenden Wirtschaftskrise ist nicht stichhaltig. Vielmehr ist festzustellen: Die Wirtschaftskrise verschärfte 1930/31 auch die Verfassungskrise, ist aber nicht deren erste Ursache gewesen. Notwendig ist es, auch die problematische Verfassungsentwicklung der zwanziger Jahre in die Interpretation einzubeziehen. Wie gezeigt worden ist, war aber selbst die stabilste Phase der Republik zwischen 1924 und 1929, die sogenannten »Goldenen Zwanziger Jahre«, unter dem Aspekt der verfassungsgeschichtlichen und politischen Entwicklung keineswegs eine Zeit wirklicher Konsolidierung.

Drei zentrale Fragen bedürfen der Beantwortung:

1. Welche Belastungsfaktoren für die Weimarer Demokratie sieht die heutige Forschung als entscheidend an?

2. Wie war es mit der Stabilität der Weimarer Demokratie tatsächlich bestellt?

3. Welchen Charakter hatte die aufsteigende nationalsozialistische Bewegung? Wie war es möglich, daß sie dem Weimarer Staat so schnell den Todesstoß versetzte?

1. »Versailles und Moskau«: das war die Antwort, die der langjährige preußische Ministerpräsident Otto Braun im erzwungenen Schweizer Exil im Rückblick auf die Frage nach den Ursachen für das Scheitern der Weimarer Republik gegeben hat. Die Forschung hat längst klargestellt, daß eine solche Antwort zu schlicht ist, daß

sie der Komplexität, von der die Rede war, nicht gerecht wird. Trotzdem ist unbestreitbar, daß die beiden Stichworte schwerwiegende Belastungen der Weimarer Republik bezeichnen. Das Stichwort Versailles meinte die außenpolitischen Belastungsfaktoren – meinte die Folgen, die der Friedensvertrag von Versailles für das Deutsche Reich gehabt hat – ein Friedensvertrag, der in allen Kreisen der Bevölkerung und bei allen politischen Parteien als Diktat angesehen worden ist. Außenpolitischer Revisionismus wurde zum beherrschenden Thema der deutschen Innenpolitik der zwanziger Jahre, keine der Weimarer Parteien – auch nicht USPD und KPD – wich vom Ziel einer Revision des Friedensvertrages ab. Die nationalsozialistische Außenpolitik wurde deshalb zumindest bis 1938 keineswegs als singulär empfunden. »Moskau« meinte die Bedrohung durch den Bolschewismus. Allerdings war diese Bedrohung in den zwanziger Jahren nicht außenpolitischer, nicht militärischer Art, sondern resultierte aus der innenpolitischen Feindschaft der Kommunistischen Partei, der radikalen Linken überhaupt, gegen den Weimarer Staat.

Die Weimarer Republik war aus der Kriegsniederlage geboren. Sie wurde in weiten Kreisen der Bevölkerung mit dieser Niederlage identifiziert. Sie trug die Verantwortung für die Folgen eines Krieges, den sie nicht verursacht hatte. Mit der Kriegsniederlage aber war ein Wechsel des Regierungssystems und der Staatsform verbunden, und dieser Wechsel des Regierungssystems widersprach in seinen Grundzügen den bis 1918 üblichen Formen der politischen Entscheidungsbildung: Neben den außenpolitischen trat ein innenpolitischer Revisionismus der Rechtsparteien, die Monarchie und Konstitutionalismus wiederherstellen wollten und buchstäblich reaktionäre politische Zielsetzungen hatten. Zur »linken« Feindschaft gegen die Weimarer Demokratie trat also die »rechte« – trotz ihres wechselseitigen Hasses zeigten beide Bewegungen verwandte totalitäre Züge, waren aufeinander bezogen und wirkten nur zu oft in ihrer Destruktivität zusammen.

Im parlamentarischen Regierungssystem kommt den politischen Parteien eine zentrale Rolle für die politische Willens- und Entscheidungsbildung zu. Die Weimarer Parteien aber, die sich in modifizierter Form aus dem bis 1918 etablierten Parteiensystem entwickelt hatten, konnten nur auf mangelhafte Parlamentarismuserfahrung zurückgreifen. Sie waren Parteien, deren Struktur sich in einem konstitutionellen Regierungssystem herausgebildet hatte und die durch striktes Gegenüber von Parlament und Regierung geprägt waren. Die stärkste Partei, die SPD, litt unter dem dauernden Konflikt zwischen programmatischem Anspruch und Pragmatismus, der Kurs der Partei oszillierte zwischen beiden. Strikter Klassencharakter, enge Interessenpolitik und mangelnde Fähigkeit zum politischen Kompromiß charakterisierten die meisten deutschen Parteien der zwanziger Jahre. Diese Probleme, mit denen die großen Parteien zu kämpfen hatten, wurden verschärft durch die Zersplitterung des Parteiensystems infolge des Verhältniswahlrechts. Die mangelnde Systemkonformität im Sinne des Parlamentarismus führte dazu, daß die politischen Parteien ihre Aufgabe im Reichstag nur zeitweise und dann unvollkommen wahrgenommen haben. Von dieser generellen Einschätzung auszunehmen ist lediglich die Zentrumspartei, deren Stärke und Integrationskraft aus ihrer konfessionellen Ausrichtung erwuchs, doch war diese zugleich ihr größter Mangel, da die Partei als Sprachrohr und Medium des politischen Katholizismus auf den katholischen Bevölkerungsteil beschränkt blieb.

Aufgrund dieser Konstellation des Parteiensystems kann es nicht überraschen, daß sich alle Parteien und alle Bevölkerungsgruppen gegenüber der Republik mehr oder weniger reserviert verhielten. Ihre Vorbehalte resultierten aus den tatsächlichen Problemen nach dem Ende des Krieges, sie resultierten aber auch aus der Unzufriedenheit mit dem Kompromißcharakter der Weimarer Verfassung. Diese Unzufriedenheit ging mit unterschiedlicher Intensität von links bis rechts. Die einen sahen in der Revolution von 1918/19 und in der Weimarer Verfassung die Wurzel allen Übels. Sie wollten den 1918 untergegangenen Staat restaurieren. Den anderen ging die Revolution von 1918/19 nicht weit genug. Sie hatten auf Sozialisierung und auf eine Räteverfassung gehofft und lehnten die Weimarer Republik als halbherzig ab. Sogar die Parteien der Mitte – Sozialdemokraten, Zentrum und Deutsche Demokraten – waren voller Vorbehalte gegenüber der neuen, von ihnen geschaffenen und getragenen Republik. In den Parteien spiegelte sich die Stimmung der Bevölkerung wider. Die wirtschaftlichen Belastungen, von denen die Rede war, führten zu massiven gesellschaftlichen Umschichtungen; so hatte die Inflation von 1922/23 eine Verarmung weiter Schichten des ehemaligen Mittelstandes und schließlich die ökonomische Proletarisierung eines Teils dieser Schicht zur Folge.

Die ökonomischen Probleme der Republik verschärften sich durch ihre psychologischen Auswirkungen. Die dauernde, emotional geführte Diskussion über das Reparationsproblem zeigt diese Wechselwirkung. Bis zum sogenannten Hoover-Moratorium, mit dem 1931 die Zahlungen sistiert wurden, gab es immer wieder Anläufe zu einer definitiven Regelung. Die Konferenz von Lausanne im Juni/Juli 1932 brachte dann das faktische Ende der Reparationszahlungen.

Dieser Erfolg war aufgrund der entscheidenden Vorarbeit des Reichskanzlers Brüning möglich geworden. Sein Nachfolger von Papen konnte dieses Verhandlungsergebnis unberechtigterweise für sich in Anspruch nehmen. Hat einerseits der Staat von Weimar schließlich eine der schwerwiegenden wirtschaftlichen Hypotheken selbst abtragen können – obwohl sich die Wirkung dieses Erfolgs erst nach 1933 zeigte – so ist andererseits zu bedenken, daß zwar die geforderten Reparationen eine ungeheure wirtschaftliche Last gewesen wären, wenn sie gezahlt worden wären. Die tatsächlich erbrachten Leistungen waren jedoch kein ausschlaggebender Grund für die wirtschaftlichen Probleme der Republik. Vielmehr traten die Reparationen zu einer Reihe anderer wirtschaftlicher Schwierigkeiten in den zwanziger Jahren hinzu und verschärften diese; die politische Wirkung des Reparationsproblems erwies sich also als sehr viel nachhaltiger und negativer als die materiell-ökonomische.

Die mit der Inflation 1922/23 einsetzende, auch politisch folgenreiche Vermögensumschichtung wurde in ihrer wirtschaftlichen und gesellschaftlichen Wirkung noch in den Schatten gestellt durch die Folgen der Weltwirtschaftskrise seit 1929/30. »Panik im Mittelstand« (Theodor Geiger) zählte zu den Konsequenzen. Das bekannteste Ergebnis dieser wirtschaftlichen Krise ist die extreme Arbeitslosenzahl, die im Monat Februar 1932 einen erschreckenden Höhepunkt erreichte: Damals blieben 6,128 Millionen Menschen ohne Arbeit. Das war etwa ein Drittel der deutschen Arbeitnehmer. Bedenkt man, daß diese Arbeitslosigkeit noch durch Kurzarbeit verschärft wurde und außerdem auch die Familien der Arbeitslosen unmittelbar in Mitleidenschaft gezogen wurden, dann wird das fatale Ausmaß erkennbar, die psychologisch und politisch grundstürzende Verunsicherung der deutschen Bevölkerung verständlich. Zahlreiche Firmenzusammenbrüche und die Bankenkrise von 1931 demonstrierten, daß die Auswirkungen der Weltwirtschaftskrise in Deutschland sehr viel schärfer waren als in anderen Staaten. Der Schein wirtschaftlicher Blüte seit Mitte der zwanziger Jahre hatte getrogen. Diese wirtschaftliche Blüte war nicht zuletzt mit amerikanischen Krediten erkauft, sie waren kurzfristig gegeben, aber für langfristige Investitionen angelegt worden. Als diese Kredite aufgrund der amerikanischen Wirtschaftskrise und des schwindenden ausländischen Vertrauens in die politische und wirtschaftliche Stabilität des Deutschen Reiches abgezogen wurden, brach ein großer Teil der deutschen Wirtschaft zusammen.

Die hier nur kurz genannten Belastungsfaktoren stehen im Wechselverhältnis mit dem geschilderten institutionellen Rahmen der Weimarer Verfassung. Eine Verfassung – so viel ist zweifelsfrei – reicht allein nicht aus, eine fundamentale Staats- und Gesellschaftskrise zu meistern. Doch von dieser prinzipiellen Unmöglichkeit einmal abgesehen, hatte die Weimarer Verfassung doch ihrerseits so gravierende Mängel, daß sie die Krise eher verschärfte, jedenfalls war die Verfassung nicht dazu geeignet, ihr wenigstens einen verfassungsrechtlichen Damm entgegenzustellen. Allerdings ist zu bedenken, daß die Weimarer Verfassung keineswegs so unvollkommen gewesen ist, daß sie nicht in politischen Normalzeiten hätte recht gut funktionieren können. So hat, allerdings unter anderen historischen und nationalen Voraussetzungen, die verfassungspolitisch ähnliche Struktur der V. Republik in Frankreich seit 1958 geradezu stabilisierend gewirkt, indem sie, freilich konsequenter, die Befugnisse des Präsidenten stärkte.

Die Weimarer Verfassung hätte – auch das muß bedacht werden – sogar in der Krise der Republik ab 1929/30 noch funktionieren können. Der Staat Hitlers war keineswegs zwangsläufig. Allein schon die verhängnisvolle Personenkonstellation, die sich in der Wahl des kaiserlichen Generalfeldmarschalls von Hindenburg 1925 und 1932 zum Reichspräsidenten zeigte, verweist auf die Alternativen: Mit Sicherheit ist davon auszugehen, daß ein Reichspräsident Friedrich Ebert oder der 1925 unterlegene Gegenkandidat, der Zentrumspolitiker Wilhelm Marx, weder von Papen noch von Schleicher noch Hitler zum Reichskanzler ernannt hätte. Die Rolle der Persönlichkeiten am Ende der Weimarer Republik, die Theodor Eschenburg vor Jahren dargestellt hat, ist so bedeutsam, daß dieses individuelle Element in Entscheidungssiutationen ausschlaggebendes Gewicht erlangen konnte. Verhängnisvoll ist – wie dargestellt wurde – vor allem die unausgewogene Mischung repräsentativer, präsidentieller und plebiszitärer Elemente in der Weimarer Verfassungsordnung gewesen. Verfuhr der Reichspräsident konsequent im Sinne der Weimarer Verfassung, durfte er nur eine Persönlichkeit zum Kanzler ernennen, für die zumindest die Vermutung sprach, daß sie das Vertrauen des Reichstags erhalten würde. Die Ernennung des Reichskanzlers von Papen nach dem Sturz Brünings am 30. Mai 1932 wich insofern bereits vom Geist der Verfassung ab, als von vornherein klar war, daß er keine Mehrheit, ja nicht einmal eine starke Minderheit des Reichstages für seine Amtsführung gewinnen würde: Eine von ihm vorgelegte Notverordnung wurde am 12. September 1932 mit 512 gegen 42 Stimmen abgelehnt. Die im Zusammenhang mit dieser vernichtenden parlamentarischen Niederlage des autoritär-konservativen Reichskanzlers durch ihn mit Genehmigung Hindenburgs herbeigeführte Reichstagsauflösung verstieß zweifelsfrei gegen den Sinn der Weimarer Verfassung, wurde doch auf diesem Wege das Recht des Reichstags auf Aufhebung von Notverordnungen umgangen (Art. 48 Abs. 3).

Die Kombination verschiedener Verfassungsartikel (Artikel 25, 53 und 48) ermöglichte es, die schon erwähnte präsidiale Reserveverfassung auf Kosten des parlamentarischen Systems zu praktizieren und den Reichstag sowohl in seiner legislativen wie seiner kontrollierenden Funktion zeitweise außer Gefecht zu setzen.

Die Möglichkeit, eine solche Reserveverfassung zu praktizieren, erlaubte es andererseits den Parteien, sich schon 1930 beim Ende der Großen Koalition dem Kompromißzwang zu entziehen. Der mühsame Weg über parlamentarische Entscheidungsbildung und Kompromiß wurde verlassen. In das Machtvakuum, das seit 1930 Parteien und Reichstag durch Nichtwahrnahme ihrer Kompetenzen ließen, drangen notwendig andere Verfassungsorgane ein.

2. Die Republik von Weimar war von ihrem Anfang bis zu ihrem Ende von Krisen geschüttelt. Die wirtschaftlichen und sozialen Folgen des verlorenen Krieges ließen sich durch Illusionen über ihre tatsächlichen Ursachen nicht beseitigen. Die Deutschen der zwanziger Jahre lebten mit ständigen Krisen: Streiks der Ruhrarbeiter und Kapp-Putsch im Frühjahr 1920, Besetzung des Ruhrgebiets durch Frankreich und galoppierende Inflation 1922/23, innenpolitische Krise mit Ausnahmezustand in Bayern, Sachsen und Thüringen 1923, ständige politische Kämpfe um die verschiedenen Reparationsabkommen – Dawes-Plan 1924, Young-Plan 1929/30 –, permanente Diffamierung der verfassungstreuen Republikaner in SPD, Zentrum und DDP als »Novemberverbrecher«, Erfüllungspolitiker oder Vaterlandsverräter durch Deutschnationale und andere rechtskonservative Gruppen. Die Weimarer Republik kam nicht zur Ruhe, in den nur 14 Jahren ihres Bestehens gab es kaum ein Jahr ohne krisenhafte Zuspitzungen.

Schon 1925 nach dem Tode Friedrich Eberts war es nicht mehr möglich, einen entschiedenen Republikaner zum Reichspräsidenten zu wählen. Bis zum Frühjahr 1929 hatte sich Hindenburg immerhin bemüht, sein Amt verfassungsgemäß zu führen, so daß die demokratischen Parteien in ihm 1932 das letzte Bollwerk der Demokratie sahen, so gering tatsächlich die Chancen waren, mit Hindenburg die Weimarer Demokratie zu retten. Denn 1932 hieß der Gegenkandidat Adolf Hitler und er erreichte am 10. April 1932 im zweiten Wahlgang immerhin 13,41 Millionen Stimmen, während Hindenburg 19,359 Millionen und der KPD-Kandidat Thälmann 3,7 Millionen Wähler hatten. 1932 gab es in der Tat für republiktreue Demokraten zu Hindenburg keine Alternative.

Kein Zweifel also, mit der Stabilität der Weimarer Republik war es nicht weit her. Die Revolution von 1918/19 hat während der gesamten zwanziger und frühen dreißiger Jahre nicht zu einer Etablierung der Demokratie und zur allgemeinen Anerkennung der 1918/19 eingeführten Staats- und Verfassungsordnung geführt. Im Bewußtsein der Mehrheit der Bevölkerung war, wie die Wahlergebnisse zeigen, die neue Ordnung nicht als legal akzeptiert worden. Schon 1919 hatte Ernst Troeltsch die hellsichtige Frage gestellt, wieviel Zeit nötig sei, bis eine neue Rechtsordnung als legitim empfunden werde. Und der Soziologe Theodor Geiger hatte konstatiert: Unter dem »Aspekt des positiven Rechts sind die Träger der Revolution solange ›Verbrecher‹, als es ihnen noch nicht gelang, die neue Machtlage zu legalisieren, von da an wird der Verfechter des ancien régime zum ›Verbrecher‹«[210]. Tatsächlich sah es während der Weimarer Zeit die Mehrheit der Bevölkerung durchaus als legitim an, daß Politiker die durch die Revolution abgelöste Verfassungsordnung verteidigten und die neue Verfassungsordnung nicht akzeptierten: In weiten Kreisen hingegen galten die Gründer der neuen Demokratie als »Novemberverbrecher«. Kein Zweifel, jede neue Rechtsordnung, zumal wenn sie durch eine Revolution etabliert wird, braucht Zeit, damit sie im Bewußtsein der Bevölkerung Wurzeln schlägt, und diese Zeit hatte die Weimarer Republik nicht.

Jede Revolution, wie legitimiert sie immer sein mag, verunsichert das Rechtsempfinden, verunsichert den politischen Bezugsrahmen des Denkens und Handelns der Betroffenen. Gelingt es einer Revolution nicht, ihre konstruktiven Elemente in der Mehrheit der Bevölkerung durchzusetzen, dann gewinnen die jeder Revolution innewohnenden destruktiven Züge um so größeres Gewicht. Die Unsicherheit über Verfassung und Recht wächst, ihre Normativität

[210] Theodor Geiger, Revolution. In: Handwörterbuch der Soziologie. Hrsg. v. Alfred Vierkandt, Stuttgart 1931, S. 512.

wird ständig in Zweifel gezogen. Unter diesem Aspekt ist die Geschichte von 1918/19, das Selbstverständnis der Revolutionäre, die publizistische, wissenschaftliche, vor allem aber die mentale Rezeption in der Bevölkerung ein Prozeß, der den Beginn der Republik und ihr Ende in einen revolutionsgeschichtlichen Bedingungszusammenhang stellt, einen Zusammenhang, der mehrdimensionaler ist als die Interpretation der NS-Machtergreifung als Antwort auf die bolschewistische Revolution von 1917 und die deutsche Revolution von 1918/19 (Ernst Nolte).

3. Die tatsächliche Beendigung der 1918 begonnenen Revolution hätte zumindest die dauerhafte Anerkennung der Staats- und Verfassungsordnung zur Konsequenz haben müssen. Tatsächlich aber wurde während der gesamten Weimarer Republik kein bejahender Grundkonsens über die neue Ordnung von Staat und Gesellschaft erreicht. Die Unzufriedenheit der Linken und die Demagogie der Rechten, wie es Ernst Troeltsch ausgedrückt hat, konnten ihre Wirkung nur tun, weil auch die politische Mitte, auch die drei Weimarer Parteien die neue Republik oft nur halbherzig verteidigten, so groß die Verdienste von Sozialdemokraten, Zentrumspolitikern und Deutschen Demokraten um den Staat von Weimar auch waren.

Unter diesem Aspekt rückt die fundamentale Instabilität, die die Weimarer Republik von Beginn prägte, in ein neues Licht. Mutlosen Demokraten standen extremistische Feinde der Demokratie gegenüber, Feinde, die die Republikaner nicht als politische Gegner bekämpfen, sondern als Feinde physisch vernichten wollten. Diese Einschätzung gilt sowohl für die KPD als auch für große Teile der DNVP und andere Gruppen der extremen Rechten, gilt vor allem für die NSDAP. Das politische Klima der Weimarer Republik wurde zunehmend durch politische Feindschaften bestimmt.

Konzentrierte sich die Weimarer Politik nicht auf die Bewältigung aktueller Krisen oder auf Regierungskrisen, so diskutierte sie ständig Reformkonzepte. Auch diese Reformkonzepte sind ein Indiz für die Instabilität der Republik. Neben den Überlegungen zu einer Reichtsreform, neben den Vorschlägen zur Lösung des Preußenproblems standen ab 1930/31 zunehmend Versuche, die Krise der Republik mit Hilfe halbautoritärer bzw. seit 1932 autoritärer Staatsvorstellungen zu meistern. Nicht wenige Politiker auch außerhalb der beiden extremistischen Lager haben die Krise als einen Motor benutzt, um eine autoritär-ständische bzw. konstitutionalistische Rückbildung der Staats- und Gesellschaftsverfassung durchzusetzen. Bis in die Reihen der Weimarer Parteien hinein war das Bewußtsein verbreitet, so wie bisher könne es politisch nicht weitergehen. Am Ende der Republik gab ihr kaum jemand eine Chance. Seit dem Ende der Großen Koalition im März 1930 ging es kaum noch darum, die verfassungsrechtliche Grundstruktur des Weimarer Staates zu erhalten. Vielmehr lautete die Kernfrage: Wie kann die Republik reformiert werden bzw. was ist von ihr erhaltenswürdig und erhaltensfähig?

Diese Konstellation bietet einen Schlüssel zum Verständnis des nationalsozialistischen Erfolgs, der meist übersehen wird: Der nationalsozialistische Ansturm auf die Republik, der von einem sich zunehmend ausweitenden Massenanhang getragen wurde, zählte für viele Zeitgenossen zu den zahlreichen Alternativen, die die nur zu offensichtlichen Funktionsmängel der Weimarer Demokratie provozierten. So wie die Republik selbst war auch ihr spätestes Produkt, die NSDAP, aus der Krise geboren und versprach Krisenlösungen. Die Krisenlösungskapazität des Weimarer Staates aber wurde zunehmend geringer, die seit 1930 sich faktisch vollziehende Stärkung des Reichspräsidenten auf Kosten eines zunehmend kompromißunfähigen und damit handlungsunfähigen Reichstags machte aus dem Weimarer »Semi-Parlamentarismus« bereits seit 1930 ein präsidentielles Regierungssystem. Dieser Verfassungswandel wurde bis in die Parteien der Mitte hinein begrüßt, die Sozialdemokraten – nahezu die einzige große demokratische Partei, die diese Verlagerung der politischen Macht auf den Reichspräsidenten strikt ablehnte – konnten gegen diesen stillen Verfassungswandel keinen Damm mehr bilden, zumal sie sich 1930 – auch durch eigene Schuld – aus der Regierung katapultieren ließen.

Unter denjenigen politischen Gruppierungen, die seit 1930 einen Weg aus der Krise zu weisen versuchten, waren aber die restaurativen, die im politischen Sinne reaktionären Parteien keineswegs die stärksten – bloße Restauration der konstitutionellen Monarchie und der sie tragenden Gesellschaftsverfassung hatte während der Weimarer Zeit nie eine wirkliche Chance. So sehr diese gegenrevolutionäre Politik nach Art von Papens oder Hugenbergs auch zum Untergang der Demokratie beitrug, sie war lediglich destruktiv. In der latent fortbestehenden revolutionären Verunsicherung seit 1919 lagen die größten Chancen bei einer politischen »Bewegung«, die sich bereits durch diese Bezeichnung vom ungeliebten Weimarer Parteienstaat abzuheben suchte. Diese »Bewegung« des Nationalsozialismus versprach statt pluralistischer Interessen und Parteienzerklüftung Integration, sie stiftete neue integrierende Identifikationsmuster für die Einheit eines aus der sinnstiftenden »Burgfriedenspolitik« und ihren Illusionen 1918 jäh herausgerissenen und dadurch buchstäblich zerrissenen Volkes. Eine solche Feststellung besagt keineswegs, daß diese Art Sinnstiftung positiv zu bewerten ist, zumal sie von Ressentiments, Feindbildern, Klischees nur so wimmelte, sie besagt lediglich: weite Kreise der Bevölkerung haben in dieser historischen Konstellation das ideologische Angebot des Nationalsozialismus als positiv empfunden. Und dies gilt vor allem für die damals junge Generation, die die Weimarer Republik zu keinem Zeitpunkt zu fesseln vermochte. Diese Generation, auch das muß berücksichtigt werden, besaß geringe berufliche, gesellschaftliche und ökonomische Chancen: Sie war in weitem Umfang sozial entwurzelt und sah sich um ihre Zukunftschancen betrogen.

In ein schlichtes Links-Rechts-Schema ist die NSDAP nicht einzuordnen. Der Aufstieg des Nationalsozialismus bedeutete in formaler wie auch in inhaltlicher Hinsicht, trotz vieler Anachronismen, trotz vieler reaktionärer Vorstellungen, den Sieg des Neuen über das Alte.

Der Nationalsozialismus versprach die Zukunft, sein revolutionärer Charakter liegt nicht zuletzt darin, daß er eine Zukunftsperspektive suggerierte – eine Zukunftsperspektive, die die Revolutionäre von 1918/19 nicht versprechen konnten. Schon 1931 hatte Hans Freyer sein Buch ›Revolution von rechts‹ mit den Sätzen eingeleitet: »Eine neue Front formiert sich auf den Schlachtfeldern der bürgerlichen Gesellschaft: die Revolution von rechts. Mit der magnetischen Kraft, die dem Losungswort der Zukunft innewohnt, ehe es ausgesprochen wird, zieht sie aus allen Lagern die härtesten, die wachsten, die gegenwärtigsten Menschen in ihre Reihen. Noch sammelt sie nur, aber sie wird schlagen. Sie wird die alten Parteien, ihre festgefahrenen Programme und ihre verstaubten Ideologien übergreifen«[211]. Diese »Konservativen Revolutionäre« nach Art Freyers waren nicht identisch mit den Nationalsozialisten – dazu waren erstere zu intellektuell und zu elitär – aber ihre Feindbilder wie ihre Aufbruchstimmung waren verwandt. Vor allem aber bereiteten die »Konservativen Revolutionäre« intellektuell den Boden dafür, das Zukunftspathos des Nationalsozialismus ohne Freiheitspathos zu verwirklichen, Freiheitspathos zeichnete hingegen die »klassischen Revolutionen« von 1789 bis 1918 aus – gleich ob es realisiert wurde oder nicht. Darin lag das Charakteristikum rechter

[211] Hans Freyer, Revolution von rechts. Jena 1931, S. 5.

Revolutionäre und der Nationalsozialisten, darin unterschieden sie sich von den linken Revolutionären, deren menschen- und naturrechtliches Selbstverständnis dem Begriff der Revolution bis heute einen ethischen Anspruch vermittelte – so wenig dieser auch für die praktische Politik bestimmend wurde. Daß dem Nationalsozialismus diese ethische Komponente fehlte, daß er zu jeder Barbarei willens war, schließlich in Ideologie und Praxis eine Dikatur von nicht gekannter Brutalität realisierte, das hat damals wie heute viele Historiker daran gehindert, den Begriff Revolution auf die Nationalsozialisten anzuwenden.

Tatsächlich aber ist der Nationalsozialismus, ist die sogenannte NS-Machtergreifung revolutionär gewesen. Dies gilt für Intention, Verlauf und Wirkung. »Die Geschichte des Nationalsozialismus sei die Geschichte seiner Unterschätzung gewesen«, hat Karl Dietrich Bracher vor einigen Jahren konstatiert[212]. Zu dieser Unterschätzung des Nationalsozialismus gehört bis heute auch die Leugnung seines revolutionären Charakters, der sich bereits während der Machtergreifung zeigte. Folgende Gesichtspunkte sind für die Anwendung des historisch-soziologischen Revolutionsbegriffs – der ein Formalbegriff und kein Wertbegriff ist – auf die NS-Machtergreifung maßgebend:

Die NS-Machtergreifung zerstörte das bis dahin gültige Rechts- und Verfassungssystem. Aber zu gleicher Zeit baute sie Zug um Zug mit den destruktiven Akten eine der Zielsetzung nach totalitäre Diktatur auf, sie schuf Ämter und Organisationen, die die Durchsetzung der totalitären Ziele bewirken sollten, mit Hilfe eines Stellenschubs brachte sie eine neue NS-Herrschaftselite in die entscheidenden Führungsstellen und löste damit in einem erheblichen Ausmaß die Weimarer Führungsschicht und auch die Reste der alten, aus dem Kaiserreich überkommenen Machteliten ab.

Der allmählichen Auflösung und Desintegration des Weimarer Verfassungs- und Gesellschaftssystems korrelierte der Aufstieg des Nationalsozialismus. Ohne diese zunehmende Instabilität und Desintegration von Staat und Gesellschaft der Weimarer Republik wäre der Nationalsozialismus undenkbar. Die Ideologisierung, Polarisierung und Politisierung aller gesellschaftlichen Sektoren, die jede Revolution charakterisieren, sind auch für den Nationalsozialismus kennzeichnend gewesen. Das gilt, soweit die Machtmittel der Partei bzw. der Untergliederung reichten, auch schon für die

[212] Vgl. insges. Karl Dietrich Bracher, Tradition und Revolution im Nationalsozialismus. In: Ders., Zeitgeschichtliche Kontroversen. München 1970, S. 62–78.

ausgehenden zwanziger und beginnenden dreißiger Jahre. Die politische Polarisierung, die Freund-Feind-Alternative Carl Schmitts, mit der die ideologische Legitimation zur physischen Vernichtung der Andersdenkenden gegeben wurde, kennzeichnete schon das politische Klima der zwanziger Jahre, die NSDAP hat hier auf eine unvorstellbare Weise verschärfend gewirkt.

Alle Revolutionen sind gekennzeichnet durch einen dramatischen Kampf um Herrschaftspositionen[213]. Solch ein Kampf charakterisiert auch die NS-Machtergreifung: Er beginnt mit dem Tauziehen um die einflußreichen Ministerämter, wurde fortgeführt durch die Ausbootung der ehemaligen Koalitionspartner der Deutschnationalen und einiger Konservativer, und erreichte seinen Höhepunkt in der allmählichen Entmachtung der Verfassungsorgane, die die Weimarer Republik trugen. Nach dem erfolgreichen Umsturz versucht jede Revolution, die Entwicklung von relativ ungeplanten Aktionen, auch solchen radikaler Revolutionäre von unten, in eine geplante Veränderung des Herrschafts- und Gesellschaftssystems zu überführen. Auch dieses Charakteristikum gilt für die NS-Machtergreifung. Im Unterschied zum anfänglichen radikalen Bruch in der Umsturzphase, dominiert nach dem erfolgreichen Umsturz der geplante Aufbau eines ideologischen Alternativsystems, dominiert langfristiger Wandel.

Historisch-soziologische Revolutionsmodelle sind durch formale Definitionskriterien bestimmt, nicht durch inhaltliche Prämissen. Dieses Mißverständnis macht es so schwierig, den Begriff Revolution auf die NS-Machtergreifung anzuwenden. Anders als der Laie häufig meint, handelt es sich dabei nicht um Begriffsspielerei. Tatsächlich begreift man ein historisches Phänomen nur, wenn man ihm den angemessenen Begriff gibt. Die korrekte Einordnung eines historischen Phänomens aber ist auf solche Begriffe angewiesen. Es handelt sich bei dieser Diskussion also um einen unverzichtbaren Teil des historischen Erkenntnisprozesses.

Die Frage aber, ob die NS-Machtergreifung eine Revolution gewesen ist, hat noch eine andere Dimension, nämlich eine juristische. Revolutionen sind immer illegal, setzen sie doch bestehendes Recht außer Kraft. Eine Außerkraftsetzung bestehenden Rechts ist dann revolutionär, wenn sie sich nicht in legalen Formen, nämlich in den verfassungsmäßigen Beratungsprozeduren, vollzieht. Unter diesem Gesichtspunkt hat man immer wieder die Meinung vertre-

[213] Vgl. insgesamt Horst Möller, Die nationalsozialistische Machtergreifung. Konterrevolution oder Revolution? In: VfZ 31 (1983), S. 25–51.

ten, die NS-Machtergreifung sei legal erfolgt, und gerade diese Legalität habe die Machtübernahme durch die Nationalsozialisten erleichtert. Nun ist es keine Frage, daß die Legalitätstaktik, die Hitler schon am Ende der Weimarer Republik verfolgt hatte und mit der er beim Leipziger Reichswehrprozeß am 25. September 1930 propagandistischen Erfolg erzielte, die Etablierung der Diktatur erleichtert hat. Wenn man auch nicht von Legalität der Machtergreifung sprechen kann, so kann man doch, wie es Josef Isensee ausgedrückt hat, von einem »Legalitätseffekt« der NS-Machtergreifung sprechen. Diese politische Wirkung der Legalitätstaktik ist unbestreitbar. Bestreitbar aber ist, daß die NS-Machtergreifung legal im Sinne der Weimarer Verfassungsordnung erfolgt und aufgrund dieser vermeintlichen Legalität keine Revolution gewesen sei. Tatsächlich aber ist die Etablierung der NS-Diktatur durch eine ganze Reihe von Gesetzesverstößen gekennzeichnet. Nach der noch legal erfolgenden Ernennung Hitlers zum Reichskanzler brachte bereits die Reichstagsbrandverordnung vom 28. Februar 1933 den ersten schweren Gesetzesverstoß. Auf der Grundlage dieser Notverordnung wurde bald darauf das rechtsstaatliche Prinzip des »nulla poena sine lege« außer Kraft gesetzt. Seither war es möglich, Straftaten nach Gesetzen zu ahnden und ein Strafmaß nach Gesetzen zu verhängen, die zum Zeitpunkt der Tat nicht bestanden. Eine ganze Reihe von Grundrechten wurde durch die Reichstagsbrandverordnung außer Kraft gesetzt. Bis zum 5. März 1933 – dem Tag, an dem die letzte, vergleichsweise freie Reichstagswahl stattfand, bestimmte Straßenterror die Szene. Die Wirkung, die dieser Terror auf das Wahlergebnis hatte, ist schwer abzuschätzen. Genau bestimmbar hingegen ist der Verfassungsverstoß, der nach dem Zusammentreten des Reichstages durch die NS-Machthaber begangen wurde. 81 KPD-Abgeordnete und einige SPD-Abgeordnete wurden verhaftet. Sie wurden an der Ausübung ihres Mandats gehindert: Diese Verhaftung verstieß gegen das durch die Verfassung garantierte Immunitätsrecht der Reichstagsabgeordneten. Damit aber war die Versammlung, die am 23. März 1933 das sogenannte Ermächtigungsgesetz verabschiedete[214], nicht legal im Sinne der Weimarer Verfassung zusammengesetzt.

Gemäß Art. 5 des Ermächtigungsgesetzes mußte dieses außer Kraft treten, wenn die gegenwärtige Reichsregierung durch eine andere abgelöst wurde. Das Ausscheiden des wichtigsten Koali-

[214] Alle Texte jetzt in: Rudolf Morsey (Hrsg.), Das »Ermächtigungsgesetz« vom 24. März 1933. Düsseldorf 1992, sowie Josef und Ruth Becker, Hitlers Machtergreifung. 2 erg. Aufl. München 1992 (dtv dokumente).

tionspartners Hugenberg wäre ein solcher Grund für die Außerkraftsetzung des Ermächtigungsgesetzes gewesen. Aber es gibt eine ganze Reihe noch schwerwiegenderer Verstöße, die belegen, daß das Ermächtigungsgesetz, das nicht legal zustande gekommen ist, auch nicht legal angewandt wurde. Gemäß dem Wortlaut des Gesetzes durften die von der Regierung erlassenen Reichsgesetze nicht die Einrichtung des Reichstags oder des Reichsrats als solche zum Gegenstand haben. Die Rechte des Reichspräsidenten mußten unberührt bleiben. Tatsächlich aber ist der Reichsrat am 14. 2. 1934 aufgehoben worden und damit das Ermächtigungsgesetz auch formell gebrochen worden. Dem Sinn nach war allerdings die Institution des Reichsrats bereits seit Frühjahr 1933 durch Auflösung der Länder ihres verfassungspolitischen Sinns beraubt worden. Der Reichsrat hatte also keine der Weimarer Verfassung entsprechende Funktion mehr.

Nach dem Tode Hindenburgs wurde am 2. August 1934 das Reichspräsidentenamt mit dem des Reichskanzlers zusammengelegt. Diese Einführung eines neuen Amtes des »Führers und Reichskanzlers« bedeutete eine zumindest höchst fragwürdige Auslegung des Ermächtigungsgesetzes, legte es doch ausdrücklich die Sicherung der Kompetenzen des Reichspräsidenten fest. Eine solche Kompetenzwahrung für den Reichspräsidenten aber konnte nur sinnvoll sein, wenn er als selbständiges Verfassungsorgan bestehenblieb. Gerade das aber setzt die Nennung der Verfassungsorgane im Art. 2 des Ermächtigungsgesetzes voraus.

Kein Zweifel also, die wichtigsten Stationen in der Etablierung der NS-Diktatur sind nicht legal, sondern revolutionär. Daß sich die NS-Machthaber immer wieder den Anstrich der Legalität zu geben verstanden, besagt tatsächlich nicht, daß es sich um legale Akte handelte, so wenig wie die späteren Plebiszite zugunsten des Regimes besagten, daß 99 Prozent der Bevölkerung hinter der NSDAP-Führung standen.

Zwischen dem 30. Januar 1933 und dem 2. August 1934 wurden alle wesentlichen Verordnungen erlassen, die die NS-Diktatur etabliert haben. Dazu gehörte die sogenannte Gleichschaltung der Länder am 31. März und 7. April 1933, gehörte das sogenannte Gesetz zur Wiederherstellung des Berufsbeamtentums, mit dessen Hilfe Deutsche jüdischer Herkunft oder jüdischen Bekenntnisses sowie politische Gegner von Beamtenstellen ausgeschlossen werden konnten, gehörte schließlich die Auflösung der Gewerkschaften am 2. Mai sowie im Juni und Juli die Selbstauflösung aller Parteien mit Ausnahme der NSDAP. Das Gesetz gegen die Neubildung von Parteien am 14. Juli 1933 besiegelte den Ein-Parteien-Staat. Die Bildung einer Reihe neuer Ämter, die Verquickung von Partei- und Staatsämtern, der Versuch schließlich, die gesamte Bevölkerung in Organisationen der NSDAP zu erfassen, die Etablierung eines Terror-Regimes mit Gestapo und Sondergerichten, wie dem Volksgerichtshof, der am 24. April 1934 gebildet wurde: das waren nur einige der Stationen bei der Etablierung der Diktatur. Von nicht zu übersehender Bedeutung war die Beseitigung einer potentiellen Parteiopposition um den SA-Führer Ernst Röhm am 30. Juni 1934, mit dem eine mögliche Revolution von unten (Martin Broszat), eine Radikalisierung und ungeplante revolutionäre Akte verhindert wurden. Mit dieser Ausschaltung der SA versicherte sich die NS-Führung definitiv der Mitarbeit der Reichswehr, die in Röhms Parteiarmee eine Konkurrenz erblickt hatte. Auch solch innerparteilicher Machtkampf mit der blutigen Ausrottung wirklicher oder vermeintlicher Gegner findet sich in dieser oder ähnlicher Form in den meisten Revolutionen.

Bei der NS-Revolution handelt es sich also um einen langgestreckten Prozeß mit einer ganzen Reihe einzelner revolutionärer Höhepunkte, die diktaturbegründende Wirkung hatten. Dieser Prozeß dauerte vom 30. Januar 1933 bis zum 2. August 1934.

Mit der festen Etablierung der NS-Diktatur, die gerade in den Anfangsjahren des Regimes aufgrund tatsächlicher oder scheinbarer wirtschaftlicher, politischer und gesellschaftlicher Erfolge zunehmende Anerkennung in der Bevölkerung fand, wurde die revolutionäre Verunsicherung, die mit der Revolution von 1918/19 begonnen hatte und die die Ablösung der alten Führungsschichten, die dort ebenfalls begonnen hatte, einstweilen beendet. Die NS-Revolution von 1933/34 stellt so den Höhe- und Wendepunkt einer revolutionären Epoche dar, die tatsächlich von 1918 bis zur Niederlage des NS-Regimes 1945 gedauert hat. Dabei hat der von der NS-Diktatur angestrebte und schließlich realisierte Krieg die mit der Revolution von 1933/34 eingeleitete soziale Revolution abgeschlossen. Das Ergebnis dieser sozialen Revolution ist über weite Strecken eine gesellschaftliche Modernisierung gewesen, sie ging einher mit einer Ablösung sämtlicher alten Machteliten, gerade auch der Machteliten der Monarchie. Nach sozialer Herkunft, Bildungsstand, beruflicher Laufbahn, kurz: nach sozialem Status und Lebensalter war die NS-Führungsschicht, die 1933/34 an die Macht kam, nicht mehr identisch mit der Führungsschicht von vor 1918 und auch nur noch in geringem Maße identisch mit der Führungsschicht von 1918/19. Die Aufstiegsmöglichkeiten in dieser Parteielite richteten sich nicht nach sozialer Herkunft, akademischer Bildung oder verwaltungsjuristischem Berufsweg. Dieser Führungswechsel ging mit einem Generationswandel großen Ausmaßes einher – die NS-Revolution war über weite Strecken eine Revolution der jungen Generation. Erst die NS-Revolution hat es vermocht, die junge Generation und die unteren Schichten in die Führung einzubeziehen, ihnen Aufstiegsmöglichkeiten zu eröffnen: Diese gesellschaftliche, politische und beruflich-ökonomische Perspektive erwies sich schon wenige Jahre später, also zweifellos mit Beginn des Zweiten Weltkriegs als Scheinperspektive, als katastrophaler Irrweg – doch diese spätere historische Erfahrung war nur sehr wenigen 1933 auf prophetische Weise klar.

Die tatsächliche Hierarchisierung, die Einführung des Führerprinzips in allen gesellschaftlichen Bereichen, war eine Hierarchisierung, die nichts zu tun hatte mit der überkommenen Sozialstruktur. Insofern hat die NS-Revolution trotz ihres antiliberalen und antidemokratischen Charakters soziale Attraktivität gerade für diejenigen Schichten besessen, die bis dahin entweder von der Führung ausgeschlossen waren oder die aufgrund ihrer technologischen Innovationsfähigkeit im NS-Regime große Chancen sahen. Der anti-bürgerliche, der anti-kapitalistische Charakter des Regimes war unübersehbar, zugleich bestimmten vielerlei reaktionäre und antimodernistische Zielsetzungen häufig das äußere Erscheinungsbild der NSDAP und des NS-Staates. Tatsächlich aber stehen sie einer Volksgemeinschaftsideologie gegenüber, die zusammen mit zahlreichen sozialpolitischen Einzelmaßnahmen zu einem totalen Herrschaftsanspruch der NSDAP über Staat und Gesellschaft sowie einer tendenziell totalen Einbindung des einzelnen führte. Der politischen Prägekraft der alten Gesellschaftsverfassung wurde so der Boden entzogen.

Bezieht man den Krieg mit seiner Mobilisierung der Massen, mit seiner Modernisierung auch des Heeres und seiner sozialen Führungsstruktur, schließlich die durch ihn ausgelösten massenhaften Bevölkerungsverschiebungen in Mitteleuropa in die Überlegung ein, dann ist die Wirkung der NS-Diktatur revolutionärer kaum vorstellbar. Die Welt, die nach ihrer Niederlage zurückblieb, war in jeder Hinsicht »total« verwandelt. Die revolutionierende Wirkung der NS-Diktatur ist an der Außenpolitik und den internationalen Beziehungen nach 1945 ebenso erkennbar wie an der inneren Struktur der deutschen Gesellschaftsordnung der Nachkriegszeit. Gerade die gesellschaftliche Modernisierungswirkung erscheint über weite Strecken ungewollt und paradox, aber sie existiert. Daneben stand die geplante Zerstörung der bürgerlichen Staats-, Gesellschafts- und Rechtsordnung, die durch den Aufbau einer »Volksgemeinschaft« abgelöst werden sollte. In ihr sollte die rassistisch und politisch verstandene »Utopie der Menschenzüchtung« realisiert, »Lebensraum« in Osteuropa erobert und das europäische Staatensystem, wie es sich seit Ende des Ersten Weltkriegs entwikkelt hatte, beseitigt werden: »Rassereines germanisches Menschenmaterial als arische Herrenrasse in Europa«. Vorstellungen dieser Art hatten mit dem gemeineuropäischen Imperialismus vor und im Ersten Weltkrieg – und auch mit den bis dahin in vielen Staaten anzutreffenden Formen des Antisemitismus – nichts mehr zu tun. Die durch die NS-Diktatur bewirkte Barbarisierung aber setzte die schon erwähnte fundamentale Erschütterung des rechtlichen und moralischen Empfindens, den Zerfall der Werte durch Weltkriege und Revolutionen im 20. Jahrhundert voraus.

Die 1918/19 eingeleitete revolutionäre Instabilität wurde also 1933/34 nur scheinbar in wirkliche Stabilität transformiert. Tatsächlich bestand auch jetzt noch die revolutionäre Situation fort bis an das Ende der NS-Diktatur. Aber in der revolutionären Epoche von 1918 bis 1945 war die Etablierung der NS-Diktatur 1933/34 der entscheidende revolutionäre Akt.

Diese Überlegungen legen die Anwendung des Revolutionsbegriffs nahe. Er ist besser geeignet, die Ungeheuerlichkeit, die totale Herausforderung für Humanität, Liberalität und Demokratie, die die NS-Diktatur bedeutete, angemessen zu erfassen, als der vergleichsweise harmlose Terminus »Machtergreifung«.

Der Begriff Revolution faßt im übrigen genauer die Dialektik von populärer Massenbewegung 1930–1933 und Machteroberung durch die NS-Führung 1933. Die Ernennung Hitlers zum Reichskanzler setzte die Massenhaftigkeit der NS-Bewegung voraus. Ihr Anhang war während der Endphase der Republik erheblich größer, als der aller anderen deutschen Parteien bis dahin gewesen war, und wuchs nach 1933 für einige Jahre vermutlich noch an. Bemerkenswert ist nicht – wie häufig suggeriert wird –, daß Hitler in freien Wahlen nie die absolute Mehrheit erreichte, sondern daß er in den Reichstagswahlen 1932/33 mehr als doppelt so viele Mandate erzielte wie die danach zweitstärkste Partei, die SPD, und ein Mehrfaches gegenüber den anderen Parteien. Von einer bloßen »Revolution von oben« kann also keine Rede sein, vielmehr ist die NS-Revolution – wie die meisten anderen Revolutionen auch – durch Wechselwirkung revolutionärer Schübe von oben und unten, von Führung und Massenbewegung charakterisiert; in der entscheidenden Phase von Januar bis März 1933 stellte zwar die Führung die Weichen, aber Straßenterror und Massenbewegung waren ihr unentbehrlich, auf das Plebiszit der Reichtstagswahl vom 5. März 1933 blieb auch der Reichskanzler Hitler noch angewiesen. Der 30. Januar fand am 5. März seine Bestätigung, die Mehrheit der Wähler bestätigte die »Regierung der nationalen Erhebung« von Deutschnationalen und Nationalsozialisten, die kommende Diktatur wurde plebiszitär legitimiert.

1. Philipp Scheidemann ruft die Republik aus. 9. November 1918

Das deutsche Volk hat auf der ganzen Linie gesiegt. Das alte Morsche ist zusammengebrochen; der Militarismus ist erledigt! Die Hohenzollern haben abgedankt! Es lebe die deutsche Republik! Der Abgeordnete Ebert ist zum Reichskanzler ausgerufen worden. Ebert ist damit beauftragt worden, eine neue Regierung zusammenzustellen. Dieser Regierung werden alle sozialistischen Parteien angehören. Jetzt besteht unsere Aufgabe darin, diesen glänzenden Sieg, diesen vollen Sieg des deutschen Volkes nicht beschmutzen zu lassen, und deshalb bitte ich Sie, sorgen Sie dafür, daß keine Störung der Sicherheit eintrete! Wir müssen stolz sein können, in alle Zukunft auf diesen Tag! Nichts darf existieren, was man uns später wird vorwerfen können! Ruhe, Ordnung und Sicherheit, das ist das, was wir jetzt brauchen! Dem Oberkommandierenden in den Marken und dem Kriegsminister Scheüch werden je ein Beauftragter beigegeben. Der Abgeordnete Genosse Göhre wird alle Verordnungen des Kriegsministers Scheüch gegenzeichnen. Also gilt es von jetzt ab, die Verfügungen, die unterzeichnet sind von Ebert, und die Kundmachungen, die gezeichnet sind mit den Namen Göhre und Scheüch, zu respektieren. Sorgen Sie dafür, daß die neue deutsche Republik, die wir errichten werden, nicht durch irgend etwas gefährdet werde! Es lebe die deutsche Republik!

Quelle: Die deutsche Revolution 1918/19. Dokumente. Hrsg. von Susanne Miller und Gerhard A. Ritter. 2. Aufl. Hamburg 1975, S. 77.

2. Karl Liebknecht proklamiert die sozialistische Republik. 9. November 1918

»Der Tag der Revolution ist gekommen. Wir haben den Frieden erzwungen. Der Friede ist in diesem Augenblick geschlossen. Das Alte ist nicht mehr. Die Herrschaft der Hohenzollern, die in diesem Schloß jahrhundertelang gewohnt haben, ist vorüber.

In dieser Stunde proklamieren wir die freie sozialistische Republik Deutschland. Wir grüßen unsere russischen Brüder, die vor vier Tagen schmählich davongejagt worden sind.« Liebknecht wies dann auf das Hauptportal des Schlosses und rief mit erhobener Stimme: »Durch dieses Tor wird die neue sozialistische Freiheit der Arbeiter und Soldaten einziehen. Wir wollen an der Stelle, wo die Kaiserstandarte wehte, die rote Fahne der freien Republik Deutschland hissen!«

Die Soldaten der Schloßwache, die auf dem Dach sichtbar waren, schwenkten die Helme und grüßten zur Menge herab, die auf das Tor zudrängte. Es wurde langsam geöffnet, um dem Automobil Liebknechts Einlaß zu gewähren. Die Menge wurde davon zurückgehalten, zu folgen. Nach einigen Minuten erschienen, von der Menge stürmisch begrüßt, die Soldaten der Schloßwache ohne Waffen und Gepäck. Kurze Zeit darauf zeigte sich Liebknecht mit Gefolgschaft auf dem Balkon, von dessen Grau sich eine breite rote Decke abhob.

»Parteigenossen«, begann Liebknecht, »der Tag der Freiheit ist angebrochen. Nie wieder wird ein Hohenzoller diesen Platz betreten. Vor 70 Jahren stand hier am selben Ort Friedrich Wilhelm IV. und mußte vor dem Zug der auf den Barrikaden Berlins für die Sache der Freiheit Gefallenen, vor den fünfzig blutüberströmten Leichnamen seine Mütze abnehmen. Ein anderer Zug bewegt sich heute hier vorüber. Es sind die Geister der Millionen, die für die heilige Sache des Proletariats ihr Leben gelassen haben. Mit zerspaltenem Schädel, in Blut gebadet wanken diese Opfer der Gewaltherrschaft vorüber, und ihnen folgen die Geister von Millionen von Frauen und Kindern, die für die Sache des Proletariats in Kummer und Elend verkommen sind. Und Abermillionen von Blutopfern dieses Weltkrieges ziehen ihnen nach. Heute steht eine unübersehbare Menge begeisterter Proletarier an demselben Ort, um der neuen Freiheit zu huldigen. Parteigenossen, ich proklamiere die freie sozialistische Republik Deutschland, die alle Stämme umfassen soll, in der es keine Knechte mehr geben wird, in der jeder ehrliche Arbeiter den ehrlichen Lohn seiner Arbeit finden wird. Die Herrschaft des Kapitalismus, der Europa in ein Leichenfeld verwandelt hat, ist gebrochen. Wir rufen unsere russischen Brüder zurück. Sie haben bei ihrem Abschied zu uns gesagt: ›Habt Ihr in einem Monat nicht das erreicht, was wir erreicht haben, so wenden wir uns von Euch ab.‹ Und nun hat es kaum vier Tage gedauert.«

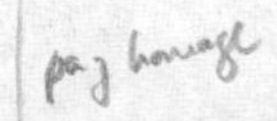

»Wenn auch das Alte niedergerissen ist«, fuhr Liebknecht fort, »dürfen wir doch nicht glauben, daß unsere Aufgabe getan sei. Wir müssen alle Kräfte anspannen, um die Regierung der Arbeiter und Soldaten aufzubauen und eine neue staatliche Ordnung des Proletariats zu schaffen, eine Ordnung des Friedens, des Glücks und der Freiheit unserer deutschen Brüder und unserer Brüder in der ganzen Welt. Wir reichen ihnen die Hände und rufen sie zur Vollendung der Weltrevolution auf.

Wer von euch die freie sozialistische Republik Deutschland und die Weltrevolution erfüllt sehen will, erhebe seine Hand zum Schwur« (alle Hände erheben sich und Rufe ertönen: Hoch die Republik!). Nachdem der Beifall verrauscht war, ruft ein neben Liebknecht stehender Soldat und schwenkt die rote Fahne, die er in den Händen trägt: »Hoch lebe ihr erster Präsident Liebknecht!«

Liebknecht schloß: »Soweit sind wir noch nicht. Ob Präsident oder nicht, wir müssen alle zusammenstehen, um das Ideal der Republik zu verwirklichen. Hoch die Freiheit und das Glück und der Frieden!«

Bald darauf wurde an dem Mast der Kaiserstandarte die rote Fahne gehißt.

Quelle: Bericht der Vossischen Zeitung, Nr. 576 vom 10. November 1918 (Auszug). Ritter/Miller, Die deutsche Revolution, S. 77f.

3. Aufruf der Gruppe Spartakus an die Arbeiter und Soldaten Berlins. 10. November 1918

Sichert die von euch errungene Macht!
Mißtrauen ist die erste demokratische Tugend!
Die rote Fahne weht über Berlin! Würdig habt ihr euch an die Seite der Städte gestellt, in denen schon das Proletariat und die Soldaten die Macht übernommen haben. Wie aber die Welt auf euch geschaut hat, ob ihr eure Aufgabe lösen werdet, so sieht die Welt jetzt auf euch, wie ihr sie lösen werdet. Ihr müßt in der Durchführung eines sozialistisch-revolutionären Programms ganze Arbeit machen. Mit der Abdankung von ein paar Hohenzollern ist es nicht getan. Noch viel weniger ist es getan damit, daß ein paar Regierungssozialisten mehr an die Spitze treten. Sie haben vier Jahre lang die Bourgeoisie unterstützt, sie können

nicht anders, als dies weiter tun. Mißtrauet denen, die von Reichskanzler- und Ministerstellen herunter glauben, eure Geschicke lenken zu dürfen. Nicht Neubesetzung der Posten von oben herunter, sondern Neuorganisierung der Gewalt von unten herauf. Sorget, daß die Macht, die ihr jetzt errungen habt, nicht euren Händen entgleite und daß ihr sie gebraucht für euer Ziel. Denn euer Ziel ist die sofortige Herbeiführung eines proletarisch-sozialistischen Friedens, der sich gegen den Imperialismus aller Länder wendet, und die Umwandlung der Gesellschaft in eine sozialistische.

Zur Erlangung dieses Zieles ist es vor allem notwendig, daß das Berliner Proletariat in Bluse und Feldgrau erklärt, folgende Forderungen mit aller Entschlossenheit und unbezähmbarem Kampfwillen zu verfolgen:

1. Entwaffnung der gesamten Polizei, sämtlicher Offiziere sowie der Soldaten, die nicht auf dem Boden der neuen Ordnung stehen; Bewaffnung des Volkes; alle Soldaten und Proletarier, die bewaffnet sind, behalten ihre Waffen.
2. Übernahme sämtlicher militärischer und ziviler Behörden und Kommandostellen durch Vertrauensmänner des Arbeiter- und Soldatenrates.
3. Übergabe aller Waffen- und Munitionsbestände sowie aller Rüstungsbetriebe an den Arbeiter- und Soldatenrat.
4. Kontrolle über alle Verkehrsmittel durch den Arbeiter- und Soldatenrat.
5. Abschaffung der Militärgerichtsbarkeit; Ersetzung des militärischen Kadavergehorsams durch freiwillige Disziplin der Soldaten unter Kontrolle des Arbeiter- und Soldatenrates.
6. Beseitigung des Reichstages und aller Parlamente sowie der bestehenden Reichsregierung; Übernahme der Regierung durch den Berliner Arbeiter- und Soldatenrat bis zur Errichtung eines Reichs-Arbeiter- und Soldatenrates.
7. Wahl von Arbeiter- und Soldatenräten in ganz Deutschland, in deren Hand ausschließlich Gesetzgebung und Verwaltung liegen. Zur Wahl der Arbeiter- und Soldatenräte schreitet das gesamte erwachsene werktätige Volk in Stadt und Land und ohne Unterschied der Geschlechter.
8. Abschaffung aller Dynastien und Einzelstaaten; unsere Parole lautet: einheitliche sozialistische Republik Deutschland.
9. Sofortige Aufnahme der Verbindung mit allen in Deutschland bestehenden Arbeiter- und Soldatenräten und den sozialistischen Bruderparteien des Auslandes.

10. Sofortige Rückberufung der russischen Botschaft nach Berlin.

Arbeiter und Soldaten! Eine jahrtausendealte Knechtschaft geht zu Ende; aus den unsäglichen Leiden eines Krieges steigt nun die neue Freiheit empor. Vier lange Jahre haben die Scheidemänner, die Regierungssozialisten, euch durch die Schrecken eines Krieges gejagt, haben euch gesagt, man müsse »das Vaterland« verteidigen, wo es sich nur um die nackten Raubinteressen des Imperialismus handelte: Jetzt, da der deutsche Imperialismus zusammenbricht, suchen sie für die Bourgeoisie zu retten, was noch zu retten ist, und suchen die revolutionäre Energie der Massen zu ersticken.

Es darf kein »Scheidemann« mehr in der Regierung sitzen; es darf kein Sozialist in die Regierung eintreten, solange ein Regierungssozialist noch in ihr sitzt. Es gibt keine Gemeinschaft mit denen, die euch vier Jahre lang verraten haben.

Nieder mit dem Kapitalismus und seinen Agenten!

Es lebe die Revolution!

Es lebe die Internationale!

Quelle: Dokumente und Materialien zur Geschichte der deutschen Arbeiterbewegung. Hrsg. v. Institut für Marxismus-Leninismus beim Zentralkomitee der Sozialistischen Einheitspartei Deutschlands. Reihe 2, Bd. 2, Berlin (Ost) 1957, S. 391f.

4. Aufruf des Rats der Volksbeauftragten an das deutsche Volk. 12. November 1918

An das deutsche Volk!

Die aus der Revolution hervorgegangene Regierung, deren politische Leitung rein sozialistisch ist, setzt sich dic Aufgabe, das sozialistische Programm zu verwirklichen. Sie verkündet schon jetzt mit Gesetzeskraft folgendes:

1. Der Belagerungszustand wird aufgehoben.
2. Das Vereins- und Versammlungsrecht unterliegt keiner Beschränkung, auch nicht für Beamte und Staatsarbeiter.
3. Eine Zensur findet nicht statt. Die Theaterzensur wird aufgehoben.
4. Meinungsäußerung in Wort und Schrift ist frei.
5. Die Freiheit der Religionsausübung wird gewährleistet.

Niemand darf zu einer religiösen Handlung gezwungen werden.

6. Für alle politischen Straftaten wird Amnestie gewährt. Die wegen solcher Straftaten anhängigen Verfahren werden niedergeschlagen.

7. Das Gesetz über den vaterländischen Hilfsdienst wird aufgehoben, mit Ausnahme der sich auf die Schlichtung von Streitigkeiten beziehenden Bestimmungen.

8. Die Gesindeordnungen werden außer Kraft gesetzt, ebenso die Ausnahmegesetze gegen die Landarbeiter.

9. Die bei Beginn des Krieges aufgehobenen Arbeiterschutzbestimmungen werden hiermit wieder in Kraft gesetzt.

Weitere sozialpolitische Verordnungen werden binnen kurzem veröffentlicht werden. Spätestens am 1. Januar 1919 wird der achtstündige Maximalarbeitstag in Kraft treten. Die Regierung wird alles tun, um für ausreichende Arbeitsgelegenheit zu sorgen. Eine Verordnung über die Unterstützung von Erwerbslosen ist fertiggestellt. Sie verteilt die Lasten auf Reich, Staat und Gemeinde.

Auf dem Gebiete der Krankenversicherung wird die Versicherungspflicht über die bisherige Grenze von 2500 Mark ausgedehnt werden. Die Wohnungsnot wird durch Bereitstellung von Wohnungen bekämpft werden.

Auf die Sicherung einer geregelten Volksernährung wird hingearbeitet werden.

Die Regierung wird die geordnete Produktion aufrechterhalten, das Eigentum gegen Eingriffe Privater sowie die Freiheit und Sicherheit der Person schützen.

Alle Wahlen zu öffentlichen Körperschaften sind fortan nach dem gleichen, geheimen, direkten, allgemeinen Wahlrecht auf Grund des proportionalen Wahlsystems für alle mindestens 20 Jahre alten männlichen und weiblichen Personen zu vollziehen.

Auch für die Konstituierende Versammlung, über die nähere Bestimmung noch erfolgen wird, gilt dieses Wahlrecht.

Ebert Haase Scheidemann Landsberg Dittmann Barth

Quelle: Reichs-Gesetzblatt 1918, S. 1303f. Ritter/Miller, Die deutsche Revolution, S. 103f.

5. Der Rat der Volksbeauftragten über sein Verhältnis zu den Arbeiter- und Soldatenräten. Aus der Kabinettssitzung vom 13. Dezember 1918

Ebert erklärt, so kann es nicht weitergehen, wir blamieren uns vor der Geschichte und der ganzen Welt. Wir müssen der Reichskonferenz folgende Anträge unterbreiten: Die Führung der Reichsgeschäfte liegt restlos in den Händen der Regierung. Ist dies beschlossen, dann kann der Ausschuß der Reichskonferenz parlamentarische Befugnis erhalten, zu bestimmten Zeiten Berichte hören, so wie es früher der Hauptausschuß des Reichstags tat. Aber eine scharfe Abgrenzung ist notwendig, die Verantwortung tragen wir. Das Herum- und Hineinregieren der Arbeiter- und Soldatenräte im Lande muß aufhören. Sie sind Beratungsbehörden, sonst nichts. Geht es so nicht, so müssen wir aus dem Kabinett scheiden. Für Narrenhausstreiche können wir keine Verantwortung übernehmen.

Dittmann: Schon zu Anfang unserer Regierungszeit war eine ständige Verbindung zwischen unseren zwei Vorsitzenden und den Vorsitzenden des Vollzugsrats notwendig. Wir müssen von vornherein die Verbindung mit dem Zentralrat aufnehmen. Absolut regieren wollen wir doch nicht. Lassen wir den Vollzugsrat jetzt in Ruhe und sagen wir im Zentralrat, was wir wollen. Der Zentralrat hat im Lande auch mehr Autorität, als der Vollzugsrat. Das Recht der Kontrolle aber, etwa wie [es] dem Hauptausschuß [zustand], muß vorhanden sein.

Ebert: Gegen das Recht der Kontrolle ist kein Wort gesagt worden.

Haase: Der Vergleich mit dem Hauptausschuß ist zutreffend. Aber in die Tätigkeit irgendwelcher Verwaltungszweige darf weder der Zentralrat noch irgendein lokaler Soldatenrat eingreifen. Auf der anderen Seite darf nicht übersehen werden, daß die Arbeiter- und Soldatenräte vielfach sehr segensreich als lokale Kontrollausschüsse die Verwaltung beaufsichtigt haben. Was die Übergriffe anlangt, so vergesse man darüber nicht die Übergriffe der Offiziere.

Landsberg: Bei den Offizieren handelt es sich um einige verrannte Kerle, bei den Arbeiter- und Soldatenräten um die Organisierung der Unordnung . . .

Vergleich zwischen Vollzugsrat und Hauptausschuß stimmt nicht ganz. Im Hauptausschuß sitzen Parlamentarier, die einmal die Auslese der Wähler, und zweitens die Auslese durch ihre Fraktion passiert haben. Nur die bedeutendsten Männer kamen in den Hauptausschuß. Im Vollzugsrat sind zahlreiche ungeeignete Personen. Ob das im Zentralrat anders werden wird, ist zweifelhaft, auch da kann der Machtkitzel viel verderben.

Ebert: Wenn wir zusammenstehen, können wir die Dinge sehr leicht ändern. Alle sachlichen Differenzen zwischen uns können dieser großen Aufgabe gegenüber ausscheiden.

Scheidemann: weist auf die Schändlichkeiten hin, die die Arbeiter- und Soldatenräte an der Presse begehen...

Wir arbeiten mit wenigen Stenotypistinnen, der Vollzugsrat hat 186 weibliche Schreibkräfte und 14 männliche. Wie kommt der Vollzugsrat dazu, Flugblätter zu verteilen und Agitation zu treiben? Wenn hier nicht sofort Wandel geschaffen wird, kann ich es nicht länger ertragen...

Haase: Wenn wir darin einig sind, können wir die Situation noch retten. Vernunft und Unvernunft verteilt sich paritätisch im Vollzugsrat auf beide Parteien.

Quelle: Bundesarchiv Koblenz, Reichskanzlei, R 43/I 1324. Ritter/Miller, Die deutsche Revolution, S. 145f.

6. Aus dem Aktionsprogramm der Unabhängigen Sozialdemokratischen Partei (USPD). 5. Dezember 1919

Die Eroberung der politischen Macht durch das Proletariat leitet die Befreiung der Arbeiterklasse ein. Zur Durchführung dieses Kampfes bedarf die Arbeiterklasse der Unabhängigen Sozialdemokratie, die rückhaltlos auf dem Boden des revolutionären Sozialismus steht, der Gewerkschaften, die sich zum unverfälschten Klassenkampf bekennen und zu Kampforganisationen der sozialen Revolution umzugestalten sind, und des revolutionären Rätesystems, das die Arbeiter zum revolutionären Handeln zusammenfaßt.

Die Unabhängige Sozialdemokratische Partei steht auf dem Boden des Rätesystems. Sie unterstützt alle Bestrebungen, die Räteorganisation schon vor der Eroberung der politischen Macht als proletarische Kampforganisation für den Sozialismus auszubauen und in ihr alle Hand- und Kopfarbeiter zusammenzufassen und sie zu schulen für die Diktatur des Proletariats.

Die politische Herrschaftsorganisation des kapitalistischen

Staates wird mit der Eroberung der politischen Macht durch das Proletariat zertrümmert. An ihre Stelle treten die politischen Arbeiterräte als Herrschaftsorganisation des Proletariats. Sie vereinigen in sich Gesetzgebung und Verwaltung. Ihre Wirksamkeit bedeutet die Umwandlung und Neugestaltung des kapitalistischen staatlichen Verwaltungsapparates, einschließlich der Gemeinden; sie bedeutet aber auch die Verwirklichung des Selbstbestimmungsrechtes der Arbeiterklasse und ihren Zusammenschluß zwecks Abschaffung jeglicher Klassenherrschaft. Die Unabhängige Sozialdemokratische Partei setzt der Herrschaftsorganisation des kapitalistischen Staates die proletarische Herrschaftsorganisation auf der Grundlage des politischen Rätesystems entgegen, dem bürgerlichen Parlament, als dem Ausdruck des Machtwillens der Bourgeoisie, den revolutionären Rätekongreß. Die Umwandlung der kapitalistischen Wirtschaftsanarchie in die planmäßige sozialistische Wirtschaft erfolgt durch das wirtschaftliche Rätesystem.

Zur Überwindung des Kapitalismus und zur Verwirklichung der sozialistischen Gesellschaft sind folgende Maßnahmen zu treffen:

1. Die Auflösung jedes konterrevolutionären Söldnerheeres, Auflösung aller militärischen Zivil- und Polizeiformationen, Einwohnerwehren in Stadt und Land, Technischen Nothilfe, Polizeitruppen, Entwaffnung des Bürgertums und der Grundbesitzer. Errichtung einer revolutionären Wehr.

2. Umwandlung des Privateigentums an Produktionsmitteln in gesellschaftliches Eigentum. Die Vergesellschaftung ist unverzüglich durchzuführen auf den Gebieten des Bank- und Versicherungswesens, des Bergbaues und der Energieversorgung – Kohle, Wasser, Kraft, Elektrizität –, der konzentrierten Eisen- und Stahlproduktion, des Transport- und Verkehrswesens sowie anderer hochentwickelter Industrien.

3. Großgrundbesitz und große Forste sind sofort in gesellschaftliches Eigentum zu überführen. Die gesamten landwirtschaftlichen Betriebe sind durch Bereitstellung aller technischen und wirtschaftlichen Hilfsmittel, durch Förderung der Genossenschaft zur höchsten Leistungsfähigkeit zu bringen. Urbarmachung von Ödland.

4. In den Städten und vorwiegend industriellen Gemeinden ist das Privateigentum an Grund und Boden in Gemeindeeigentum zu überführen; ausreichende Wohnungen sind von den Gemeinden herzustellen.

5. Planmäßige Regelung des Ernährungswesens.

6. Vergesellschaftung des gesamten öffentlichen Gesundheitswesens.

7. Vergesellschaftung aller öffentlichen Erziehungs- und Bildungseinrichtungen. Öffentliche Einheitsschule mit weltlichem Charakter. Die Schule ist nach sozialistisch-pädagogischen Grundsätzen auszugestalten, die Erziehung mit der materiellen Produktion zu verbinden.

8. Erklärung der Religion zur Privatsache. Völlige Trennung von Staat und Kirche. Erklärung der kirchlichen und religiösen Gemeinschaften zu privaten Vereinigungen, die ihre Angelegenheiten selbständig ordnen.

9. Sozialistische Steuerpolitik durch progressive Einkommens-, Vermögens- und Erbschaftssteuer zur Bestreitung aller öffentlichen Ausgaben, soweit diese durch Steuern zu decken sind. Abschaffung aller indirekten Steuern, Zölle und sonstigen wirtschaftspolitischen Maßnahmen, welche die Interessen des Proletariats den Interessen einer bevorzugten Minderheit opfern ...

13. Arbeitspflicht für alle Arbeitsfähigen. Schutzmaßnahmen zur Erhaltung der Arbeitskraft.

14. Herstellung freundschaftlicher Beziehungen zu allen Völkern. Sofortige Anbahnung von Bündnissen mit sozialistischen Republiken.

Die Diktatur des Proletariats ist ein revolutionäres Mittel zur Beseitigung aller Klassen und Aufhebung jeder Klassenherrschaft, zur Erringung der sozialistischen Demokratie. Mit der Sicherung der sozialistischen Gesellschaft hört die Diktatur des Proletariats auf, und die sozialistische Demokratie kommt zur vollen Entfaltung.

Die Organisation der sozialistischen Gesellschaft erfolgt nach dem Rätesystem. In der sozialistischen Gesellschaft kommt auch das Rätesystem in seinem tiefsten Sinn zur höchsten Geltung. Der tiefste Sinn des Rätesystems ist, daß die Arbeiter, die Träger der Wirtschaft, die Erzeuger des gesellschaftlichen Reichtums, die Förderer der Kultur, auch die verantwortlichen Träger aller rechtlichen Einrichtungen und politischen Gewalten sein müssen.

Um dieses Ziel zu erreichen, bedient sich die Unabhängige Sozialdemokratische Partei planmäßig und systematisch gemeinsam mit den revolutionären Gewerkschaften und der proletarischen Räteorganisation aller politischen, parlamentarischen und wirtschaftlichen Kampfmittel. Das vornehmste und entscheidende Kampfmittel ist die Aktion der Masse. Die Unabhängige Sozialdemokratie verwirft gewaltsames Vorgehen einzelner Gruppen und Personen. Ihr Ziel ist nicht die Vernichtung von Produktionsinstrumenten, sondern die Beseitigung des kapitalistischen Systems.

Quelle: Wolfgang Treue, Deutsche Parteiprogramme seit 1861. 4. Aufl. Göttingen 1968, S. 108ff.

7. Aus dem Programm der Deutschen Demokratischen Partei (DDP). 13.–15. Dezember 1919

1. Innere Politik. Die Deutsche Demokratische Partei steht auf dem Boden der Weimarer Verfassung; zu ihrem Schutz und zu ihrer Durchführung ist sie berufen. Voraussetzung des Erfolges ist die Erziehung des Volkes zur staatsbürgerlichen Gesinnung. Das Verhältnis des einzelnen zur Gesamtheit bestimmt sich durch den Gedanken der staatsbürgerlichen Pflicht. Sie verleiht den Rechten der Volksgenossen Inhalt wie Begrenzung. Die deutsche Republik muß ein Volksstaat sein und unverbrüchlich zugleich ein Rechtsstaat.

Wir erstreben die Einheit des Reiches, aber unter Berücksichtigung und Erhaltung der Eigenart der deutschen Stämme.

In Gesetzgebung und Verwaltung muß gleiches Recht für alle gelten; die noch bestehenden Zurücksetzungen der Frauen sind zu beseitigen. Die Verwaltung des Reiches muß unter Wahrung des Berufsbeamtentums organisiert werden, aber auch unter starker Beteiligung des Laienelementes. Nach den gleichen Grundsätzen regele sich die Ordnung der Länder und Gemeinden in freier und weitestgehender Selbstverwaltung.

Das Recht ist ein Teil der Volkskultur und muß deshalb volkstümlich ausgestaltet werden.

Das uns aufgezwungene Söldnerheer ist baldigst durch ein Milizsystem mit allgemeiner Wehrpflicht zu ersetzen, das geeignet ist zur Verteidigung unserer nationalen Unabhängigkeit.

2. Äußere Politik. Ausgangspunkt und Inhalt der äußeren Politik Deutschlands ist für die nächste Zeit die Revision der Friedensverträge von Versailles und St. Germain. Denn auch in den Beziehungen der Völker zueinander soll nicht Macht und Unterdrückung, sondern Gerechtigkeit und Freiheit walten. Niemals nehmen wir das Diktat der Gewalt als bleibende Rechtsordnung hin. Niemals erkennen wir die Absplitterung deutscher Volksteile vom Vaterlande an. Niemals lassen wir vom Selbstbestimmungsrecht der Völker, und wir erstreben, gestützt auf diesen Grundsatz, den Zusammenschluß aller deutschen Stämme.

Deutschlands Anteil an der geistigen Hebung der Menschheit verbürgt ihm den Anspruch auf kolonisatorische Betätigung. Auch den Raub unserer Kolonien fechten wir an.

Ein Hauptziel der deutschen Politik ist die enge Verbindung mit den Auslandsdeutschen und ihr Schutz. Nationale Pflicht ist es, den Volksgenossen unter fremder Herrschaft ihr Volkstum erhalten zu helfen; aber auch die Achtung nationaler Minderheiten in Deutschland betrachten wir als politisches Gebot.

Die letzte Verwirklichung unserer Gedanken kann dauernd nur erzielt werden durch einen Bund aller freien Staaten. Wir treten daher ein für einen Völkerbund, dessen erste Aufgabe das Zusammenwirken der Nationen ist und der zugleich eine internationale Arbeitsgemeinschaft darstellt.

Eine Mächteallianz aber, die dem deutschen Volke die Gleichberechtigung vorenthält, lehnen wir ab, denn sie fördert nur den Völkerhaß und die Völkerverhetzung.

Quelle: Treue, Deutsche Parteiprogramme, S. 135ff.

8. Aus den Grundsätzen der Deutschnationalen Volkspartei (DNVP). 1920

1. Deutschlands Befreiung. Die Freiheit des deutschen Volkes von fremder Zwangsherrschaft ist die Voraussetzung der nationalen Wiedergeburt. Auf freiem Boden ein neu erstarktes Reich, die abgerissenen deutschen Lande ihm wieder vereint, das ist und bleibt das Ziel aller deutschen Politik. Darum erstreben wir die Änderung des Versailler Vertrages, die Wiederherstellung der deutschen Einheit und den Wiedererwerb der für unsere wirtschaftliche Entwicklung notwendigen Kolonien.

2. Grenz- und Auslandsdeutsche. Unseren deutschen Volksgenossen jenseits der uns aufgezwungenen Grenzen fühlen wir uns untrennbar verbunden. Der Schutz des Deutschtums in den verlorenen und besetzten Gebieten und der Schutz der Auslandsdeutschen sind eine wesentliche Aufgabe nationaler Politik. Enge Volksgemeinschaft verbindet uns mit allen Deutschen im Auslande, besonders mit den Deutschen Österreichs, für deren Recht und Selbstbestimmung wir uns einsetzen.

3. Auswärtige Politik. Wir fordern eine starke und stetige, nur durch deutsche Gesichtspunkte bestimmte auswärtige Politik, eine würdige, feste und geschickte Vertretung der deutschen Interessen und die Nutzbarmachung unserer wirtschaftlichen Kraft für die außenpolitischen Ziele Deutschlands. Der auswärtige Dienst ist allein nach Befähigung, Vorbildung und zuverlässiger deutscher Gesinnung zu besetzen und von Rücksichten auf die innere Parteipolitik freizuhalten.

4. Monarchie. Die monarchische Staatsform entspricht der Eigenart und geschichtlichen Entwicklung Deutschlands. Über den Parteien stehend, verbürgt die Monarchie am sichersten die Einheit des Volkes, den Schutz der Minderheiten, die Stetigkeit der Staatsgeschäfte und die Unbestechlichkeit der öffentlichen Verwaltung. Die deutschen Einzelstaaten sollen freie Entschließung über ihre Staatsform haben; für das Reich erstreben wir die Erneuerung des von den Hohenzollern aufgerichteten deutschen Kaisertums.

5. Wesen des Reiches. Ein fest geeintes Deutsches Reich ist die wichtigste Grundlage deutscher Größe. Nur durch ein freudiges und freiwilliges Bekenntnis aller seiner Teile zum Reichsgedanken kann sein Bestand gesichert sein, kann die Fülle seiner Kräfte zur vollen Wirkung kommen. Um der Reichseinheit willen ist die Selbständigkeit der Einzelstaaten zu schützen und ihre und der Stämme berechtigte Eigenart zu pflegen. Das deutsche Gesamtinteresse erfordert ein unzerstückeltes, in seinem Bestande und in seinen Rechten nicht geschmälertes Preußen; auf seine staatenbildende Kraft kann das Reich für seinen Wiederaufbau nicht verzichten.

6. Volksvertretung. ... Der aus allgemeinen, gleichen, unmittelbaren und geheimen Wahlen beider Geschlechter hervorgehenden Volksvertretung gebührt entscheidende Mitwirkung bei der Gesetzgebung und wirksame Aufsicht über Politik und Verwaltung. Neben diesem Parlament verlangen wir eine Vertretung, die auf einem nach Berufen gegliederten Aufbau der wirtschaftlichen und geistigen Arbeit beruht.

7. Verwaltung und Rechtspflege. Der starke Staat, den unser Volk braucht, verlangt zumal bei der jetzigen parlamentarischen

Regierungsform eine kraftvolle vollziehende Gewalt und einen festgefügten, planmäßigen Behördenaufbau. Dazu gehört ein den Parteieinflüssen entzogenes Berufsbeamtentum und die Erhaltung seiner bewährten Berufsauffassung. Die richterliche Unabhängigkeit ist zu wahren. Rechtspflege und Verwaltung sind allein nach sachlichen Rücksichten auszubauen. Die Verwaltung ist zu vereinfachen und im sozialen Geiste zu führen; an die Stelle der seit der Revolution eingerissenen Verschwendung öffentlicher Gelder muß wieder strenge Sparsamkeit treten. Die bewährte Selbstverwaltung der Gemeinden und Gemeindeverbände ist zu wahren...

11. Volkstum. Nur ein starkes deutsches Volkstum, das Art und Wesen bewußt wahrt und sich von fremdem Einfluß frei hält, kann die zuverlässige Grundlage eines starken deutschen Staates sein. Deshalb kämpfen wir gegen jeden zersetzenden, undeutschen Geist, mag er von jüdischen oder anderen Kreisen ausgehen. Wir wenden uns nachdrücklich gegen die seit der Revolution immer verhängnisvoller hervortretende Vorherrschaft des Judentums in Regierung und Öffentlichkeit. Der Zustrom Fremdstämmiger über unsere Grenzen ist zu unterbinden.

Quelle: Treue, Deutsche Parteiprogramme, S. 120ff.

9. Aus der Verfassung des Deutschen Reiches vom 11. August 1919

Das deutsche Volk, einig in seinen Stämmen und von dem Willen beseelt, sein Reich in Freiheit und Gerechtigkeit zu erneuern und zu festigen, dem inneren und dem äußeren Frieden zu dienen und den gesellschaftlichen Fortschritt zu fördern, hat sich diese Verfassung gegeben.

Artikel 1
Das Deutsche Reich ist eine Republik.
Die Staatsgewalt geht vom Volke aus.

Artikel 2
Das Reichsgebiet besteht aus den Gebieten der deutschen Länder. Andere Gebiete können durch Reichsgesetz in das Reich aufgenommen werden, wenn es ihre Bevölkerung kraft des Selbstbestimmungsrechts begehrt.

Artikel 3
Die Reichsfarben sind schwarz-rot-gold. Die Handelsflagge ist schwarz-weiß-rot mit den Reichsfarben in der oberen inneren Ecke.

Artikel 13
Reichsrecht bricht Landrecht.

Bestehen Zweifel oder Meinungsverschiedenheiten darüber, ob eine landesrechtliche Vorschrift mit dem Reichsrecht vereinbar ist, so kann die zuständige Reichs- oder Landeszentralbehörde nach näherer Vorschrift eines Reichsgesetzes die Entscheidung eines obersten Gerichtshofs des Reichs anrufen.

Artikel 17
Jedes Land muß eine freistaatliche Verfassung haben. Die Volksvertretung muß in allgemeiner, gleicher, unmittelbarer und geheimer Wahl von allen reichsdeutschen Männern und Frauen nach den Grundsätzen der Verhältniswahl gewählt werden. Die Landesregierung bedarf des Vertrauens der Volksvertretung.

Die Grundsätze für die Wahlen zur Volksvertretung gelten auch für die Gemeindewahlen. Jedoch kann durch Landesgesetz die Wahlberechtigung von der Dauer des Aufenthalts in der Gemeinde bis zu einem Jahre abhängig gemacht werden.

Artikel 18
Die Gliederung des Reichs in Länder soll unter möglichster Berücksichtigung des Willens der beteiligten Bevölkerung der wirtschaftlichen und kulturellen Höchstleistung des Volkes dienen. Die Änderung des Gebiets von Ländern und die Neubildung von Ländern innerhalb des Reichs erfolgen durch verfassungsänderndes Reichsgesetz.

Stimmen die unmittelbar beteiligten Länder zu, so bedarf es nur eines einfachen Reichsgesetzes.

Ein einfaches Reichsgesetz genügt ferner, wenn eines der beteiligten Länder nicht zustimmt, die Gebietsänderung oder Neubildung aber durch den Willen der Bevölkerung gefordert wird und ein überwiegendes Reichsinteresse sie erheischt.

Der Wille der Bevölkerung ist durch Abstimmung festzustellen. Die Reichsregierung ordnet die Abstimmung an, wenn ein Drittel der zum Reichstag wahlberechtigten Einwohner des abzutrennenden Gebiets es verlangt.

Artikel 20
Der Reichstag besteht aus den Abgeordneten des deutschen Volkes.
Artikel 21
Die Abgeordneten sind Vertreter des ganzen Volkes. Sie sind nur ihrem Gewissen unterworfen und an Aufträge nicht gebunden.
Artikel 22
Die Abgeordneten werden in allgemeiner, gleicher, unmittelbarer und geheimer Wahl von den über zwanzig Jahre alten Männern und Frauen nach den Grundsätzen der Verhältniswahl gewählt. Der Wahltag muß ein Sonntag oder öffentlicher Ruhetag sein.

Das Nähere bestimmt das Reichswahlgesetz.
Artikel 23
Der Reichstag wird auf vier Jahre gewählt. Spätestens am sechzigsten Tage nach ihrem Ablauf muß die Neuwahl stattfinden.

Der Reichstag tritt zum ersten Male spätestens am dreißigsten Tage nach der Wahl zusammen.
Artikel 24
Der Reichstag tritt in jedem Jahre am ersten Mittwoch des November am Sitz der Reichsregierung zusammen. Der Präsident des Reichstags muß ihn früher berufen, wenn es der Reichspräsident oder mindestens ein Drittel der Reichstagsmitglieder verlangt.

Der Reichstag bestimmt den Schluß der Tagung und den Tag des Wiederzusammentritts.
Artikel 25
Der Reichspräsident kann den Reichstag auflösen, jedoch nur einmal aus dem gleichen Anlaß.

Die Neuwahl findet spätestens am sechzigsten Tage nach der Auflösung statt.

Artikel 41
Der Reichspräsident wird vom ganzen deutschen Volke gewählt.

Wählbar ist jeder Deutsche, der das fünfunddreißigste Lebensjahr vollendet hat.

Das Nähere bestimmt ein Reichsgesetz.

Artikel 43
Das Amt des Reichspräsidenten dauert sieben Jahre. Wiederwahl ist zulässig.

Vor Ablauf der Frist kann der Reichspräsident auf Antrag des Reichstags durch Volksabstimmung abgesetzt werden. Der Beschluß des Reichstags erfordert Zweidrittelmehrheit. Durch den Beschluß ist der Reichspräsident an der ferneren Ausübung des Amtes verhindert. Die Ablehnung der Absetzung durch die Volksabstimmung gilt als neue Wahl und hat die Auflösung des Reichstags zur Folge.

Der Reichspräsident kann ohne Zustimmung des Reichstags nicht strafrechtlich verfolgt werden.

Artikel 44
Der Reichspräsident kann nicht zugleich Mitglied des Reichstags sein.

Artikel 45
Der Reichspräsident vertritt das Reich völkerrechtlich. Er schließt im Namen des Reichs Bündnisse und andere Verträge mit auswärtigen Mächten. Er beglaubigt und empfängt die Gesandten.

Kriegserklärung und Friedensschluß erfolgen durch Reichsgesetz.

Bündnisse und Verträge mit fremden Staaten, die sich auf Gegenstände der Reichsgesetzgebung beziehen, bedürfen der Zustimmung des Reichstags.

Artikel 46
Der Reichspräsident ernennt und entläßt die Reichsbeamten und die Offiziere, soweit nicht durch Gesetz etwas anderes bestimmt ist. Er kann das Ernennungs- und Entlassungsrecht durch andere Behörden ausüben lassen.

Artikel 47
Der Reichspräsident hat den Oberbefehl über die gesamte Wehrmacht des Reichs.

Artikel 48
Wenn ein Land die ihm nach der Reichsverfassung oder den Reichsgesetzen obliegenden Pflichten nicht erfüllt, kann der Reichspräsident es dazu mit Hilfe der bewaffneten Macht anhalten.

Der Reichspräsident kann, wenn im Deutschen Reiche die öffentliche Sicherheit und Ordnung erheblich gestört oder gefährdet wird, die zur Wiederherstellung der öffentlichen Sicherheit und Ordnung nötigen Maßnahmen treffen, erforderlichenfalls mit Hilfe der bewaffneten Macht einschreiten. Zu diesem Zwecke darf er vorübergehend die in den Artikeln 114, 115, 117, 118, 123, 124 und 153 festgesetzten Grundrechte ganz oder zum Teil außer Kraft setzen.

Von allen gemäß Abs. 1 oder Abs. 2 dieses Artikels getroffenen Maßnahmen hat der Reichspräsident unverzüglich dem Reichstag Kenntnis zu geben. Die Maßnahmen sind auf Verlangen des Reichstags außer Kraft zu setzen.

Bei Gefahr im Verzuge kann die Landesregierung für ihr Gebiet einstweilige Maßnahmen der in Abs. 2 bezeichneten Art treffen. Die Maßnahmen sind auf Verlangen des Reichspräsidenten oder des Reichstags außer Kraft zu setzen.

Das Nähere bestimmt ein Reichsgesetz.

Artikel 50
Alle Anordnungen und Verfügungen des Reichspräsidenten, auch solche auf dem Gebiete der Wehrmacht, bedürfen zu ihrer Gültigkeit der Gegenzeichnung durch den Reichskanzler oder den zuständigen Reichsminister. Durch die Gegenzeichnung wird die Verantwortung übernommen.

Artikel 53
Der Reichskanzler und auf seinen Vorschlag die Reichsminister werden vom Reichspräsidenten ernannt und entlassen.

Artikel 54
Der Reichskanzler und die Reichsminister bedürfen zu ihrer Amtsführung des Vertrauens des Reichstags. Jeder von ihnen muß zurücktreten, wenn ihm der Reichstag durch ausdrücklichen Beschluß sein Vertrauen entzieht.

Artikel 55
Der Reichskanzler führt den Vorsitz in der Reichsregierung und leitet ihre Geschäfte nach einer Geschäftsordnung, die von der Reichsregierung beschlossen und vom Reichspräsidenten genehmigt wird.

Artikel 56
Der Reichskanzler bestimmt die Richtlinien der Politik und trägt dafür gegenüber dem Reichstag die Verantwortung. Innerhalb dieser Richtlinien leitet jeder Reichsminister den ihm anvertrauten Geschäftszweig selbständig und unter eigener Verantwortung gegenüber dem Reichstag.

Artikel 60
Zur Vertretung der deutschen Länder bei der Gesetzgebung und Verwaltung des Reichs wird ein Reichsrat gebildet.
Artikel 61
Im Reichsrat hat jedes Land mindestens eine Stimme. Bei den größeren Ländern entfällt auf 700000 Einwohner eine Stimme. Ein Überschuß von mindestens 350000 Einwohnern wird 700000 gleichgerechnet. Kein Land darf durch mehr als zwei Fünftel aller Stimmen vertreten sein.

Deutschösterreich erhält nach seinem Anschluß an das Deutsche Reich das Recht der Teilnahme am Reichsrat mit der seiner Bevölkerung entsprechenden Stimmenzahl. Bis dahin haben die Vertreter Deutschösterreichs beratende Stimme[1].

Die Stimmenzahl wird durch den Reichsrat nach jeder allgemeinen Volkszählung neu festgesetzt.

Artikel 63
Die Länder werden im Reichsrat durch Mitglieder ihrer Regierungen vertreten. Jedoch wird die Hälfte der preußischen Stimmen nach Maßgabe eines Landesgesetzes von den preußischen Provinzialverwaltungen bestellt.

Die Länder sind berechtigt, so viele Vertreter in den Reichsrat zu entsenden, wie sie Stimmen führen.

Artikel 68
Die Gesetzesvorlagen werden von der Reichsregierung oder aus der Mitte des Reichstags eingebracht.

Die Reichsgesetze werden vom Reichstag beschlossen.
Artikel 69
Die Einbringung von Gesetzesvorlagen der Reichsregierung bedarf der Zustimmung des Reichsrats. Kommt eine Übereinstimmung zwischen der Reichsregierung und dem Reichsrat nicht zustande, so kann die Reichsregierung die Vorlage gleichwohl einbringen, hat aber hierbei die abweichende Auffassung des Reichsrats darzulegen.

Beschließt der Reichsrat eine Gesetzesvorlage, welcher die Reichsregierung nicht zustimmt, so hat diese die Vorlage unter Darlegung ihres Standpunkts beim Reichstag einzubringen.

[1] Dieser Absatz ist durch Nichtigkeitsprotokoll in Versailles am 23. September 1919 für unwirksam erklärt worden.

Artikel 73
Ein vom Reichstag beschlossenes Gesetz ist vor seiner Verkündung zum Volksentscheid zu bringen, wenn der Reichspräsident binnen eines Monats es bestimmt.

Ein Gesetz, dessen Verkündung auf Antrag von mindestens einem Drittel des Reichstags ausgesetzt ist, ist dem Volksentscheid zu unterbreiten, wenn ein Zwanzigstel der Stimmberechtigten es beantragt.

Ein Volksentscheid ist ferner herbeizuführen, wenn ein Zehntel der Stimmberechtigten das Begehren nach Vorlegung eines Gesetzentwurfs stellt. Dem Volksbegehren muß ein ausgearbeiteter Gesetzentwurf zugrunde liegen. Er ist von der Regierung unter Darlegung ihrer Stellungnahme dem Reichstag zu unterbreiten. Der Volksentscheid findet nicht statt, wenn der begehrte Gesetzentwurf im Reichstag unverändert angenommen worden ist.

Über den Haushaltsplan, über Abgabengesetze und Besoldungsordnungen kann nur der Reichspräsident einen Volksentscheid veranlassen ...

Artikel 74
Gegen die vom Reichstag beschlossenen Gesetze steht dem Reichsrat der Einspruch zu...

Artikel 75
Durch den Volksentscheid kann ein Beschluß des Reichstags nur dann außer Kraft gesetzt werden, wenn sich die Mehrheit der Stimmberechtigten an der Abstimmung beteiligt.

Artikel 76
Die Verfassung kann im Wege der Gesetzgebung geändert werden. Jedoch kommen Beschlüsse des Reichstags auf Abänderung der Verfassung nur zustande, wenn zwei Drittel der gesetzlichen Mitgliederzahl anwesend sind und wenigstens zwei Drittel der Anwesenden zustimmen. Auch Beschlüsse des Reichsrats auf Abänderung der Verfassung bedürfen einer Mehrheit von zwei Dritteln der abgegebenen Stimmen. Soll auf Volksbegehren durch Volksentscheid eine Verfassungsänderung beschlossen werden, so ist die Zustimmung der Mehrheit der Stimmberechtigten erforderlich.

Hat der Reichstag entgegen dem Einspruch des Reichsrats eine Verfassungsänderung beschlossen, so darf der Reichspräsident dieses Gesetz nicht verkünden, wenn der Reichsrat binnen zwei Wochen den Volksentscheid verlangt.

Artikel 102
Die Richter sind unabhängig und nur dem Gesetz unterworfen.
Artikel 103
Die ordentliche Gerichtsbarkeit wird durch das Reichsgericht und durch die Gerichte der Länder ausgeübt.
Artikel 104
Die Richter der ordentlichen Gerichtsbarkeit werden auf Lebenszeit ernannt. Sie können wider ihren Willen nur kraft richterlicher Entscheidung und nur aus den Gründen und unter den Formen, welche die Gesetze bestimmen, dauernd oder zeitweise ihres Amtes enthoben oder an eine andere Stelle oder in den Ruhestand versetzt werden. Die Gesetzgebung kann Altersgrenzen festsetzen, bei deren Erreichung Richter in den Ruhestand treten . . .

Artikel 109
Alle Deutschen sind vor dem Gesetz gleich.

Männer und Frauen haben grundsätzlich dieselben staatsbürgerlichen Rechte und Pflichten.

Öffentlich-rechtliche Vorrechte oder Nachteile der Geburt oder des Standes sind aufzuheben. Adelsbezeichnungen gelten nur als Teil des Namens und dürfen nicht mehr verliehen werden.

Titel dürfen nur verliehen werden, wenn sie ein Amt oder einen Beruf bezeichnen; akademische Grade sind hierdurch nicht betroffen.

Orden und Ehrenzeichen dürfen vom Staat nicht mehr verliehen werden.

Kein Deutscher darf von einer ausländischen Regierung Titel oder Orden annehmen.

Artikel 129
Die Anstellung der Beamten erfolgt auf Lebenszeit, soweit nicht durch Gesetz etwas anderes bestimmt ist. Ruhegehalt und Hinterbliebenenversorgung werden gesetzlich geregelt. Die wohlerworbenen Rechte der Beamten sind unverletzlich. Für die vermögensrechtlichen Ansprüche der Beamten steht der Rechtsweg offen.

Die Beamten können nur unter den gesetzlich bestimmten Voraussetzungen und Formen vorläufig ihres Amtes enthoben, einstweilen oder endgültig in den Ruhestand oder in ein anderes Amt mit geringerem Gehalt versetzt werden . . .

Artikel 130
Die Beamten sind Diener der Gesamtheit, nicht einer Partei.

Allen Beamten wird die Freiheit ihrer politischen Gesinnung und die Vereinigungsfreiheit gewährleistet.

Die Beamten erhalten nach näherer reichsgesetzlicher Bestimmung besondere Beamtenvertretungen.

10. Allgemeine Bestimmungen über die Wiedergutmachungen aus dem Versailler Vertrag. 28. Juni 1919

Art. 231. Die a[lliierten] u. a[ssoziierten] Regierungen erklären, und Deutschland erkennt an, daß Deutschland und seine Verbündeten als Urheber für alle Verluste und Schäden verantwortlich sind, die die a. u. a. Regierungen und ihre Staatsangehörigen infolge des Krieges, der ihnen durch den Angriff Deutschlands und seiner Verbündeten aufgezwungen wurde, erlitten haben.

Art. 232. Die a. u. a. Regierungen erkennen an, daß die Hilfsmittel Deutschlands unter Berücksichtigung ihrer dauernden, sich aus den übrigen Bestimmungen des gegenwärtigen Vertrags ergebenden Verminderung nicht ausreichen, um die volle Wiedergutmachung aller dieser Verluste und Schäden zu gewährleisten.

Immerhin verlangen die a. u. a. Regierungen, und Deutschland verpflichtet sich dazu, daß alle Schäden wiedergutgemacht werden, die der Zivilbevölkerung jeder der a. u. a. Mächte und ihrem Eigentum während der Zeit, in der sich die beteiligte Macht mit Deutschland im Kriegszustand befand, durch den bezeichneten Angriff zu Lande, zur See und in der Luft zugefügt worden sind, sowie überhaupt alle Schäden, die in der Anlage I näher bezeichnet sind.

In Erfüllung der von Deutschland bereits früher bezüglich der völligen Wiederherstellung und Wiederaufrichtung Belgiens gegebenen Zusage verpflichtet sich Deutschland noch über den an anderer Stelle in diesem Kapital vorgesehenen Schadenersatz hinaus, und als Folge der Verletzung des Vertrages von 1839, alle Summen zu erstatten, die Belgien von den a. u. a. Regierungen bis zum 11. November 1918 entliehen hat, einschließlich 5 v. H. Zinsen aufs Jahr für diese Summen. Der Betrag dieser Summe wird durch den Wiedergutmachungsausschuß festgestellt, und die deutsche Regierung verpflichtet sich, sofort eine entsprechende Ausgabe von besonderen Schatzscheinen auf den Inhaber, zahlbar in Mark Gold am 1. Mai 1926 oder nach Wahl der deutschen Regierung am 1. Mai eines der 1926 vorausgehenden Jahre, zu veranstalten ...

Art. 233. Der Betrag der bezeichneten Schäden, deren Wiedergutmachung Deutschland schuldet, wird durch einen interalliierten Ausschuß festgesetzt, der den Namen Wiedergutmachungsausschuß trägt ...

Dieser Ausschuß prüft die Ansprüche und gewährt der deutschen Regierung nach Billigkeit Gehör.

Die Beschlüsse dieses Ausschusses über den Betrag der oben näher bestimmten Schäden werden spätestens am 1. Mai 1921 aufgesetzt und der deutschen Regierung als Gesamtbetrag ihrer Verpflichtungen bekanntgegeben.

Zu gleicher Zeit stellt der Ausschuß einen Zahlungsplan auf, der die Fälligkeitszeiten und die Art und Weise vorschreibt, wie Deutschland vom 1. Mai 1921 ab seine gesamte Schuld in einem Zeitraum von 30 Jahren zu tilgen hat. Sollte jedoch im Laufe dieses Zeitraums Deutschland mit der Begleichung seiner Schuld im Rückstande bleiben, so kann die Zahlung jeder Restsumme nach Gutdünken des Ausschusses auf spätere Jahre verschoben werden oder ... eine anderweitige Behandlung erfahren.

Art. 234. Der Wiedergutmachungsausschuß prüft vom 1. Mai 1921 ab von Zeit zu Zeit die Hilfsmittel und Leistungsfähigkeit Deutschlands. Er gewährt dessen Vertretern nach Billigkeit Gehör und hat Vollmacht, danach die Frist für die in Artikel 233 vorgesehenen Zahlungen zu verlängern und die Form der Zahlung abzuändern, ohne besondere Ermächtigung der verschiedenen im Ausschuß vertretenen Regierungen darf er jedoch keine Zahlungen erlassen.

Art. 235. Um den a. u. a. Mächten schon jetzt die Wiederaufrichtung ihres gewerblichen und wirtschaftlichen Lebens zu ermöglichen ..., zahlt Deutschland ... während der Jahre 1919, 1920 und der ersten 4 Monate von 1921 ... den Gegenwert von 20000000000 (zwanzig Milliarden) Mark Gold; aus dieser Summe werden zunächst die Kosten für die Besatzungsarmee ... bestritten; weiter können diejenigen Mengen von Nahrungsmitteln und Rohstoffen, die von Regierungen der a. u. a. Hauptmächte für nötig gehalten werden, um Deutschland die Möglichkeit zur Erfüllung seiner Verpflichtung zur Wiedergutmachung zu gewähren, gleichfalls mit Genehmigung der genannten Regierungen aus der bezeichneten Summe bezahlt werden. Der Rest ist von Deutschlands Wiedergutmachungsschuld in Abzug zu bringen. Außerdem hinterlegt Deutschland die im § 12 (c) der Anlage II vorgesehenen Schatzscheine.

Art. 236. Des weiteren willigt Deutschland ein, daß seine wirtschaftlichen Hilfsmittel der Wiedergutmachung unmittelbar dienstbar gemacht werden ... (Handelsflotte, Wiederherstellung in Natur, Kohle und deren Nebenprodukte, Farbstoffe u. a. chemische Erzeugnisse) ...

Quelle: Dokumente der deutschen Politik und Geschichte von 1848 bis zur Gegenwart. Hrsg. von Johannes Hohlfeld. Bd. 3: Die Weimarer Republik. Berlin, München 1951, S. 50ff.

11. Hindenburgs Osterbotschaft 1925

Generalfeldmarschall von Hindenburg erläßt folgenden Aufruf an das deutsche Volk:

Vaterländisch gesinnte Deutsche aus allen Gauen und Stämmen haben mir das höchste Amt im Reiche angetragen. Ich folge diesem Ruf nach ernster Überlegung in Treue zum Vaterland. Mein Leben liegt klar vor aller Welt. Ich glaube auch, in schweren Zeiten meine Pflicht getan zu haben. Wenn diese Pflicht mir nun gebietet, auf dem Boden der Verfassung, ohne Ansehen der Partei, der Person, der Herkunft und des Berufes, als Reichspräsident zu wirken, so soll es nicht an mir fehlen. Als Soldat habe ich immer die ganze Nation im Auge gehabt, nicht die Parteien. Sie sind in einem parlamentarisch regierten Staat notwendig, aber das Staatsoberhaupt muß über ihnen stehen und unabhängig von ihnen für jeden Deutschen walten. Den Glauben an das deutsche Volk und an den Beistand Gottes habe ich nie verloren. Ich bin aber nicht mehr jung genug, um an einen plötzlichen Umschwung der Dinge zu glauben. Kein Krieg, kein Aufstand im Innern kann unsere gefesselte, leider durch Zwietracht zerspaltene Nation befreien. Es bedarf langer, ruhiger, friedlicher Arbeit. Es bedarf vor allem der Säuberung unseres Staatswesens von denen, die aus der Politik ein Geschäft gemacht haben. Ohne Reinheit des öffentlichen Lebens und Ordnung kann kein Staat gedeihen. Der Reichspräsident ist besonders dazu berufen, die Heiligkeit des Rechtes hochzuhalten. Wie der erste Präsident auch als Hüter der Verfassung seine Herkunft aus der sozialdemokratischen Arbeiterschaft nie verleugnet hat, so wird auch mir niemand zumuten können, daß ich meine politische Überzeugung aufgebe. Gleich dem von mir hochgeschätzten Herrn Dr. Jarres erachte auch ich in jetziger Zeit nicht die Staatsform, sondern den Geist für entscheidend, der die Staatsform beseelt. Ich reiche jedem Deutschen die Hand, der national denkt, die Würde des deutschen Namens nach innen und außen wahrt und den konfessionellen und sozialen Frieden will und bitte ihn: Hilf auch du mir zur Auferstehung unseres Vaterlandes.

Quelle: Schulthess' Europäischer Geschichtskalender. Neue Folge 66 (1925), S. 55.

12. Stresemann über die Krise des Parlamentarismus. 26. Februar 1928

Täuschen wir uns nicht darüber: wir stehen in einer Krise des Parlamentarismus, die schon mehr als eine Vertrauenskrise ist. Diese Krise hat zwei Ursachen: einmal das Zerrbild, das aus dem parlamentarischen System in Deutschland geworden ist, zweitens die völlig falsche Einstellung des Parlaments in bezug auf seine Verantwortlichkeit gegenüber der Nation.

Was bedeutet »parlamentarisches System?« Es bedeutet die Verantwortlichkeit des Reichsministers gegenüber dem Parlament, das ihm mit Mehrheit das Vertrauen entziehen und ihn zur Amtsniederlegung zwingen kann. Nirgends bedingt diese Bestimmung, daß der Minister Parteimann sein muß. Nirgends bedingt sie Verteilung der Ministersitze nach der Stärke der Fraktionen. Nirgends bedingt sie weiter den Übergang des Regierens vom Kabinett auf die Fraktionen. Die Ernennung der Minister erfolgt durch den Reichspräsidenten. Es ist klar, daß der Reichspräsident Rücksicht darauf nehmen wird, daß die von ihm ernannten Reichsminister das Vertrauen der Mehrheit des Reichstages erringen ...

Bewegungen im deutschen Volk sprechen von der Notwendigkeit, die Rechte des Reichspräsidenten zu verstärken. Es wäre zunächst wünschenswert, daß die Fraktionen und Parteien sich bemühten, durch ihre Einstellung das Ansehen des Reichspräsidenten nicht zu verringern. Selbstverständlich bedarf die Ernennung der Minister der Gegenzeichnung des Reichskanzlers, genau wie die Ernennung der Beamten der Gegenzeichnung des Ressortministers. Und wenn es zu Verschiedenheiten der Auffassung kommt, wird der Kampf zwischen dem Reichspräsidenten und dem Reichsminister auszufechten sein. Es heißt aber das Ansehen des Reichspräsidenten und sein Verantwortungsgefühl herabwürdigen und ihn als Unterzeichnungsmaschine hinstellen, wenn ohne jede Diskussion über die Auffassung des Reichspräsidenten erklärt wird, daß diese oder jene Minister ernannt werden müßten. Die Rechte des Reichspräsidenten sind durchaus nicht gering, und das neue Deutschland hat bisher in seiner kurzen Geschichte Reichspräsidenten, die über ihre verfassungsrechtliche Stellung hinaus auch durch die imponderabile Bedeutung ihrer Persönlichkeit zu wirken verstanden. Der Reichspräsident kann in Gemeinschaft mit dem Reichskanzler die Regierungsbildung in dieser oder jener Weise vornehmen und den Kampf gegen das Parlament führen, das dieser Bildung des Kabinetts widerstrebt. Ich bin überzeugt, daß manche Krise in dem Augenblick zu Ende wäre, wo ein Machtwort des Reichspräsidenten erfolgte und die Kabinettsbildung aus den Verhandlungen der Fraktionen herausgenommen würde. [...]

Es geht ein Raunen durch das Land von illegalen Bestrebungen zur Ersetzung der Verfassung durch Diktaturpläne und ähnliches. Trotz der herzlichen Beziehungen, in denen der Oberbürgermeister von Köln [Adenauer, d. Hrsg.] zu Großmächten Europas steht, in denen diese Regierungsform besteht, glaube ich, daß wir vom Faschismus noch weit entfernt sind. Jeder versteht unter der Diktatur den Diktator seiner Wünsche, und sobald er zwischen den widerstreitenden Interessen sich entscheiden muß, wird er bald die Opposition gegen sich wachsen sehen. Es gibt zudem niemanden, der den Wahnwitz denken kann, daß ein Mann wie Hindenburg sich zur Verletzung der Verfassung hergeben würde. Aber wir müssen uns bemühen, zur Reform des Parlamentarismus zu kommen. Wir müssen verlangen, daß der Parteigeist seine Grenze findet an den Lebensnotwendigkeiten der deutschen Entwicklung, daß das Parlament den Zwang nicht nur zur formalen, sondern tatsächlichen Mehrheitsbildung in sich findet oder, wenn das an den Parteien selbst in dieser Situation scheitert, der Ruf ertönt: »Res venit ad triaros!« und verantwortungsbewußte Persönlichkeiten den Mut finden, zu regieren, das heißt, die Führung zu übernehmen.

Wir stehen vielleicht in wenigen Tagen vor großen Entscheidungen, und für die Wege, die wir in dieser Entscheidung gehen, wünschen wir die Konstatierung der Übereinstimmung mit dem richtunggebenden Gesamtvorstand unserer Partei.

Quelle: Ursachen und Folgen. Vom deutschen Zusammenbruch 1918 und 1945 bis zur staatlichen Neuordnung Deutschlands in der Gegenwart. Hrsg. u. bearb. v. Herbert Michaelis und Ernst Schraepler u. Mitw. v. Günter Scheel. Bd. 7: Die Weimarer Republik. Vom Kellogg-Pakt zur Weltwirtschaftskrise 1928–1930. Die innerpolitische Entwicklung. Berlin 1962, S. 236ff.

13. Goebbels' Vorstellung von »Legalität«. April/Mai 1928

Wir gehen in den Reichstag hinein, um uns im Waffenarsenal der Demokratie mit deren eigenen Waffen zu versorgen. Wir werden Reichstagsabgeordnete, um die Weimarer Gesinnung mit ihrer eigenen Unterstützung lahmzulegen. Wenn die Demokratie so dumm ist, uns für diesen Bärendienst Freifahrkarten und Diäten zu geben, so ist das ihre eigene Sache ... Uns ist jedes gesetzliche Mittel recht, den Zustand von heute zu revolutionieren. Wenn es uns gelingt, bei diesen Wahlen [1928] sechzig bis siebzig Agitatoren unserer Partei in die verschiedenen Parlamente hineinzustecken, so wird der Staat selbst in Zukunft unseren Kampfapparat ausstatten und besolden ... Auch Mussolini ging ins Parlament. Trotzdem marschierte er nicht lange darauf mit seinen Schwarzhemden nach Rom ... Man soll nicht glauben, der Parlamentarismus sei unser Damaskus ... Wir kommen als Feinde! Wie der Wolf in die Schafherde einbricht, so kommen wir. Jetzt seid ihr nicht mehr unter euch!

Ich bin kein Mitglied des Reichstags. Ich bin ein IdI. Ein IdF. Ein Inhaber der Immunität, ein Inhaber der Freifahrkarte ... Wir sind gegen den Reichstag gewählt worden, und wir werden auch unser Mandat im Sinne unserer Auftraggeber ausüben ...

Ein IdI hat freien Eintritt zum Reichstag, ohne Vergnügungssteuer zahlen zu müssen. Er kann, wenn Herr Stresemann von Genf erzählt, unsachgemäße Zwischenfragen stellen, zum Beispiel, ob es den Tatsachen entspricht, daß besagter Stresemann Freimaurer und mit einer Jüdin verheiratet ist.

Quelle: Der Angriff v. 30. April und 28. Mai 1928. Karl Dietrich Bracher, Die Auflösung der Weimarer Republik. 3. Aufl. Villingen 1960, S. 375.

14. Reichsinnenminister Carl Severing über die Radikalisierung des politischen Alltags. Dezember 1929

I

Seit der Nichterneuerung des Republikschutzgesetzes vergeht kaum ein Tag, an dem nicht irgendwo in Deutschland, zumeist an mehreren Stellen, auf politisch Andersdenkende geschossen, eingeschlagen oder eingestochen wird. Der Zustand staatsbürgerlicher Sicherheit hat einen beklagenswerten Tiefpunkt erreicht und sinkt täglich mehr. Die Ursache dieser betrübenden Erscheinung ist die hemmungslose Verhetzung durch Wort und Schrift, die von den Gegnern der Republik auf der äußersten Linken und auf der äußersten Rechten getrieben wird ... Im folgenden wird eine Auswahl von Beispielen für die von rechts und links beliebte Hetze, die in den letzten Monaten durch kein Republikschutzgesetz gezügelt werden konnte, gegeben.

Der ›Niedersächsische Beobachter‹ in Hannover (Folge 30) vom 27. 7. und das ›Landvolk‹ in Itzehoe (Nr. 102) vom gleichen Tage führten in einem Aufsatz *Volksheer oder Garde der Demokratie* folgendes aus: »Spuk in Berlin. Spät nachmittags auf dem Kurfürstendamm. Bars, Amüsierkneipen, Kokotten in Seide und Pelz, Negermusik aus drei Dutzend Kaffeehäusern. ... Die Nacht fällt ein. Hier aber wird es heller. Der Trubel wächst, Licht unzähliger Scheinwerferlampen macht die Augen, die Gesichter grell, maskenhaft, unheimlich. Alle Männer sehen aus, als könnte jeder sein: Minister, Schieber, Taschendieb, Börsianer, Bankier ... Man sieht sich, kneift die Augen zusammen, denkt an den Begriff der ›weißen Weste‹ und lächelt suffisant ›Na ja‹ ... Das ist das Gesicht des Staates von Weimar, den sich die Arbeiterschaft als Staat der ›sozialen Demokratie‹ zu gestalten dachte.«

... Am 16. 8. bezeichnete der Kommunist Rogalla in einer öffentlichen Versammlung der National-Sozialisten in Wanne-

Eikel (Westfalen) die Republik als einen »Sau- und Schweinestall«.

In einem Aufsatz *10 Jahre Judenrepublik* des ›Westdeutschen Beobachters‹ (Köln) Nr. 19 vom 18. 8. wurde am Schluß ausgeführt: »Eine traurige Bilanz fürwahr: 10 Jahre Judenrepublik. 10 Jahre Volksbetrug. 10 Jahre Börsengaunerei, 10 Jahre erbitterter Kampf gegen diese Halunken und Verbrecher, die im Jahre 1918 der deutschen Front den Dolch in den Rücken stießen und uns an die internationale Judenhochfinanz verkauften und verrieten (um) des schnöden Mammons willen.«

... Gelegentlich des Stahlhelmtages in Brandenburg am 31. 8. bezeichnete der Landwirt Oswald Herter die Reichsfarben öffentlich als »schwarz-rot-scheiße«.

... In einer öffentlichen kommunistischen Versammlung in Freiheit (Kreis Osterode ...) am 14. 9. rief der Arbeiter Schubert in Bezug auf die Minister Severing und Wissell: »Hängt sie an den Baum!«

... Der Redakteur und Schriftsteller Mossakowski aus Berlin hielt am 24. 10. in Stettin in einer Versammlung der Nazis eine Rede, in der er folgende Wendungen gebrauchte: Die Regierungen seit dem Umsturz seien eine Rotte von Kleinbürgern und ein Geschlecht der Kastraten. Nach einem Siege der nationalsozialistischen Sache würden sie (die Nationalsozialisten) die Minister nicht nur auf die Schultern klopfen und freundlichst auffordern, von den Sesseln herunterzugehen, oder sie bloß in den Hintern treten, sondern sie würden sie herunterholen und vor ein Gericht stellen, und dann werde es heißen, Auge um Auge und Zahn um Zahn. Das Volk müsse heute seine eigenen Sklavenaufseher bezahlen, die sich dann Herr Reichspräsident und Herr Reichskanzler nennten. Die Parole der gegenwärtigen Regierungsleute sei: »Bereichert Euch schamlos und schnell.« Wenn die Klärung erfolgt sei, wer international, und wer national sei, würden sie (die Nationalsozialisten) die andern ächten und boykottieren; sie hätten noch andere Mittel, die er aber nicht weiter bezeichnen wolle. Im Volksbegehren [gegen den Youngplan] habe sich auch die Intelligenz in ein Für und Wider gespalten; wer zurückfinde, solle willkommen sein, aber »die anderen werden unsere Faust zwischen die Augen bekommen« ...

II

Die Folge solcher beschimpfenden, verhetzenden Äußerungen, deren Steigerung nicht mehr mit Mitteln der Sprache, sondern nur noch mit denen der Gewalt möglich ist, ist eine Aufwühlung der politischen Leidenschaften, die dann letzten Endes in der Begehung von Gewalttätigkeiten ihre Entladung findet. Eine keineswegs lückenlose Zusammenstellung von Zusammenstößen in der letzten Zeit mag als Beweis dafür folgen:

... Am 25. 8. wurden in Essen vier von einer Veranstaltung des Reichsbanners Schwarz-Rot-Gold kommende Mitglieder dieses Verbandes auf ihrem Heimwege von Nationalsozialisten überfallen. Die Nationalsozialisten rissen ihnen die Abzeichen des Reichsbanners ab und zerfetzten zum Teil ihre Kleidung. Die mitgeführten Musikinstrumente wurden zertrümmert; ein Reichsbannermitglied erhielt mit einem Schlagring einen Hieb über den Kopf.

Am 1. 9. 1929 überfielen in Köln einige Kommunisten zwei der Hitlerjugend angehörende junge Leute und verletzten einen durch Messerstiche in die Hand.

Am gleichen Tage veranstaltete der Stahlhelm in Hamburg einen Umzug nach dem Sportplatz in Lokstedt. An der Hamburger Grenze hatten sich etwa 500 Kommunisten angesammelt, die über die Stahlhelmmitglieder mit Stöcken, Totschlägern und Gummischläuchen herfielen. Den ganzen Tag wurden auch in der übrigen Stadt von Kommunisten Gewalttätigkeiten gegen Andersdenkende begangen, die teilweise schwer verletzt wurden. Zwei Stahlhelmmitglieder wurden in einer Straßenbahn von drei Kommunisten mißhandelt. Auf dem Soigny-Platz [gemeint möglicherweise »Loigny-Platz«] wurden aus einem Kraftwagen von Jungkommunisten Selterflaschen gegen die Teilnehmer eines marschierenden Stahlhelmzuges geworfen.

Am 6. 9. wurde in Köln ein Angehöriger der Lützowjugend von Kommunisten schwer mißhandelt.

Am gleichen Tag kam es in Oranienburg zu einer Schlägerei zwischen 25 Nationalsozialisten, die in ein von der KPD benutztes Versammlungslokal einzutreten begehrten, und Anhängern der KPD. Dabei fanden Messer, Spaten und andere gefährliche Werkzeuge Verwendung, so daß verschiedene Personen verletzt wurden.

Am 8. 9. wurden in Berlin am Wittenberg-Platz jüdisch aussehende Passanten von Anhängern der NSDAP überfallen und geschlagen.

Am 11. 9. überfielen in der Wohldorfer Straße in Hamburg vier Kommunisten zwei Mitglieder des Reichsbanners.

Am gleichen Tage überfielen Kommunisten in Köln an der Südbrücke Mitglieder der »Lützow-Jugend« und der Vereinigung »Kreuzfahrer«. Die Kommunisten hatten sich im Dunkel verborgen und auf die Angehörigen der »Lützow-Jugend« gewartet. Bei dem Überfalle wurden drei Personen schwer verletzt.

... Am 17. 11. wurden Mitglieder der SPD in Breslau, als sie die auf den Bürgersteigen für ihre Partei angebrachten und von den Kommunisten abgeänderten Wahlaufschriften wiederherstellen wollten, von etwa 30 Kommunisten angegriffen. Der Sozialdemokrat Fischer wurde dabei mit einem Kalkpinsel ins Gesicht geschlagen und der Kellner Schröter durch einen Tritt vor den Leib so schwer verletzt, daß er später daran starb.

Quelle: Vierteljahrshefte für Zeitgeschichte 8 (1960), S. 281 ff.

Quellen und Literatur

1. Quellen

Unveröffentlichte Quellen

Zur Geschichte der Weimarer Republik liegt eine Fülle ungedruckter und gedruckter Quellen vor. Das ungedruckte Material zur Reichsgeschichte findet sich vor allem im Bundesarchiv Koblenz sowie in dessen Außenstelle Potsdam. Auch die Hauptstaatsarchive der Länder sowie die Stadtarchive enthalten unentbehrliches Quellenmaterial. Je nach Themenstellung sind nichtstaatliche Archive und Sammlungen heranzuziehen: Für parteigeschichtliche Untersuchungen vor allem das Archiv der sozialen Demokratie der Friedrich-Ebert-Stiftung in Bad Godesberg und das Internationale Institut für Sozialgeschichte in Amsterdam. In beiden Sammlungen finden sich Dokumente v.a. zur Geschichte der SPD und z.T. umfangreiche Nachlässe von SPD-Politikern. Für die Erforschung Weimars bedeutsame Nachlässe, v.a. von Zentrumspolitikern, sind im Historischen Archiv der Stadt Köln zu finden, z.B. die Nachlässe von Carl Bachem und Wilhelm Marx. Nachlässe finden sich auch in den übrigen Archiven, z.B. der des DDP-Politikers Conrad Haußmann im Haupt- und Staatsarchiv Stuttgart, der von Reichsjustizminister Eugen Schiffer im ehemaligen Geheimen Staatsarchiv Berlin-Dahlem, der von Gustav Stresemann im Politischen Archiv des Auswärtigen Amtes in Bonn. Auch das Bundesarchiv besitzt neben staatlichem Schriftgut große Sammlungen zur Geschichte der politischen Parteien, vor allem DDP und DVP und eine Reihe von Nachlässen, z.B. von Reichsinnenminister Erich Koch-Weser, Reichskanzler Luther sowie einen Teilnachlaß von Reichskanzler bzw. Reichsminister Joseph Wirth (der Hauptteil befindet sich (noch) im Zentralen Staatlichen Sonderarchiv Moskau). Wert und Umfang der Nachlässe sind äußerst unterschiedlich, auch die Art der Quellen: sie können z.B. enthalten: Tagebücher, Briefe, Kabinetts- und Fraktionsprotokolle, Gesprächsnotizen, Redeentwürfe, Referentenberichte sowie Materialien aller Art. Von vielen führenden Politikern ist kein nennenswerter Nachlaß überliefert, so z.B. von Friedrich Ebert. Noch immer existieren außerdem unzugängliche Nachlässe in Privatbesitz.

Eine Aufstellung sämtlicher zugänglichen Nachlässe mit Umfangangaben und Stichworten zum Charakter der Quellen bietet das *Verzeichnis der schriftlichen Nachlässe in deutschen Archiven und Bibliotheken.* Bd. I, 1: *Die Nachlässe in den deutschen Archiven.* Bearb. v. Wolfgang A. Mommsen. Boppard 1971; Bd. II: *Die Nachlässe in den Bibliotheken der Bundesrepublik Deutschland.* 2. völlig neubearb. Auflage von Tilo Brandis. Boppard 1981.

Verzeichnisse und Findbücher ihrer Bestände besitzen alle größeren Archive, stellvertretend: *Das Bundesarchiv und seine Bestände.* Bearb.

von Friedrich Facius, Hans Booms, Heinz Boberach (Schriften des Bundesarchivs 10). 3. erg. u. neubearb. Aufl. v. Gerhard Granier u. a. Boppard 1977. Eine Zusammenstellung der – zur Erforschung der Zeitgeschichte unentbehrlichen – Periodika bietet: Gert Hagelweide, *Deutsche Zeitungsbestände in Bibliotheken und Archiven.* Düsseldorf 1974. Eine spezielle Übersicht zu wirtschafts- und sozialgeschichtlichen Quellenbeständen unter Einschluß der Wirtschaftsarchive: Thomas Trumpp, Renate Köhne, *Archivbestände zur Wirtschafts- und Sozialgeschichte der Weimarer Republik.* Boppard 1979 sowie Th. Trumpp in den beiden Bänden zur Inflation (s. u. Feldman).

Veröffentlichte Quellen

Nützliche knappe Informationen über die wichtigsten Ereignisse, häufig mit Statistiken u. a. Materialien enthalten die Geschichtskalender: Cuno Horkenbach (Hrsg.), *Das Deutsche Reich von 1918 bis Heute.* Berlin 1931 (behandelt die Zeit von 1918 bis 1930), für 1931–1933 erschienen jeweils einzelne Jahresbände; *Schulthess' Europäischer Geschichtskalender.* München, jeweils in Jahresbänden (1918ff.); *Egelhaafs Historisch-Politische Jahresübersicht.* Stuttgart, jeweils in Jahresbänden (1918ff.) (stärker auf Darstellung und Interpretation der politischen Ereignisse ausgerichtet).

Eine Fundgrube für alle politischen Fragen der Zeit sind die Protokolle der Reichstage und der Landtage sowie die für jede Legislaturperiode veröffentlichten Handbücher; stellvertretend: *Verhandlungen der Verfassunggebenden Deutschen Nationalversammlung.* Stenographische Berichte. Bd. 326ff., Berlin 1919ff., dazu für die Verfassungsberatungen unentbehrlich: *Berichte und Protokolle des 8. Ausschusses über den Entwurf einer Verfassung des Deutschen Reiches.* Berlin 1920 (Drucksache Nr. 391). Die (Plenums-)Protokolle der Nationalversammlung mit wichtigen ergänzenden Materialien auch bei: Eduard Heilfron (Hrsg.), *Die Deutsche Nationalversammlung im Jahre 1919 in ihrer Arbeit für den Aufbau des neuen deutschen Volksstaates.* 9 Bde, Berlin 1920. *Verhandlungen des Reichstags.* Stenographische Berichte, 1.–7. Wahlperiode, Bd. 344ff., Berlin 1920ff. (1920–1933). Für die jeweilige Thematik heranzuziehen sind auch die jährlich publizierten *Statistischen Jahrbücher des Deutschen Reiches.* Vergleichbare Statistiken bzw. Staatshandbücher, in denen z. B. Behörden, Amtsträger usw. aufgeführt sind, erschienen auch für die einzelnen Länder.

Quelleneditionen und Quellensammlungen

Zu den bedeutendsten Editionen zählen die *Akten der Reichskanzlei,* Hrsg. von Karl Dietrich Erdmann und Wolfgang A. Mommsen bzw. Hans Booms. Boppard 1968–1990. Diese für die Geschichte der Weimarer Republik unentbehrliche, nach Reichsregierungen geordnete Edition umfaßt 23 Bde. Neben den Protokollen des Reichskabinetts sind oft Besprechungsniederschriften auf Ministerialebene, Kabinettsvorlagen u. a. m. aufgenommen und aus den Sachakten der Reichskanzlei u.a. Quellenbestände kommentiert. Sämtliche Themen der Regierungsarbeit aber auch von Reich-Länder-Problemen sind so auf der Ebene des Regierungshandelns dokumentiert. Diese Edition korrespondiert insofern mit den anderen hier genannten Quellengruppen. Für die Außenpolitik ebenso unentbehrlich, aber noch nicht soweit vorangeschritten sind die *Akten zur deutschen auswärtigen Politik 1918–1945. Serie B: 1925–1933*. Göttingen 1966–1983 (23 Bde); von der Serie A (1918–1925) erschienen bisher neun Bände, die Zeit vom 9. 11. 1918 bis zum 6. 4. 1924 umfassend (1982–1991).

Unentbehrliche Editionen finden sich auch in den Reihen der Kommission für Geschichte des Parlamentarismus und der politischen Parteien in Bonn: *Quellen zur Geschichte des Parlamentarismus und der politischen Parteien*, z.B. *Die Regierung des Prinzen Max von Baden*. Bearb. v. Erich Matthias und Rudolf Morsey. Düsseldorf 1962; *Die Regierung der Volksbeauftragten 1918/19*. Eingel. v. Erich Matthias, bearb. v. Susanne Miller unter Mitwirkung von Heinrich Potthoff. 2 Bde. Düsseldorf 1969; *Zwischen Revolution und Kapp-Putsch. Militär und Innenpolitik 1918–1920*. Bearb. v. Heinz Hürten. Düsseldorf 1977; *Die Anfänge der Ära Seeckt. Militär und Innenpolitik 1920–1922*. Bearb. v. Heinz Hürten. Düsseldorf 1979; *Das Krisenjahr 1923. Militär und Innenpolitik 1922–1924*. Bearb. v. Heinz Hürten. Düsseldorf 1980; *Linksliberalismus in der Weimarer Republik. Die Führungsgremien der Deutschen Demokratischen Partei und der Deutschen Staatspartei 1918–1933*. Eingel. v. Lothar Albertin, bearb. v. Konstanze Wegner u.a., Düsseldorf 1980; *Der Zentralrat der Deutschen Sozialistischen Republik. 19. 12. 1918 – 8. 4. 1919*. Bearb. v. Eberhard Kolb unter Mitwirkung v. Reinhard Rürup, Leiden 1968; *Die SPD-Fraktion in der Nationalversammlung 1919–1920*. Bearb. v. Heinrich Potthoff und Hermann Weber, Düsseldorf 1986. – In dieser Reihe erschienen weitere einschlägige Quellenpublikationen, v.a. zum Beginn und zur Endphase der Republik. Die hier angedeuteten Entwicklungen berühren noch: *Staat und NSDAP 1930–1932. Quellen zur Ära Brüning*. Eingel. von Gerhard Schulz. Bearb. v. Ilse Maurer u. Udo Wengst, Düsseldorf 1977; *Politik und Wirtschaft in der Krise 1930–1932. Quellen zur Ära Brüning; Das Ermächtigungsgesetz vom 24. März 1933. Quellen zur Geschichte und Interpretation des Gesetzes zur Behebung der Not von Volk und Reich*. Hrsg. u. bearb. v. Rudolf Morsey, Düsseldorf 1992. Eingel. von Gerhard Schulz. Bearb. v. Ilse Maurer u. Udo Wengst unter Mitw. von Jürgen Heideking, 2 Bde, Düsseldorf 1980.

In Verbindung mit der Kommission für Zeitgeschichte in Bonn wurde ein weiterer zentraler Quellenbestand ediert: *Die Protokolle der Reichstagsfraktion und des Fraktionsvorstands der Deutschen Zentrumspartei 1926–1933*. Bearb. v. Rudolf Morsey. Mainz 1969, das gleiche für die Jahre 1920–1925. Bearb. v. Rudolf Morsey u. Karsten Ruppert. Mainz 1981. Für die Geschichte der SPD bilden die Parteitagsprotokolle eine Fundgrube: *Protokoll über die Verhandlungen des Parteitages der Sozialdemokratischen Partei Deutschlands, abgehalten in Weimar vom 10. bis 15. Juni 1919.* Berlin 1919, Nd. Glashütten i.T., Berlin usw. 1973, sowie ebenso mit teils abweichendem Titel für die Parteitage in Kassel 1920, Görlitz 1921, Nürnberg 1922, Berlin 1924, Heidelberg 1925, Kiel 1927, Magdeburg 1929, Leipzig 1931, ebenfalls in Nd. 1973 bzw. 1974 erschienen, insges. 9 Bde. Des weiteren: *Jahrbuch der Deutschen Sozialdemokratie für das Jahr 1926.* Hrsg. v. Vorstand der Sozialdemokratischen Partei Deutschlands. Berlin 1927 sowie ebenso für die folgenden Jahre 1927, 1928, 1929, 1930, 1931 (auch Nd.: Nendeln/Liechtenstein, Berlin usw. 1976). Für die Zentrumspartei ergiebig: *Nationale Arbeit. Das Zentrum und sein Wirken in der deutschen Republik.* Hrsg. v. Karl Anton Schulte. Berlin, Leipzig (1929); *Politisches Jahrbuch.* Hrsg. v. Georg Schreiber. 3 Bde, M.-Gladbach 1925–1928. *Quellen zur Geschichte der deutschen Gewerkschaftsbewegung im 20. Jahrhundert.* Bd. 1–4, bearb. v. Peter Jahn u.a., Köln 1985–1988 (insges. 5 Bde), dokumentiert werden die Jahre 1914–1933.

Zum Beginn der Republik neben den schon erwähnten Quelleneditionen: *Allgemeiner Kongreß der Arbeiter- und Soldatenräte Deutschlands vom 16. bis 21. Dezember 1918 im Abgeordnetenhause zu Berlin.* Berlin 1919 (Nd. Glashütten i.T. 1972). *Quellen zur Geschichte des Parlamentarismus und der Politischen Parteien.* Erste Reihe Bd. 10: *Die Regierung Eisner 1918/1919. Ministerratsprotokolle und Dokumente.* Eingel. und bearb. v. Franz J. Bauer, Düsseldorf 1987. Zur Verfassungsgeschichte liegt eine Fülle zeitgenössischer Texte vor, u.a. Fritz Poetzsch, *Vom Staatsleben unter der Weimarer Verfassung (1920–1924).* In: Jahrbuch d. Öffentlichen Rechts der Gegenwart 13 (1925) sowie die Fortsetzungen in den Bänden 17 (1929) und 21 (1933/34) (insbes. zur Verfassungspraxis). Beste enzyklopädische Darstellung: *Handbuch des Deutschen Staatsrechts.* Hrsg. v. Gerhard Anschütz und Richard Thoma. 2 Bde, Tübingen 1930. Zur Reichsreform: *Verfassungsausschuß der Länderkonferenz. Beratungsunterlagen 1928.* Hrsg. v. Reichsministerium des Innern. Berlin 1929. Wilhelm Ziegler, *Die deutsche Nationalversammlung 1919/1920 und ihr Verfassungswerk.* Berlin 1932 (enthält wichtiges, z.T. amtliches Quellenmaterial zur Entstehungsgeschichte der Verfassung).

Heinrich Triepel, *Quellensammlung zum Deutschen Reichsstaatsrecht.* 5. erg. Aufl. Tübingen 1931, enthält Entwürfe und Denkschriften zur Weimarer Verfassung sowie wichtige Gesetzestexte. Gesetzestexte auch im *Reichsgesetzblatt* und in der *Preußischen Gesetzsammlung*, jeweils Berlin 1918ff. Übersichtliche Information v.a. zur Verwaltungsstruktur bietet: Graf Hue de Grais u.a. (Hrsg.), *Handbuch der Verfassung und Verwaltung in Preußen und dem Deutschen Reiche.* 23. Aufl. Berlin 1926. Für die Verfassungspraxis wichtig sind die beiden grundlegenden Kommentare: Gerhard Anschütz, *Die Verfassung des Deutschen Reichs vom 11. August 1919.* 14. Aufl. Berlin 1933; Fritz Poetzsch-Heffter, *Handkommentar zur Reichsverfassung.* 3. Aufl. Berlin 1928. Hugo Preuß, *Reich und Länder. Bruchstücke eines Kommentars zur Verfassung des Deutschen Reiches.* Hrsg. v. Gerhard Anschütz. Berlin 1928. – Zur zeitgenössischen Diskussion: Hugo Preuß,

Staat, Recht und Freiheit. Tübingen 1926, Nd. Hildesheim 1964; Ders., *Um die Reichsverfassung von Weimar.* Berlin 1924. In beiden Bänden sind wichtige Aufsätze, Reden, Denkschriften des Hauptautors der Weimarer Verfassung abgedruckt. Ein brillanter, wenngleich politisch fataler Kritiker der Weimarer Verfassungsordnung: Carl Schmitt, *Verfassungslehre.* Berlin 1928, Nd. 1970, sowie *Die geistesgeschichtliche Lage des heutigen Parlamentarismus.* 2. Aufl. Berlin 1926, Nd. 1969.

Die Zahl der politischen Memoiren der beteiligten Politiker ist beträchtlich, stellvertretend seien genannt: Viscount d'Abernon, *Ein Botschafter an der Zeitenwende.* 3 Bde, Leipzig 1929–1931, kluge, informative Beobachtungen eines englischen Diplomaten; Otto Braun, *Von Weimar zu Hitler.* 2. Aufl. New York 1940, Nd. Hildesheim 1979, nüchterner Rechenschaftsbericht des langjährigen preußischen Ministerpräsidenten (SPD); Arnold Brecht, *Aus nächster Nähe. Lebenserinnerungen 1884–1927.* Stuttgart 1966; *Mit der Kraft des Geistes. Lebenserinnerungen. Zweite Hälfte 1927–1967.* Stuttgart 1967, für die innere Geschichte der Republik außerordentlich ergiebig, spätere Darstellung eines kenntnisreichen, klugen und demokratisch orientierten Spitzenbeamten des Reichs- bzw. preußischen Staatsdienstes; Heinrich Brüning, *Memoiren 1918–1934.* Stuttgart 1970. Die aufsehenerregenden, aus dem Nachlaß herausgegebenen Erinnerungen des Reichskanzlers enthalten auch für die zwanziger Jahre wichtige Aufschlüsse, sind aber in ihrer Authentizität umstritten: Rudolf Morsey, *Zur Entstehung, Authentizität und Kritik von Brünings ›Memoiren 1918–1934‹.* Opladen 1975; Julius Curtius, *Sechs Jahre Minister der Deutschen Republik.* Heidelberg 1948 (Curtius, DVP, war u. a. als Nachfolger Stresemanns Außenminister; von Interesse für Wirtschafts- und Außenpolitik seit Mitte der zwanziger Jahre); Friedrich Ebert, *Schriften, Aufzeichnungen, Reden.* 2 Bde, Dresden 1926; Ferdinand Friedensburg, *Lebenserinnerungen.* Frankfurt a. M., Bonn 1969 (von Interesse insbes. für Verwaltungspolitik, Friedensburg (DDP) war Landrat, Polizeipräsident bzw. Regierungspräsident); *Ein Demokrat kommentiert Weimar. Die Berichte Hellmut von Gerlachs an die Carnegie-Friedensstiftung in New York 1922–1930.* Hrsg. von Karl Holl und Adolf Wild. Bremen 1973; Otto Gessler, *Reichswehrpolitik in der Weimarer Zeit.* Stuttgart 1958 (ergiebig); Theodor Heuss, *Erinnerungen 1905–1933.* Tübingen 1963 (der spätere Bundespräsident Heuss war damals DDP-MdR); Paul von Hindenburg, *Briefe, Reden, Berichte.* Hrsg. v. F. Endres. Ebenhausen 1934; Wilhelm Hoegner, *Die verratene Republik. Deutsche Geschichte 1919–1933.* 2. Aufl. München 1979 (1934 in der Emigration verfaßte Darstellung des bayerischen SPD-Politikers, MdR und Nachkriegs-Ministerpräsidenten); Wilhelm Keil, *Erlebnisse eines Sozialdemokraten.* 2 Bde, Stuttgart 1948; Harry Graf Kessler, *Tagebücher 1918–1937.* Hrsg. v. Wolfgang Pfeiffer-Belli. Frankfurt a. M. 1961 (Beobachtungen des liberalen Aristokraten und Rathenau-Freundes); Ernst Feder, *Heute sprach ich mit ... Tagebücher eines Berliner Publizisten 1926–1932.* Hrsg. v. Cécile Lowenthal-Hensel und Arnold

Paucker. Stuttgart 1971; Hans Luther, *Politiker ohne Partei. Erinnerungen.* Stuttgart 1960 (Finanzpolitiker, Oberbürgermeister und Reichskanzler); *Der Nachlaß des Reichskanzlers Wilhelm Marx.* Bearb. v. Hugo Stehkämper. 4 Bde, Köln 1968 (keine Memoiren, sondern ein Führer durch den Nachlaß); Otto Meißner, *Staatssekretär unter Ebert, Hindenburg und Hitler.* Hamburg 1950; Hermann Müller-Franken, *Die November-Revolution.* Berlin 1928 (Darstellung des späteren SPD-Reichskanzlers); Richard Müller, *Geschichte der deutschen Revolution.* 3 Bde, Nd. Berlin 1973 (aus der Sicht der marxistischen »Revolutionären Obleute«); Gustav Noske, *Von Kiel bis Kapp. Zur Geschichte der deutschen Revolution.* Berlin 1920; Ders., *Erlebtes aus Aufstieg und Niedergang einer Demokratie.* Offenbach 1947; Walther Rathenau, *Gesammelte Schriften.* 6 Bde, Berlin 1929; Ders., *Gesammelte Reden.* Berlin 1924; Ders., *Briefe,* 3 Bde, Dresden 1930; Ders., *Tagebuch 1907–1922.* Hrsg. von Hartmut Pogge von Strandmann. Düsseldorf 1967; Ders., *Hauptwerke und Gespräche.* Hrsg. v. Ernst Schulin. München, Heidelberg 1977; Philipp Scheidemann, *Memoiren eines Sozialdemokraten.* Bd. 2, Dresden 1928; Ders., *Der Zusammenbruch.* Berlin 1921; *Hans von Seeckt. Aus seinem Leben. 1918–1936.* Hrsg. v. Friedrich von Rabenau. Leipzig 1940 (obwohl aus der Sicht der sehr konservativen Reichswehrführung und Seeckts selbst und trotz Fehlerhaftigkeit für die Reichswehrpolitik aufschlußreich); Carl Severing, *Mein Lebensweg.* 2 Bde, Köln 1950 (materialreich für die Politik des gouvernementalen SPD-Flügels, Severing war Reichsinnenminister bzw. Preußischer Innenminister); Friedrich Stampfer, *Die ersten 14 Jahre der Deutschen Republik.* Offenbach 1947 (St. war Chefredakteur der SPD-Zeitung ›Vorwärts‹); Gustav Stresemann, *Reden und Schriften.* 2 Bde, Dresden 1926; Ders., *Vermächtnis. Der Nachlaß in drei Bänden.* Hrsg. v. Henry Bernhard. Berlin 1932–1933; Ernst Thälmann, *Reden und Aufsätze zur Geschichte der deutschen Arbeiterbewegung.* 2 Bde, Berlin (Ost) (die Weimarer Republik aus kommunistischer Sicht); Ernst Troeltsch, *Spektator-Briefe.* Aufsätze über die deutsche Revolution und die Weltpolitik. Hrsg. v. Hans Baron. Tübingen 1924, Nd. Aalen 1966 (hellsichtige Artikelfolge des bedeutenden Theologen, preußischen Unterstaatssekretärs und DDP-Politikers); Kuno Graf Westarp, *Am Grabe der Parteienherrschaft. Bilanz des deutschen Parlamentarismus von 1918 bis 1932.* Berlin 1932 (Kritik des zum gemäßigten DNVP-Flügel zählenden Konservativen).

Die umfangreichste, ausgezeichnete Quellenauswahl: *Ursachen und Folgen. Vom deutschen Zusammenbruch 1918 und 1945 bis zur staatlichen Neuordnung Deutschlands in der Gegenwart.* Hrsg. u. bearb. v. Herbert Michaelis und Ernst Schraepler unter Mitwirkung v. Günter Scheel. Bde 3–8 u. Regbd. Berlin o. J. Die handlichste, für Studienzwecke nützliche Dokumentation: *Die ungeliebte Republik. Dokumente zur Innen- und Außenpolitik Weimars 1918–1933.* Hrsg. von Wolfgang Michalka und Gottfried Niedhardt. München 1980; Wolfgang Treue (Hrsg.), *Deutsche Parteiprogramme seit 1861.* 4. Aufl. Göttingen 1968; Wilhelm Mommsen (Hrsg.), *Deutsche Parteiprogramme.* 3. Aufl. München 1977; Tabellen zur Wahlentwicklung: Alfred Milatz, *Wähler und Wahlen in der Weimarer Republik.* Bonn 1965; Martin Schumacher, *Wahlen und Abstimmungen 1918–1933. Eine Bibliographie.* Düsseldorf 1976; *Wahlen und Abstimmungen in der Weimarer Republik. Materialien zum Wahlverhalten 1919–1933.* Von Jürgen Falter, Thomas Lindenberger, Siegfried Schumann u.a., München 1986; *Dokumente zur deutschen Verfassungsgeschichte.* Hrsg. v. Ernst Rudolf Huber, Bd. 3, Stuttgart usw. 1966; Dietmar Petzina, Werner Abelshauser, Anselm Faust, *Statistisches Arbeitsbuch III. Materialien zur Statistik des Deutschen Reiches 1914–1945.* München 1978.

Bibliographien: Am umfassendsten ist die nach Themen geordnete Beilage der *Viereljahrshefte für Zeitgeschichte* (VfZ): *Bibliographie zur Zeitgeschichte,* zusammengestellt zunächst von Thilo Vogelsang, seit 1978 von Hellmuth Auerbach unter Mitwirkung von Ursula van Laak, Stuttgart 1953ff. (vierteljährlich, seit Jg. 37 (1989) jährlich, bearb. von Christoph Weisz u.a.). In den VfZ erscheinen laufend auch wichtige Beiträge über die Weimarer Republik. Des weiteren: G. P. Meyer, *Bibliographie zur deutschen Revolution 1918/19,* Göttingen 1977 sowie P. D. Stachura, *The Weimar Era and Hitler 1918–1933. A Critical Bibliography.* Oxford 1978; *Historische Bibliographie.* Im A. der Arbeitsgemeinschaft außeruniversitärer historischer Forschungseinrichtungen in der Bundesrepublik Deutschland (AHF) hrsg. von Horst Möller u.a., bearb. von Christoph Frh. v. Maltzahn, München 1988ff. (erscheint jährlich für 1987ff.); *Deutsche Geschichte seit dem Ersten Weltkrieg.* Hrsg. vom Institut für Zeitgeschichte, Bd. 3: Wolfgang Benz, *Quellen zur Zeitgeschichte.* Stuttgart 1973.

2. Sekundärliteratur

Vorbemerkung: Da der Aufstieg der NSDAP, die Wirtschaftsgeschichte, die Sozialpolitik und die Außenpolitik der Weimarer Republik in eigenen Bänden dieser Reihe behandelt werden, werden Titel zu diesen Themen nur in Ausnahmefällen genannt.

Gesamtdarstellungen

Die nach wie vor umfassendste Gesamtdarstellung der Weimarer Republik, von einem kritisch-liberalen Standpunkt aus verfaßt, ist das noch heute lesenswerte, auf die politische Geschichte konzentrierte Buch des Juristen und Historikers Erich Eyck, der selbst noch politische Erfahrungen in der Weimarer Republik sammeln konnte: *Geschichte der Weimarer Republik.* 4. Aufl., Erlenbach-Zürich 1962/1972, 2 Bde (Forschungsstand der fünfziger Jahre). Noch ältere Darstellung eines kritischen, aber unorthodoxen Marxisten: Arthur Rosenberg, *Entstehung und Geschichte der Weimarer Republik.* Hrsg. von Kurt

Kersten. Neuaufl. Frankfurt a. M. 1961 (2 Bde). Seither zahlreiche Neuauflagen dieser Fassung, für wissenschaftlichen Gebrauch sind nach wie vor die unbearbeiteten Erstauflagen der beiden Bände (1928/1935) heranzuziehen. Der 1. Bd. behandelt die Zeit bis zum Zusammenbruch 1918, der 2. Bd. die Jahre vom 9. November 1918 bis zum 14. September 1930, als nach Einschätzung von Rosenberg die Republik endete. Das Werk erlangte durch seine pointiert kritische Darstellung und durch seine These, es habe 1918/19 eine dritte Alternative zu bolschewistischer Diktatur und bürgerlicher Demokratie bestanden, große wissenschaftsgeschichtliche Bedeutung und regte seit den sechziger Jahren zahlreiche Neuinterpretationen und Forschungen über die Räteproblematik an. Neben diesen, dem modernen Forschungsstand nicht mehr entsprechenden Werken stehen knappe moderne Handbuchdarstellungen: Materialreich, v. a. zur Innenpolitik, aber durch das Erscheinungsdatum bedingt nicht auf neuestem Stand: Albert Schwarz, *Die Weimarer Republik* (1958). Rev. Neuausgabe Frankfurt a. M. 1968. Von marxistischer Seite: Wolfgang Ruge, *Deutschland 1917–1933*. Berlin (Ost) 1967. Bestes modernes Handbuch mit souveräner Kenntnis und abwägender Diskussion des Forschungsstandes (bis 1972): Karl Dietrich Erdmann, *Die Zeit der Weltkriege*. In: Gebhardt, *Handbuch der deutschen Geschichte*. 9., neubearb. Aufl. Hrsg. v. Herbert Grundmann. Bd. 4, 1 und 2, Stuttgart 1973/1976 (auch als Taschenbuchausgaben); einen guten informativen Überblick gibt: Helmut Heiber, *Die Republik von Weimar*. 14. durchges. u. erg. Aufl. München 1981 (seitdem weitere Nachdrucke). Knapper forschungsgesättigter Überblick: Gerhard Schulz, *Deutschland seit dem Ersten Weltkrieg 1918–1945*. Göttingen 1976; thematisch umfassender angelegte Gesamtdarstellung, unter Einbeziehung z. B. der Weimarer Kultur, sehr gut lesbar und akzentuiert, aber mit manchen kritisierbaren Interpretationen: Hagen Schulze, *Weimar. Deutschland 1917–1933*. Berlin 1982. Originelle, die Weimarer Republik als »Krise der klassischen Moderne« interpretierende Darstellung mit soziokulturellen und sozioökonomischen Schwerpunkten, aber gewisser Vernachlässigung der »klassischen« Themen der Innen- und Außenpolitik: Detlev J. K. Peukert, *Die Weimarer Republik*. Frankfurt a. M. 1987. Hans Mommsen, *Die verspielte Freiheit. Der Weg von Weimar in den Untergang 1918 bis 1933*. Berlin 1989. In bezug auf die Grundfragen der Innen- und Außenpolitik, der Gesellschafts- und Wirtschaftspolitik umfassend angelegt, sehr gehaltvoll in Bezug auf sozialpolitische und wirtschaftspolitische Probleme, jedoch zuweilen einseitige Urteile, z. B. in der Beurteilung der Anfangsphase der Republik in der unkritisch übernommenen Tradition der seit Arthur Rosenberg aufgestellten Behauptung, in der Sozialisierung habe ein ungenutztes Demokratisierungspotential gelegen. Ähnlich politisch akzentuierende Wertungen finden sich in anderen Teilen der Darstellung. Nützlich: Manfred Overesch und Friedrich Wilhelm Saal, *Chronik deutscher Zeitgeschichte, Politik, Wirtschaft, Kultur*. Bd. 1: *Die Weimarer Republik*. Düsseldorf 1982. In den europäischen und weltpolitischen Kontext stellen die Weimarer Republik: Hans Herzfeld, *Die moderne Welt 1789–1945*. Bd. 2:

Weltmächte und Weltkriege. 4. erg. Aufl. Braunschweig 1970, sowie Karl Dietrich Bracher, *Die Krise Europas 1917–1975.* Frankfurt a.M., Berlin, Wien 1976 (erw. Neuaufl. u.d.T. *Europa in der Krise,* 1979), sowie Theodor Schieder, in: Ders. (Hrsg.), *Handbuch der europäischen Geschichte.* Bd. 7, Stuttgart 1979. Als Studienbücher empfehlenswert: Karlheinz Dederke, *Reich und Republik. Deutschland 1917–1933.* 2. Aufl. Stuttgart 1973, und das Buch von Eberhard Kolb, *Die Weimarer Republik.* München, Wien 1984, bibl. erg. 2. Auflage 1988 (mit ausführlichen Literaturangaben und Forschungsbericht). Umfassendes Sammelwerk mit zahlreichen wichtigen Einzelstudien und guter Bibliographie: Karl Dietrich Bracher, Manfred Funke und Hans Adolf Jacobsen (Hrsg.), *Die Weimarer Republik 1918–1933, Politik-Wirtschaft-Gesellschaft.* Düsseldorf 1987. Darin auch ein problemorientierter Forschungsüberblick: Horst Möller, *Die Weimarer Republik in der zeitgeschichtlichen Perspektive der Bundesrepublik Deutschland,* S. 587–616; *Die Weimarer Republik – Demokratie in der Krise* (= Tel Aviver Jahrbuch für deutsche Geschichte Bd. 17, 1988, S. 1–342; 16 einzelne Beiträge zu verschiedenen Themen).

Sammelbände wichtiger Einzelstudien: Karl Dietrich Bracher, *Deutschland zwischen Demokratie und Diktatur.* Bern, München, Wien 1964; Eberhard Kolb (Hrsg.), *Vom Kaiserreich zur Weimarer Republik.* Köln 1972 (der Forschungsbericht des Hrsg. überschätzt m. E. die an Rosenberg anschließende Forschungsrichtung zur Räteproblematik und zum dritten Weg, zu der er selbst gewichtige empirische Forschungs- und Editionsleistungen beigetragen hat; einzelne Studien, z. B. von Hunt über Ebert, sind sehr anfechtbar). Werner Conze und Hans Raupach (Hrsg.), *Die Staats- und Wirtschaftskrise des deutschen Reichs 1929/33.* Stuttgart 1967; Gotthard Jasper (Hrsg.), *Von Weimar zu Hitler 1930–1933.* Köln, Berlin 1968; Michael Stürmer (Hrsg.), *Die Weimarer Republik.* Königstein/Ts. 1980; sehr gehaltvoll auch: Karl Dietrich Erdmann, Hagen Schulze (Hrsg.), *Weimar. Selbstpreisgabe einer Demokratie.* Düsseldorf 1980. Der Akzent dieser, den Forschungsstand problemorientiert bilanzierenden Darstellung liegt auf der Endphase. Die grundlegende politische Strukturgeschichte, die durch neuere Arbeiten nicht überholt ist und ohne die ein tiefergehendes Studium der Weimarer Republik nicht möglich ist, bleibt bis heute Karl Dietrich Bracher, *Die Auflösung der Weimarer Republik.* 5. Aufl. Villingen 1971 (zuerst 1955, auch als Taschenbuchausgabe 1978).

Einzelthemen

Die Flut der Studien zur Weimarer Republik ist kaum noch zu übersehen, deswegen beschränkt sich die folgende Übersicht auf eine weitgehend an dieser Darstellung orientierte themenspezifische Auswahl, weiterführende Hinweise enthalten die oben genannten Werke bzw. Hilfsmittel.

Eine modernen Ansprüchen genügende Ebert-Biographie liegt nicht vor, eine pointierte Einführung bietet Waldemar Besson, *Friedrich Ebert. Verdienst und Grenze.* Göttingen, Berlin, Frankfurt a. M. 1963;

die umfassender angelegte Untersuchung von Georg Kotowski reicht nur bis 1917: *Friedrich Ebert. Eine politische Biographie*. Bd. 1: *Der Aufstieg des Arbeiterführers 1871 bis 1917*. Wiesbaden 1963. Kritischer: Peter-Christian Witt, *Friedrich Ebert. Parteiführer, Reichskanzler, Volksbeauftragter, Reichspräsident*. Bonn 1971; knappe positivere Würdigung: Horst Möller, *Folgen und Lasten des verlorenen Krieges. Ebert, die Sozialdemokratie und der nationale Konsens*. Heidelberg 1991 (Kleine Schriften der Stiftung Reichspräsident Friedrich-Ebert-Gedenkstätte Nr. 8). Vgl. auch: *Friedrich Ebert und seine Zeit. Bilanz und Perspektiven der Forschung*. Hrsg. v. Rudolf König, Hartmut Soell und Hermann Weber i. A. d. Stiftung Reichspräsident Friedrich-Ebert-Gedenkstätte, München 1990. Zu einem zentralen Aspekt materialreich: Günter Arns, *Friedrich Ebert als Reichspräsident*. In: *Beiträge zur Geschichte der Weimarer Republik*. Hrsg. v. Theodor Schieder (HZ Beiheft 1), München 1971, S. 11–30.

Zu Hindenburg neben John W. Wheeler-Bennett, *Der hölzerne Titan. Paul von Hindenburg*. Tübingen 1969; Andreas Dorpalen, *Hindenburg in der Geschichte der Weimarer Republik*. Berlin, Frankfurt a. M. 1966; Emil Ludwig, *Hindenburg. Legende und Wirklichkeit*. Hamburg 1962; Friedrich J. Lucas, *Hindenburg als Reichspräsident*. Bonn 1959. Sehr viel positiver als es hier geschieht, wird Hindenburg dargestellt in dem Abriß von Erich Marcks, *Hindenburg. Feldmarschall und Reichspräsident*. Göttingen, Berlin, Frankfurt a. M. 1963, sowie Walther Hubatsch (Hrsg.), *Hindenburg und der Staat. Aus den Papieren Hindenburgs von 1878–1934*. 1966. Positivere Bewertung im übrigen auch bei H. Schulze, *Weimar* (s. o.).

An bedeutenden großen Biographien zu den führenden Weimarer Politikern fehlt es nach wie vor, nur wenige biographische Studien seien genannt: Felix E. Hirsch, *Stresemann. Ein Lebensbild*. Göttingen 1978; Henry Ashby Turner, *Stresemann – Republikaner aus Vernunft*. Berlin, Frankfurt a. M. 1968; Kurt Koszyk, *Gustav Stresemann. Der kaisertreue Demokrat*. Köln 1989 (keine der Arbeiten füllt die Lücke einer umfassenden, den neuesten Forschungsstand verarbeitenden Stresemann-Biographie); Ernst Schulin, *Walther Rathenau. Repräsentant, Kritiker und Opfer seiner Zeit*. Göttingen 1979 (knappe Einführung); Harry Graf Kessler, *Walther Rathenau. Sein Leben und sein Werk*. Wiesbaden 1962 (zeitgenössisches Porträt eines Freundes); Peter Berglar, *Walther Rathenau*. Bremen 1970; Hans Meier-Welcker, *Seeckt*. Frankfurt a. M. 1967; Hans J. L. Adolph, *Otto Wels und die Politik der deutschen Sozialdemokratie 1894–1939*. Berlin 1971; Kenneth R. Calkins, *Hugo Haase. Demokrat und Revolutionär*. Berlin 1976; Peter Nettl, *Rosa Luxemburg*. 2. Aufl. Köln, Berlin 1968; Klaus Epstein, *Matthias Erzberger und das Dilema der deutschen Demokratie*. Frankfurt a. M., Berlin, Wien 1976 (zuerst 1959); Hagen Schulze, *Otto Braun oder Preußens demokratische Sendung*. Frankfurt a. M., Berlin, Wien 1977; Peter Wulf, *Hugo Stinnes. Wirtschaft und Politik 1918–1924*. Stuttgart 1979; Karl Dietrich Erdmann, *Adenauer in der Rheinlandpolitik nach dem Ersten Weltkrieg*. Stuttgart 1966; Hugo Stehkämper (Hrsg.), *Konrad Adenauer – Oberbürgermeister von Köln*. Köln 1976. Ulrich von Hehl,

Wilhelm Marx. 1863–1946. Mainz 1987; Johannes Hürter, *General Groener.* Mainz 1993; Wolfram Wette, *Gustav Noske.* Düsseldorf 1987 (umfassende, viel Neues bringende, aber in der Wertung oft einseitig auf Verurteilung Noskes aus USPD-Perspektive abzielende Biographie); Horst Möller, *Gottfried Reinhold Treviranus. Ein Konservativer zwischen den Zeiten.* In: Paulus Gordan (Hrsg.), *Um der Freiheit willen. Eine Festgabe für und von Johannes und Karin Schauff.* Pfullingen 1983, S. 118–146. Zahlreiche wichtige Porträts enthält die von Rudolf Morsey z.T. mit Jürgen Aretz und Anton Rauscher hrsg. Sammlung *Zeitgeschichte in Lebensbildern. Aus dem deutschen Katholizismus des 19. und 20. Jahrhunderts.* 6 Bde, Mainz 1973–1984. Instruktive zeitgenössische Porträts verfaßte der Publizist Erich Dombrowski unter dem Pseudonym Johannes Fischart, *Das alte und das neue System.* 4 Bde, Berlin 1919–1925.

Die Entstehungsgeschichte der Weimarer Republik ist nach wie vor ein bevorzugtes Forschungsfeld, da die Tatsache des Scheiterns die Suche nach ihren Geburtsfehlern stimuliert. Die Kontroverse beginnt nach 1945 mit: Karl Dietrich Erdmann, *Die Geschichte der Weimarer Republik als Problem der Wissenschaft.* In: VfZ 3 (1955). Kritisch dazu vom Standpunkt einer modifizierten Alternative des »dritten Wegs«: Erich Matthias, *Zur Geschichte der Weimarer Republik. Ein Literaturbericht.* In: Die Neue Gesellschaft 2 (1956); außerdem Kolb in dem erwähnten Sammelband. Ebenfalls in dieser gegenüber der mehrheitssozialdemokratischen Führung kritischen Richtung argumentieren die Literaturberichte von Reinhard Rürup, *Probleme der Revolution in Deutschland 1918/19.* Wiesbaden 1968, sowie Ders., *Rätebewegung und Revolution in Deutschland 1918/19.* In: Neue Politische Literatur 12 (1967). Eine gewichtige Arbeit zum Räteproblem und zugleich die erste in der Reihe der neueren empirischen Untersuchungen: Eberhard Kolb, *Die Arbeiterräte in der deutschen Innenpolitik 1918–1919.* 2. Aufl. Frankfurt a. M., Berlin, Wien 1978 (bibliographisch ergänzt, zuerst 1962); außerdem: Peter von Oertzen, *Betriebsräte in der Novemberrevolution.* 2. erw. Aufl. Berlin, Bonn, Bad Godesberg 1976; Ulrich Kluge, *Soldatenräte und Revolution. Studien zur Militärpolitik in Deutschland 1918/19.* Göttingen 1975; ders., *Die deutsche Revolution 1918/19. Staat, Politik und Gesellschaft zwischen Weltkrieg und Kapp-Putsch.* Frankfurt a.M. 1985. Weitere Arbeiten sind im Anhang zur Neuauflage von Kolb, *Arbeiterräte,* aufgeführt. Diskussion der Forschungsproblematik u.a. auch bei: Heinrich August Winkler, *Die Sozialdemokratie und die Revolution von 1918/19.* Berlin, Bonn 1979; Wolfgang J. Mommsen, *Die deutsche Revolution 1918–1920.* In: Geschichte und Gesellschaft 4 (1978); Detlef Lehnert, *Sozialdemokratie und Novemberrevolution. Die Neuordnungsdebatte 1918/19 in der politischen Publizistik von SPD und USPD.* Frankfurt a.M. 1983; Jürgen Zarusky, *Die deutschen Sozialdemokraten und das sowjetische Modell. Ideologische Auseinandersetzung und außenpolitische Konzeptionen 1917–1933.* München 1992. Die intenvise Diskussion des Räteproblems in der Forschung und ihre zweifellos bedeutenden Einzelergebnisse haben oft zu einer Überschätzung dieses

Themas in der Gesamtbeurteilung der Weimarer Republik geführt und nicht selten eine Ideologisierung der Interpretation bewirkt. Jedenfalls bleibt die Theorie spekulativ, die völlige oder partielle Einführung eines wie immer gearteten politischen Rätesystems 1918/19 hätte eine demokratische Stabilisierung der Republik herbeigeführt. Begründeter ist die These, ein politisches Rätesystem sei mit der Demokratie unvereinbar, ein wirtschaftliches Rätesystem aber hätte die ökonomischen Probleme der Weimarer Republik noch vergrößert. Abwägend-kritische Beurteilung bei Erdmann, *Die Zeit der Weltkriege*, S. 26f. Sehr nützliche Dokumentation der Übergangsphase: Gerhard A. Ritter und Susanne Miller (Hrsg.), *Die deutsche Revolution 1918–1919*. Frankfurt a. M. 1983 (erw. Taschenbuchauflage).

Ebenfalls eine Alternative zu den 1918/19 getroffenen Entscheidungen betrifft die Reich-Länder-Struktur, das Preußenproblem und die daraus resultierenden Reichsreformbestrebungen: Sie sind am besten untersucht bei Gerhard Schulz, *Zwischen Demokratie und Diktatur. Verfassungspolitik und Reichsreform in der Weimarer Republik*. Bd. 1, Berlin 1963, 2. erw. Aufl. 1987 (behandelt die Zeit 1919–1930); inzwischen erschienen zwei weitere monumentale Bände des Verf., deren letzter die verfassungspolitische Summe der modernen Forschung der Auflösung der Weimarer Republik zieht: *Deutschland am Vorabend der großen Krise*. Berlin, New York 1987; *Von Brüning zu Hitler. Der Wandel des politischen Systems in Deutschland 1930–1933*. Berlin, New York 1992.

Der Verfassungsgeschichte sind zahlreiche wichtige Untersuchungen gewidmet, doch fehlt bis heute eine modernen Ansprüchen genügende, aus den Quellen gearbeitete Geschichte von Entstehung und Funktionsweise der Weimarer Reichsverfassung. Ergiebig sind nach wie vor die oben genannten zeitgenossischen Materialsammlungen bzw. verfassungsrechtlichen Kommentare und Interpretationen. An neuerer Literatur vor allem: Willibalt Apelt, *Geschichte der Weimarer Verfassung*. 2. unveränd. Aufl. München 1964. Der Verfasser dieser zuerst 1946 veröffentlichten Darstellung war von Hugo Preuß zum Mitglied des Verfassungsreferats des Reichsamtes des Innern berufen worden und wohnte den Weimarer Verhandlungen weitgehend bei, er war während der zwanziger Jahre als Prof. des Öffentlichen Rechts und von 1927 bis 1929 als sächsischer Innenminister (DVP) und Sachverständiger für die Reichsreform tätig. Aufgrund dieser intimen Kenntnis ist das Werk trotz gewisser Unübersichtlichkeit auch durch spätere Arbeiten nicht entbehrlich geworden. Die neueste umfassende Darstellung mit starker Berücksichtigung der Länder sowie der parteigeschichtlichen Entwicklung findet sich bei Ernst Rudolf Huber, *Deutsche Verfassungsgeschichte seit 1789*. Bd. 5, Stuttgart, Berlin, Köln, Mainz 1978 (behandelt die Zeit 1914–1919) sowie Bd. 6, 1981 (behandelt die Weimarer Verfassung in der Praxis); Bd. 7: *Ausbau, Schutz und Untergang der Weimarer Republik*. 1984; Bd. 8 Register 1991. Wenngleich Fragestellungen, Wertungen und Interpretation moderner Problemorientierung nicht immer genügen, ist das Werk doch aufgrund seines enzyklopädischen Materialreichtums, der weit über Verfassungsrecht im engeren Sinne hinausgeht, unentbehrlich. Vgl. dazu den Literaturbericht von Hans Boldt, in: Geschichte und Gesellschaft 11 (1985), S. 252–271; ders., *Deutsche Verfassungsgeschichte.* Bd. 2: *Von 1806 bis zur Gegenwart.* München 1990. – Zur Verfassungsgeschichte auch von Reich und Ländern der Weimarer Zeit: *Deutsche Verwaltungsgeschichte.* Hrsg. v. Kurt G. A. Jeserich, Hans Pohl, Georg Christoph von Unruh, Bd. 4: *Das Reich als Republik und in der Zeit des Nationalsozialismus.* Stuttgart 1985.

Zum Parlamentarismus – neben den in Anm. II, 28 genannten Werken aus der älteren Literatur, vor allem für die zeitgenössischen Interpretationen dieses Regierungssystems: Friedrich Glum, *Das parlamentarische Regierungssystem in Deutschland, Großbritannien und Frankreich.* 2. neubearb. u. erw. Aufl. München 1965. Mit moderner vergleichender Problemstellung: Peter Haungs, *Reichspräsident und parlamentarische Kabinettsregierung.* Köln, Opladen 1968; Gerhard A. Ritter, *Entwicklungsprobleme des deutschen Parlamentarismus.* In: Ders. (Hrsg.), *Gesellschaft, Parlament und Regierung. Zur Geschichte des Parlamentarismus in Deutschland.* Düsseldorf 1974, sowie die weiteren dort enthaltenen Arbeiten zur Weimarer Republik von Heinrich Potthoff, Gerhard Schulz, Martin Schumacher und Horst Möller. Des weiteren: Gerhard A. Ritter (Hrsg.), *Regierung, Bürokratie und Parlament in Preußen und Deutschland von 1848 bis zur Gegenwart.* Düsseldorf 1983, darin: Peter Christian Witt, *Kontinuität und Diskontinuität im politischen System der Weimarer Republik* sowie Horst Möller, *Verwaltungsstaat und parlamentarische Demokratie: Preußen 1919–1932.* Bei der Kommission für Geschichte des Parlamentarismus und der politischen Parteien, Bonn, ist eine Reihe einschlägiger Beiträge zur Verfassungsgeschichte und Parteigeschichte erschienen, die hier nicht im einzelnen aufgeführt werden kann. Stellvertretend: Reinhard Schiffers, *Elemente direkter Demokratie im Weimarer Regierungssystem.* Düsseldorf 1971; Ulrich Schürer, *Der Volksentscheid zur Fürstenenteignung 1926.* Düsseldorf 1978; Eberhard Schanbacher, *Parlamentarische Wahlen und Wahlsystem in der Weimarer Republik.* Düsseldorf 1982. Zur Parteigeschichte, die nach wie vor einen der Schwerpunkte der Forschung bildet, aber in bezug auf die einzelnen Parteien unterschiedlich intensiv erforscht ist, nach wie vor mit Gewinn zu lesen die knappe aber problemreiche und informative Darstellung von Sigmund Neumann, *Die Parteien der Weimarer Republik.* 2. Aufl. Stuttgart 1970 (inzwischen erschienen weitere Auflagen der zuerst 1932 veröffentlichten Schrift). Sehr anregende Reflexionen enthält: M. Rainer Lepsius, *Parteiensystem und Sozialstruktur. Zum Problem der Demokratisierung der deutschen Gesellschaft.* In: G. A. Ritter (Hrsg.), *Die deutschen Parteien vor 1918.* Köln 1973. Zeitlich und sachlich umfassende Analyse: Heino Kaack, *Geschichte und Struktur des deutschen Parteiensystems.* Opladen 1971 (Schwerpunkt allerdings auf der Zeit nach 1945). Ein Klassiker ist: Ludwig Bergsträsser, *Geschichte der politischen Parteien in Deutschland.* 11. völlig überarb. Aufl. von Wilhelm Mommsen. München, Wien 1965. Einzelstudien enthält: Oswald

Hauser (Hrsg.), *Politische Parteien in Deutschland und Frankreich 1918–1939*. Wiesbaden 1969. Enzyklopädische Nachschlagewerke mit z. T. ausführlichen Artikeln über die Parteien: Frank Wende (Hrsg.), *Lexikon zur Geschichte der Parteien in Europa*. Stuttgart 1981, sowie das marxistisch orientierte Handbuch: Dieter Fricke u. a. (Hrsg.), *Die bürgerlichen Parteien in Deutschland*. 2 Bde, Leipzig 1968/1970.

Zu den einzelnen Parteien können nur wenige Titel genannt werden: Zur DDP und DVP: Lothar Albertin, *Liberalismus und Demokratie am Anfang der Weimarer Republik*. Düsseldorf 1972; Wolfgang Hartenstein, *Die Anfänge der Deutschen Volkspartei 1918–1920*. Düsseldorf 1962; Werner Stephan, *Aufstieg und Verfall des Linksliberalismus 1918–1933. Geschichte der Deutschen Demokratischen Partei*. Göttingen 1973 (Stephan war von 1922 bis 1929 Geschäftsführer der DDP). Jürgen C. Heß, *»Das ganze Deutschland soll es sein«. Demokratischer Nationalismus in der Weimarer Republik am Beispiel der Deutschen Demokratischen Partei*. Stuttgart 1978; Bruce B. Frye, *Liberal Democrats in the Weimar Republic*. Illinois 1985; Larry Eugen Jones, *German liberalism and the dissolution of the Weimar Party System, 1918–1933*. Chapel Hill 1988; Dieter Langewiesche, *Liberalismus in Deutschland*. Frankfurt a. M. 1988 (Gesamtüberblick für das 19. u. 20. Jh.). Zur DNVP: Werner Liebe, *Die Deutschnationale Volkspartei 1918–1924*. Düsseldorf 1956; Anneliese Thimme, *Flucht in den Mythos. Die Deutschnationale Volkspartei und die Niederlage von 1918*. Göttingen 1969; Heidrun Holzbach, *Das »System Hugenberg«. Die Organisation bürgerlicher Sammlungspolitik vor dem Aufstieg der NSDAP*. Stuttgart 1981. Zur KPD: Ossip K. Flechtheim, *Die KPD in der Weimarer Republik*. 2. unveränd. Aufl., Frankfurt a. M. 1971; Hermann Weber, *Die Wandlung des deutschen Kommunismus. Die Stalinisierung der KPD in der Weimarer Republik*. Frankfurt a. M. 1969, 2. gekürzte Aufl. 1971. Zur SPD: Richard N. Hunt, *German-Social Democracy 1918–1933*. 2. Aufl. Chicago 1970 (Gesamtübersicht mit z. T. anfechtbaren Wertungen). Zu den Anfängen: Peter Lösche, *Der Bolschewismus im Urteil der deutschen Sozialdemokratie 1903–1920*. Berlin 1967; Alfred Kastning, *Die deutsche Sozialdemokratie zwischen Koalition und Opposition 1919–1923*. Paderborn 1970; Susanne Miller, *Burgfrieden und Klassenkampf. Die deutsche Sozialdemokratie im Ersten Weltkrieg*. Düsseldorf 1974; Dies., *Die Bürde der Macht. Die deutsche Sozialdemokratie 1918–1920*. Düsseldorf 1978. Von »linker« Position aus geschrieben sind die Beiträge in den Sammelbänden von Wolfgang Luthardt (Hrsg.), *Sozialdemokratische Arbeiterbewegung und Weimarer Republik. Materialien zur gesellschaftlichen Entwicklung 1927–1933*. 2 Bde, Frankfurt a. M. 1978. Eine modernen Ansprüchen genügende dreibändige Gesamtdarstellung der Weimarer SPD, z. T. weit über Parteigeschichte i. e. S. hinausgehend, bietet: Heinrich August Winkler, *Von der Revolution zur Stabilisierung. Arbeiter und Arbeiterbewegung in der Weimarer Republik 1918 bis 1924*. Berlin, Bonn 1984; *Der Schein der Normalität. Arbeiter und Arbeiterbewegung in der Weimarer Republik 1924 bis 1930*. Berlin, Bonn 1985; *Der Weg in die Katastrophe. Arbeiter und Arbeiterbewegung in der Weimarer Republik 1930 bis 1933*.

Berlin, Bonn 1987. Wolfram Pyta, *Gegen Hitler und für die Republik. Die Auseinandersetzung der deutschen Sozialdemokratie mit der NSDAP in der Weimarer Republik.* Düsseldorf 1989. Chronologische Übersicht bei Franz Osterroht, Dieter Schuster, *Chronik der deutschen Sozialdemokratie.* Bd. 2: *Vom Beginn der Weimarer Republik bis zum Ende des Zweiten Weltkrieges.* 2. neubearb. Aufl. Berlin, Bonn, Bad Godesberg 1975. In die gesamte Thematik gehört der Überblick von Helga Grebing, *Geschichte der deutschen Arbeiterbewergung.* 2. Aufl. München 1970 sowie die gehaltvolle Studie von Gerhard A. Ritter, *Staat, Arbeiterschaft und Arbeiterbewegung in Deutschland. Vom Vormärz bis zum Ende der Weimarer Republik.* Berlin, Bonn 1980 (Schwerpunkt liegt allerdings auf der Zeit vor 1918). Zur USPD neben der zeitgenössischen Darstellung von Eugen Prager, *Das Gebot der Stunde. Geschichte der USPD.* 4. Aufl. Berlin, Bonn 1980. Hartfried Krause, USPD. *Zur Geschichte der Unabhängigen Sozialdemokratischen Partei Deutschlands.* Frankfurt a. M., Köln 1975; Robert F. Wheeler, *USPD und Internationale. Sozialistischer Internationalismus in der Zeit der Revolution.* Frankfurt a. M., Berlin, Wien 1975. Die Zentrumspartei zählt dank der grundlegenden Werke von Rudolf Morsey zu den am besten erforschten Parteien, vor allem für die Anfangs- und die Schlußjahre; stellvertretend: Rudolf Morsey, *Die Deutsche Zentrumspartei 1917–1923.* Düsseldorf 1966 sowie chronologisch und sachlich anschließend: Karsten Ruppert, *Im Dienst am Staat von Weimar. Das Zentrum als regierende Partei in der Weimarer Demokratie 1923–1930.* Düsseldorf 1992; Rudolf Morsey, *Der Untergang des Politischen Katholizismus. Die Zentrumspartei zwischen christlichem Selbstverständnis und »Nationaler Erhebung« 1932/33.* Stuttgart, Zürich 1977; zusammenfassender Überblick: ders., *Der politische Katholizismus 1890–1933.* In: Anton Rauscher (Hrsg.), *Der soziale und politische Katholizismus. Entwicklungslinien in Deutschland 1803–1963.* Bd. 1, München, Wien 1984. Herbert Hömig, *Das Preußische Zentrum in der Weimarer Republik.* Mainz 1979; Günther Grünthal, *Reichsschulgesetz und Zentrumspartei in der Weimarer Republik.* Düsseldorf 1968. Vgl. auch die oben genannte Edition der Zentrumsprotokolle sowie Winfried Becker (Hrsg.), *Die Minderheit als Mitte. Die Deutsche Zentrumspartei in der Innenpolitik des Reiches 1871–1933.* Paderborn 1986; Klaus Epstein, *Matthias Erzberger und das Dilemma der deutschen Demokratie.* Frankfurt a. M. 1976.

Zu den kleineren Parteien z. B. Martin Schumacher, *Mittelstandsfront und Republik 1919–1933. Die Wirtschaftspartei – Reichspartei des deutschen Mittelstandes 1919–1933.* Düsseldorf 1972. Karl Schwend, *Bayern zwischen Monarchie und Diktatur.* München 1954; Klaus Schönhoven, *Die Bayerische Volkspartei 1924–1932.* Düsseldorf 1972. Zur NSDAP, deren Aufstieg in einem eigenen Band dieser Reihe behandelt wird, die materialreiche Darstellung von Gerhard Schulz, *Aufstieg des Nationalsozialismus. Krise und Revolution in Deutschland.* Frankfurt a. M., Berlin, Wien 1975; noch heranzuziehen: Werner Maser, *Der Sturm auf die Republik. Frühgeschichte der NSDAP.* 6. Aufl. Frankfurt a. M., Berlin, Wien 1981. Zur gesamten Einordnung der Epoche unter der Perspektive der Entstehung des Nationalsozialismus, der große deutende Entwurf von Ernst Nolte, *Der europäische Bürgerkrieg 1917–1945. Nationalsozialismus und Bolschewismus.* 4. Aufl. Frankfurt a. M., Berlin 1989 (das Buch stand im Zentrum des sog. Historikerstreits). Zur Interessenpolitik stellvertretend Martin Schumacher, *Land und Politik. Eine Untersuchung über politische Parteien und agrarische Interessen 1914–1923.* Düsseldorf 1978, sowie Heinrich Potthoff, *Gewerkschaften und Politik zwischen Revolution und Inflation.* Düsseldorf 1979; ders., *Freie Gewerkschaften 1918–1933. Der Allgemeine Deutsche Gewerkschaftsbund in der Weimarer Republik.* Düsseldorf 1987; Heinz Oskar Vetter (Hrsg.), *Aus der Geschichte lernen – die Zukunft gestalten. Dreißig Jahre DGB.* Protokoll der wissenschaftlichen Konferenz zur Geschichte der Gewerkschaften, vom 12. und 13. Oktober in München. Köln 1980 (mit weiterer Lit.). Michael Schneider, *Die Christlichen Gewerkschaften 1894–1933.* Bonn 1982 (grundlegend); ders., *Unternehmer und Demokratie. Die freien Gewerkschaften in der unternehmerischen Ideologie der Jahre 1918–1933.* Bonn, Bad Godesberg 1975; Henry A. Turner, *Die Großunternehmer und der Aufstieg Hitlers.* Berlin 1985 (grundlegend); Hans H. Hartwich, *Arbeitsmarkt, Verbände und Staat 1918–1933. Die öffentliche Bindung unternehmerischer Funktion in der Weimarer Republik.* Berlin 1967. Eine Reihe wichtiger Studien finden sich in: Hans Mommsen, Dietmar Petzina, Bernd Weisbrod (Hrsg.), *Industrielles System und politische Entwicklung in der Weimarer Republik.* 2 Bde, Nd. Kronberg/Ts., Düsseldorf 1977. Die Wirtschaftsgeschichte wird im übrigen in einem eigenen Band behandelt, stellvertretend mit weiterführender Literatur: Hermann Aubin, Wolfgang Zorn (Hrsg.), *Handbuch der deutschen Wirtschafts- und Sozialgeschichte.* Bd. 2, Stuttgart 1976, darin vor allem die Beiträge von Knut Borchardt, Wolfram Fischer, Max Rolfes und Wolfgang Zorn; eine informative Einführung bietet Wolfram Fischer, *Deutsche Wirtschaftspolitik 1918–1945.* 3. verb. Aufl. Opladen 1968. Zu den die gegenwärtige Diskussion besonders anregenden Beiträgen gehören die Studien von Knut Borchardt, *Wachstum, Krisen, Handlungsspielräume der Wirtschaftspolitik. Studien zur Wirtschaftsgeschichte des 19. und 20. Jahrhunderts.* Göttingen 1982; *Die Weimarer Republik als Wohlfahrtsstaat. Zum Verhältnis von Wirtschafts- und Sozialpolitik in der Industriegesellschaft.* Hrsg. von Werner Abelshauser, Stuttgart 1987; Johannes Bähr, *Staatliche Schlichtung in der Weimarer Republik.* Berlin 1989. Wichtige zeitgenöss. Darstellungen zu Wirtschaft und Gesellschaft: Bernhard Harms (Hrsg.), *Strukturwandlungen der Deutschen Volkswirtschaft.* 2 Bde, Berlin 1928, sowie ders. (Hrsg.), *Volk und Reich der Deutschen.* 3 Bde, Berlin 1929. Zur Inflation: Otto Büsch, Gerald D. Feldman (Hrsg.), *Historische Prozesse der deutschen Inflation 1914–1924 Berlin 1978;* sowie Gerald D. Feldman, Carl-Ludwig Holtfrerich, Gerhard A. Ritter, Peter-Christian Witt (Hrsg.), *Die Deutsche Inflation. Eine Zwischenbilanz.* Berlin, New York 1982; dies. (Hrsg.), *Die Erfahrung der Inflation im internationalen Vergleich.* Berlin, New York 1984; Gerald D. Feldman, *Vom Weltkrieg zur Wirtschaftskrise. Studien zur deutschen Wirtschafts- und Sozialgeschichte 1914–32.* Göttingen 1984.

Zur ersten Phase des Reparationsproblems: Peter Krüger, *Deutschland und die Reparationen 1918/19.* Stuttgart 1973.

Zur Sozialgeschichte außerdem: Theodor Geiger, *Die soziale Schichtung des deutschen Volkes.* Nd. Darmstadt 1972; Ralf Dahrendorf, *Gesellschaft und Demokratie in Deutschland.* 2. Aufl. München 1971; exemplarisch: Rudolf Heberle, *Landbevölkerung und Nationalsozialismus. Eine soziologische Untersuchung der politischen Willensbildung in Schleswig-Holstein 1918–1933.* Stuttgart 1963; Heinrich August Winkler, *Mittelstand, Demokratie und Nationalsozialismus. Die politische Entwicklung von Handwerk und Kleinhandel in der Weimarer Republik.* Köln 1972; Siegfried Kracauer, *Die Angestellten,* Frankfurt a.M. 1971 (Sammlung kluger Feuilletons aus der *Frankfurter Zeitung,* 1929); Erich Fromm, *Arbeiter und Angestellte am Vorabend des Dritten Reiches. Eine sozialpsychologische Untersuchung.* dt. Tb.-Ausg. München 1983 (diese Studie von 1929 stammt von einem psychoanalytisch orientierten Mitglied der »Frankfurter Schule« und beruht u.a. auf der Auswertung von Fragebögen); Hans Speier, *Die Angestellten vor dem Nationalsozialismus. Ein Beitrag zum Verständnis der deutschen Sozialstruktur 1918–1933.* Tb.-Ausg. Frankfurt a.M. 1989; Ludwig Preller, *Sozialpolitik in der Weimarer Republik.* Nd. Kronberg/Ts., Düsseldorf 1978 (zuerst 1949). Knapper Abriß: Horst Möller, *Epoche – Sozialgesichtlicher Abriß.* In: Horst Albert Glaser (Hrsg.), *Deutsche Literatur. Eine Sozialgeschichte.* Bd. 9: *Weimarer Republik – Drittes Reich.* Reinbek 1983. Zum Problem der Reichswehr außer den erwähnten Arbeiten von bzw. über Gessler und Seeckt: Otto Schüddekopf, *Das Heer und die Republik. Quellen zur Poltik der Reichswehrführung 1918–1933.* Hannover, Frankfurt a.M. 1955; Thilo Vogelsang, *Reichswehr, Staat und NSDAP. Beiträge zur deutschen Geschichte 1930–1932.* Stuttgart 1962 (greift weit in die 1920er Jahre zurück); Francis L. Carsten, *Reichswehr und Politik 1918–1933.* Köln, Berlin 1964; Rainer Wohlfeil, *Die Reichswehr 1919–1933. Heer und Republik.* (Handbuch zur deutschen Militärgeschichte) Frankfurt a.M. 1969; Gordon A. Craig, *Die preußisch-deutsche Armee 1640–1945. Staat im Staate.* Nd. Königstein/Ts., Düsseldorf 1980.

Zum politischen Denken: Klemens von Klemperer, *Konservative Bewegungen zwischen Kaiserreich und Nationalsozialismus.* München 1961; Walter Bußmann, *Politische Ideologien zwischen Monarchie und Weimarer Republik.* In: Historische Zeitschrift 190 (1960); Kurt Sontheimer, *Antidemokratisches Denken in der Weimarer Republik. Die politischen Ideen des deutschen Nationalismus zwischen 1918–1933.* 2. Aufl. München 1968; Armin Mohler, *Die konservative Revolution in Deutschland* 1918–1932. 3. völlig neubearb. u. erw. Fassung, 2 Bde, Darmstadt 1989 (mit vorzüglicher Bibliographie); Hermann Lübbe, *Politische Philosophie in Deutschland.* München 1974; Bernd Faulenbach, *Ideologie des deutschen Weges. Die deutsche Geschichte in der Historiographie zwischen Kaiserreich und Nationalsozialismus.* München 1980; Heinrich Lutz, *Demokratie im Zwielicht. Der Weg der deutschen Katholiken aus dem Kaiserreich in die Republik 1914–1925.* München 1963; Horst Möller, *Oswald Spengler – Geschichte im*

Dienste der Zeitkritik. In: Peter Christian Ludz (Hrsg.), *Spengler heute.* München 1980, Gilbert Merlio, *Oswald Spengler. Temoin de son temps.* Stuttgart 1982; Louis Dupeux, *»Nationalbolschewismus« in Deutschland 1919–1933.* München 1985. *Deutscher Sonderweg – Mythos oder Realität?* (Kolloquium des Instituts für Zeitgeschichte) München 1982 (mit Bibliographie); Karl Dietrich Bracher, *Zeit der Ideologien. Eine Geschichte des politischen Denkens im 20. Jahrhundert.* Stuttgart 1982 (umfassende Problemstellung).

Zur hier aus Raumgründen nicht behandelten Weimarer Kultur: Walter Laqueur, *Weimar. Die Kultur der Republik.* Frankfurt a.M., Berlin, Wien 1977; Horst Möller, *Exodus der Kultur, Schriftsteller, Wissenschaftler und Künstler in der Emigration nach 1933.* München 1984 (berücksichtigt auch die Zeit vor 1933); *Handbuch der deutschen Bildungsgeschichte,* Bd. V: *1918–1945. Die Weimarer Republik und die nationalsozialistische Diktatur.* Hrsg. v. Dieter Langewiesche und Heinz-Elmar Tenorth, München 1989; Louis Dupeux, *Histoire culturelle de l'Allemagne 1919–1960 (RFA)* (behandelt ausführlicher auch die Weimarer Republik).

Zur Außenpolitik: Ludwig Zimmermann, *Deutsche Außenpolitik in der Ära der Weimarer Republik.* Göttingen, Berlin, Frankfurt a. M. 1958; Theodor Schieder, *Die Probleme des Rapallo-Vertrages. Eine Studie über die deutsch-russischen Beziehungen 1922–1926.* Köln, Opladen 1956; Martin Broszat, *Außen- und innenpolitische Aspekte der preußisch-deutschen Minderheitenpolitik in der Ära Stresemann.* In: *Politische Ideologien und nationalstaatliche Ordnung.* Festschrift für Theodor Schieder zum 60. Geburtstag, hrsg. von Kurt Kluxen und Wolfgang J. Mommsen. München, Wien 1968; Werner Link, *Die amerikanische Stabilisierungspolitik in Deutschland 1921–1932.* Düsseldorf 1970; Klaus Schwabe, *Deutsche Revolution und Wilson-Frieden. Die amerikanische und deutsche Friedensstrategie zwischen Ideologie und Machtpolitik 1918/19.* Düsseldorf 1971; Henning Köhler, *Novemberrevolution und Frankreich. Die französische Deutschlandpolitik 1918–1919.* Düsseldorf 1980; Hermann Graml, *Europa zwischen den Kriegen.* 4. Aufl. München 1979; Michael Salewski, *Das Weimarer Revisionssyndrom.* In: Aus Politik und Zeitgeschichte. Beiträge zur Wochenzeitung *Das Parlament* v. 12. Januar 1980; Andreas Hillgruber, *»Revisionismus« – Kontinuität und Wandel in der Außenpolitik der Weimarer Republik.* In: Historische Zeitschrift 237 (1983); ders., *Die Last der Nation. Fünf Beiträge über Deutschland und die Deutschen.* Düsseldorf 1984; ders., *Die gescheiterte Großmacht. Eine Skizze des Deutschen Reiches 1871–1945.* 4. Aufl. Düsseldorf 1984; Klaus Hildebrand, *Das Deutsche Reich und die Sowjetunion im internationalen System 1918–1932.* In: Michael Stürmer (Hrsg.), *Die Weimarer Republik.* Königstein 1980; Raymond Poidevin, Jacques Bariéty, *Frankreich und Deutschland. Die Geschichte ihrer Beziehungen 1815–1975.* München 1982; Peter Krüger, *Die Außenpolitik der Republik von Weimar.* Darmstadt 1985; Franz Knipping, *Deutschland, Frankreich und das Ende der Locarno-Ära 1928–1931.* München 1987; Andreas Hillgruber, *Die Zer-*

störung Europas. Beiträge zur Weltkriegsepoche 1914 bis 1945. Frankfurt a.M., Berlin 1988 (z.T. grundlegende Aufsätze).

Zum Föderalismus bzw. zum Reich-Länder-Problem neben den oben genannten Arbeiten von Gerhard Schulz zur Reichsreform sowie den zeitgenössischen verfassungsrechtlichen Studien, die in der Regel auch intensiv auf diese Problematik eingehen: Bernhard Harms (Hrsg.), *Recht und Staat im Neuen Deutschland.* 2 Bde, Berlin 1929; Heinrich Triepel, *Streitigkeiten zwischen Reich und Ländern. Beiträge zur Auslegung des Artikels 19 der Weimarer Reichsverfassung.* Tübingen 1923, Nd. Darmstadt 1965; Bund zur Erneuerung des Reiches (Hrsg.), *Reich und Länder.* Berlin 1928; Johannes Popitz, *Der künftige Finanzausgleich zwischen Reich, Ländern und Gemeinden.* Berlin 1932. Ludwig Biewer, *Reichsreformbestrebungen in der Weimarer Republik.* Frankfurt a.M. 1980; Manfred Peter Heimers, *Unitarismus und süddeutsches Selbstbewußtsein. Weimarer Koalition und SPD in Baden in der Reichsreformdiskussion 1918–1933.* Düsseldorf 1992.

Allgemein: Ernst Deuerlein, Förderalismus. *Die historischen und philosophischen Grundlagen des förderativen Prinzips.* München 1972 (als Materialsammlung und Bibliographie nützlich); gehaltvolle problemorientierte Analyse: Thomas Nipperdey, *Der Förderalismus in der deutschen Geschichte.* In: ders., *Nachdenken über die deutsche Geschichte.* 2. Aufl. München 1986, S. 60–109. Zu den Ländern existieren eine Reihe z.T. gewichtiger Einzelstudien, trotzdem liegt hier noch ein weites Forschungsfeld, sowohl im Hinblick auf die Innenpolitik der Länder als auch in bezug auf die Reich-Länder-Beziehungen und den Reichsrat. Über den mit Abstand größten deutschen Einzelstaat Preußen hat sich die Forschungslage erst in den letzten Jahren spürbar verbessert. Stellvertretend einige neuere Beispiele: Waldemar Besson, *Württemberg und die deutsche Staatskrise 1928–1933. Eine Studie zur Auflösung der Weimarer Republik.* Stuttgart 1959; Ernst-August Roloff, *Braunschweig und der Staat von Weimar. Politik, Wirtschaft und Gesellschaft 1918–1933.* Braunschweig 1964; Rudolf Morsey, *Die Rheinlande, Preußen und das Reich 1914–1945.* In: Rheinische Vierteljahrsblätter 30 (1965); Wolfgang Benz, *Süddeutschland in der Weimarer Republik. Ein Beitrag zur deutschen Innenpolitik 1918–1923.* Berlin 1970; Andreas Kraus, *Geschichte Bayerns. Von den Anfängen bis zur Gegenwart.* München 1983 (Gesamtdarstellung, die u.a. ausführlich die Weimarer Republik berücksichtigt, mit weiterer Lit.); zu Preußen, außer H. Schulze, Otto Braun sowie H. Hömig, Preußisches Zentrum: Wolfgang Runge, *Politik und Beamtentum im Parteienstaat. Die Demokratisierung der politischen Beamten in Preußen zwischen 1918 und 1933.* Stuttgart 1965; Enno Eimers, *Das Verhältnis von Preußen und Reich in den ersten Jahren der Weimarer Republik (1918–1923).* Berlin 1969; Hans-Peter Ehni, *Bollwerk Preußen? Preußen-Regierung, Reich-Länder-Problem und Sozialdemokratie 1928–1932.* Bonn, Bad-Godesberg 1975 (sehr kritisch über die These vom »Bollwerk« – z.T. sehr anfechtbar); Dietrich Orlow, *Preußen und der Kapp-Putsch.* In: VfZ 26 (1978); Horst Möller, *Die preußischen Oberpräsidenten in der Weimarer Republik.* In: VfZ 30 (1982); Ders., *Das demokrati-*

sche Preußen. In: Otto Büsch (Hrsg.), *Das Preußenbild in der Geschichte.* Berlin, New York 1981 (dort auch weitere Lit.); Ders., *Parlamentarismus in Preußen. 1919–1932.* Düsseldorf 1985 (s. auch oben die Sammelbände von G. A. Ritter); Dietrich Orlow, *Weimar Prussia 1918–1925.* Pittsburgh, Pa. 1986; ders., *Weimar Prussia 1925–1933.* Pittsburgh, Pa. 1991.

Zur Wahlentwicklung und zu neueren Ansätzen der Wahlforschung: Otto Büsch, Monika Wölk, Wolfgang Wölk (Hrsg.), *Wählerbewegung in der deutschen Geschichte.* Berlin 1978 (behandelt die Reichstagswahlen 1871–1933, mit reicher Bibliographie:); zusammenfassend und weiterführend jetzt: Jürgen W. Falter, *Hitlers Wähler.* München 1991. S. auch oben die Bibliographie von Martin Schumacher.

Zu weiteren Einzelthemen: Wolfgang Elben, *Das Problem der Kontinuität in der deutschen Revolution.* Düsseldorf 1965; Francis L. Carsten, *Revolution in Mitteleuropa* 1918–1919. Köln 1973; Johannes Erger, *Der Kapp-Luttwitz-Putsch.* Düsseldorf 1967; Gotthard Jasper, *Der Schutz der Republik. Studien zur staatlichen Sicherung der Demokratie in der Weimarer Republik 1922–1930.* Tübingen 1963; Christoph Gusy, *Weimar – die wehrlose Republik? Verfassungsschutzrecht und Verfassungsschutz in der Weimarer Republik.* Tübingen 1991; Michael Stürmer, *Koalition und Opposition in der Weimarer Republik* 1924–1928. Düsseldorf 1967, wichtig vor allem für die Regierungsbildung sowie die Krisenhaftigkeit auch der mittleren Jahre der Republik, die bis heute erheblich weniger gut erforscht sind als die Anfangs- und die Endphase. Heinrich Hannover, Elisabeth Hannover-Drück, *Politische Justiz 1918–1933.* Mit einer Einl. v. Karl Dietrich Bracher. Frankfurt a.M. 1966; Gotthardt Jasper, *Justiz und Politik in der Weimarer Republik.* In: VfZ 30 (1982). Zu den Kampfverbänden: Karl Roh, *Reichsbanner Schwarz-Rot-Gold. Ein Beitrag zur Geschichte und Struktur politischer Kampfverbände in der Weimarer Republik.* Düsseldorf 1966; Volker R. Berghahn, *Der Stahlhelm. Bund der Frontsoldaten 1918–1935.* Düsseldorf 1966; Hagen Schulze, *Freikorps und Republik 1918–1920.* Boppard 1969; Michael Salewski, *Entwaffnung und Militärkontrolle in Deutschland 1919–1927.* München 1966. Zur Legitimationsproblematik der Weimarer Republik: Horst Möller, *Die nationalsozialistische Machtergreifung. Konterrevolution oder Revolution.* In: VfZ 31 (1983) (greift bis 1918/19 zurück). Gerard D. Feldman, *The Weimar Republic: A problem of modernisation?* In: Archiv für Sozialgeschichte 26 (1986), S. 1–26; Heinz-Gerhard Haupt, *Mittelstand und Kleinbürgertum in der Weimarer Republik. Zu Problemen und Perspektiven ihrer Erforschung.* In: Archiv für Sozialgeschichte 26 (1986), S. 217–238. – Zur Schlußphase außer den übergreifenden bzw. schon zitierten Werken von Bracher, Schulz u.a.: Fritz Blaich, *Der schwarze Freitag. Inflation und Wirtschaftskrise.* München 1985 sowie Martin Broszat, *Die Machtergreifung. Der Aufstieg der NSDAP und die Zerstörung der Weimarer Republik.* München 1984 (beide in dieser Reihe); Gotthard Jasper, *Die gescheiterte Zähmung. Wege zur Machtergreifung Hitlers 1930–1934.* Frankfurt a.M. 1986; Harald James, *Deutschland in der Weltwirtschaftskrise 1924–1936.* Stuttgart 1988 (konkurrenzlose Gesamtdarstellung dieses Themas) sowie exemplarisch: Ursula Büttner, *Hamburg in der Staats- und Wirtschaftskrise 1928–1931.* Hamburg 1982.

Neben den historischen Quellen und der Fachliteratur im engeren Sinne sind eine Reihe zeitkritischer Romane äußerst aufschlußreich für das politische Klima und Sozialmilieu der Weimarer Republik, das gilt z. B. für Hans Fallada, Lion Feuchtwanger, Oskar Maria Graf, um nur diese zu nennen. Auf andere Weise instruktiv sind, trotz ihrer Problematik, die Schriften Ernst von Salomons über die entwurzelte Soldatengeneration, die sich nach 1918 in rechtsextemistische Aktivitäten flüchtete und ein Unruheherd der Republik blieb.

Zeittafel

1918

28. Okt.	Verfassungsreform: Parlamentarisierung des Kaiserreiches
4. Nov.	Beginn des Matrosenaufstandes in Kiel
7./8. Nov.	Revolution in Bayern unter Kurt Eisner (USPD); Proklamation des Freistaates Bayern
9. Nov.	Philipp Scheidemann (SPD) ruft in Berlin die Republik aus; Abdankung des Kaisers; Reichskanzler Prinz Max von Baden betraut den SPD-Vorsitzenden Friedrich Ebert mit der Wahrnehmung der Regierungsgeschäfte als Reichskanzler
10. Nov.	Bildung einer Revolutionsregierung aus SPD und USPD: Rat der Volksbeauftragten
11. Nov.	Matthias Erzberger (Z) unterzeichnet in Compiègne den Waffenstillstand
12. Nov.	Gründung der Bayerischen Volkspartei (BVP)
20. Nov.	Gründung der Deutschen Demokratischen Partei (DDP)
24. Nov.	Gründung der Deutschnationalen Volkspartei (DNVP)
15. Dez.	Gründung der Deutschen Volkspartei (DVP)
16./21. Dez.	Reichskongreß der Arbeiter- und Soldatenräte in Berlin beschließt Wahlen zur Nationalversammlung
23. Dez.	Meuterei der Volksmarinedivision in Berlin
29. Dez.	Austritt der USPD aus dem Rat der Volksbeauftragten
30. Dez.	Gründung der Kommunistischen Partei Deutschlands (KPD)

1919

5.–12. Jan.	»Spartakusaufstand« von Kommunisten und USPD
15. Jan.	Ermordung von Rosa Luxemburg und Karl Liebknecht (KPD)
19. Jan.	Wahlen zur Nationalversammlung
6. Febr.	Zusammentritt der Nationalversammlung in Weimar
10. Febr.	Gesetz über die vorläufige Ordnung der Reichsgewalt
11. Febr.	Friedrich Ebert zum vorläufigen Reichspräsidenten gewählt
13. Febr.	Bildung einer Regierung der »Weimarer Koalition« (SPD-Zentrum-DDP), Ministerpräsident: Scheidemann (SPD)
21. Febr.	Ermordung von Kurt Eisner
Mai	Freikorps beseitigen die am 7. April ausgerufene Räterepublik in München

16. Juni	Ultimatum zur Annahme des Friedensvertrags von Versailles
20. Juni	Rücktritt der Regierung Scheidemann
28. Juni	Unterzeichnung des Vertrags von Versailles
11. Aug.	Unterzeichnung der Weimarer Reichsverfassung durch den Reichspräsidenten. Sie tritt am 14. August in Kraft
Sept.	Beginn der Erzbergerschen Reichsfinanzreform

1920

13.–17. März	Kapp-Putsch; Generalstreik der Gewerkschaften. Nach Mißerfolg des Putsches Regierungsumbildung
15. März – 15. Mai	Kommunistische Aufstände im Ruhrgebiet; nach Einmarsch der Reichswehr am 2. April niedergeworfen
6. Juni	Wahlen zum 1. Reichstag: extreme Einbußen der drei Weimarer Koalitionsparteien und Verlust ihrer absoluten Mehrheit

1921

1. März	Londoner Reparationskonferenz droht Sanktionen an
8. März	Besetzung von Duisburg, Düsseldorf und Ruhrort durch die Alliierten
20. März	Kommunistische Aufstände in Hamburg und Mitteldeutschland
6. Mai	Deutsch-sowjetisches Wirtschaftsabkommen
11. Mai	Annahme des Londoner Ultimatums vom 5. Mai
26. Aug.	Ermordung Matthias Erzbergers (Z) durch Rechtsextremisten
29. Aug.	Verhängung des Ausnahmezustandes durch den Reichspräsidenten; Konflikte zwischen Bayern und dem Reich

1922

16. April	Vertrag von Rapallo zwischen dem Deutschen Reich und Sowjetrußland
24. Juni	Ermordung von Außenminister Walther Rathenau (DDP) durch Rechtsextremisten
21. Juli	Gesetz zum Schutz der Republik
August	Beschleunigung der Inflation

1923

11. Jan.	Einmarsch französischer und belgischer Truppen in das Ruhrgebiet; passiver Widerstand bis September
26. Sept.	Ausnahmezustand in Bayern unter Generalstaatskommissar von Kahr
27. Sept.	Verhängung des Ausnahmezustandes für das Reichsgebiet

13. Okt.	1. Ermächtigungsgesetz
Oktober	Galoppierende Inflation; Unruhen in Sachsen und Thüringen und Konflikte mit dem Reich, Reichsexekution gegen diese beiden Länder
19. Okt.	Konflikt zwischen Reich und Bayern (bis Februar 1924)
8./9. Nov.	Hitlerputsch in München
16. Nov.	Ausgabe der Rentenmark, Ende der Inflation
23. Nov.	Sturz des Reichskanzlers Gustav Stresemann (DVP)

1924

1. März	Aufhebung des Ausnahmezustandes
4. Mai	Wahlen zum 2. Reichstag: Gewinne für KPD und DNVP
29. Aug.	Reichstag nimmt Dawes-Plan an (Reparationsregelung, die Umfang und Dauer der Zahlungen offenlegt)
7. Dez.	Wahlen zum 3. Reichstag (leichter Stimmenanstieg der demokratischen Parteien)

1925

15. Jan.	Eintritt der DNVP in die Regierung (Austritt am 25. Okt.)
28. Febr.	Reichspräsident Ebert stirbt im Alter von 54 Jahren
26. April	Paul von Hindenburg im 2. Wahlgang mit 48,3% der Stimmen zum Reichspräsidenten gewählt
Juli/Aug.	Räumung des Ruhrgebiets durch die Alliierten
1. Dez.	Unterzeichnung des Vertrags von Locarno (Deutschland, Frankreich, Belgien verzichten auf gewaltsame Änderung der gemeinsamen Grenzen)
	Räumung der Kölner Zone von britischen Truppen

1926

24. April	Freundschafts- und Neutralitätsvertrag mit der UdSSR
5. Mai	Flaggenverordnung des Reichspräsidenten
10. Sept.	Aufnahme Deutschlands in den Völkerbund
17. Sept.	Treffen Stresemanns mit Briand in Thoiry
10. Dez.	Friedensnobelpreis für die Außenminister Briand und Stresemann

1927

31. Jan.	Auflösung der interalliierten Militärkommission (Ende der Abrüstungskontrolle)
16. Juli	Gesetz zur Arbeitslosenversicherung

1928

20. Mai	Wahlen zum 4. Reichstag (Erfolge vor allem für die SPD, Niederlage der DNVP)

28. Juni	Beginn der Großen Koalition unter Reichskanzler Müller (SPD, DDP, Zentrum, DVP, BVP)
27. Aug.	Briand-Kellogg-Pakt (Kriegsächtung)

1929

März	Anstieg der Arbeitslosen auf 2,8 Millionen
21. Aug.	Unterzeichnung des Young-Plans (Festlegung der Zahlungsraten und der Laufzeit der Reparationen)
3. Okt.	Außenminister Stresemann (DVP) stirbt
25. Okt.	Börsenkrach in New York, Beginn der Weltwirtschaftskrise
22. Dez.	Volksentscheid gegen den Young-Plan erhält nicht erforderliche Stimmenzahl

1930

27. März	Große Koalition unter Reichskanzler Müller zerbricht (Anlaß: Gegensatz zwischen SPD und DVP über Finanzierungsbeiträge zur Arbeitslosenversicherung)
März	3,5 Millionen Arbeitslose
30. Juni	Räumung des Rheinlandes
18. Juli	Auflösung des Reichstags
14. Sept.	Sprunghafter Anstieg der NSDAP-Mandate bei der Wahl zum 5. Reichstag von 12 auf 107 (18,3%)

1931

Februar	Anstieg der Arbeitslosenzahl auf fast 4,5 Millionen
5. Juni	2. Notverordnung zur »Sicherung von Wirtschaft und Finanzen«
20. Juni	Der amerikanische Präsident Hoover schlägt einen einjährigen Aufschub der deutschen Reparationszahlungen vor (Hoover-Moratorium)
13. Juli	Zusammenbruch der Darmstädter und Nationalbank (Danat-Bank). In der Folgezeit Bankenkrise
6. Okt.	3. Notverordnung zur »Sicherung von Wirtschaft und Finanzen«
9. Okt.	Zweites Kabinett Brüning
11. Okt.	Tagung der »Nationalen Opposition« in Bad Harzburg (»Harzburger Front«)
8. Dez.	4. Notverordnung zur »Sicherung von Wirtschaft und Finanzen«

1932

Februar	Mehr als 6 Millionen Arbeitslose
10. April	Wiederwahl Hindenburgs zum Reichspräsidenten im zweiten Wahlgang
13. April	Verbot von SA und SS

24. April	Landtagswahlen in Preußen. Die »Weimarer Koalition« verliert die Mehrheit
30. Mai	Entlassung Brünings. Berufung Franz von Papens zum Reichskanzler
4. Juni	Auflösung des Reichstages
16. Juni	Aufhebung des SA-Verbots
16. Juni – 9. Juli	Konferenz von Lausanne. Völkerrechtlich verbindliches Ende der Reparationen
20. Juli	»Preußenschlag«. Absetzung der geschäftsführenden preußischen Regierung und Ernennung von Papens zum Reichskommissar für Preußen
31. Juli	Reichstagswahlen. NSDAP mit 37,7% stärkste Partei. NSDAP und KPD zusammen stellen mehr als die Hälfte der Abgeordneten
12. Sept.	Der Reichstag spricht der Regierung von Papen mit 512 zu 42 Stimmen das Mißtrauen aus. Auflösung des Reichstages
25. Okt.	Kompromißurteil des Staatsgerichtshofes zum »Preußenschlag«
6. Nov.	Reichstagswahlen. NSDAP mit 33,1 % nach wie vor stärkste Partei
17. Nov.	Rücktritt des Kabinetts von Papen
2. Dez.	Ernennung Kurt von Schleichers zum Reichskanzler

1933

6. Jan.	»Kölner Gespräch« zwischen Hitler und von Papen
28. Jan.	Rücktritt von Schleichers
30. Jan.	Ernennung Hitlers zum Reichskanzler. Von Papen Vizekanzler
27. Febr.	Reichstagsbrand
28. Febr.	Verordnung »Zum Schutz von Volk und Staat« (Reichstagsbrand-Verordnung). Beginn des permanenten Ausnahmezustandes. Terror gegen politische Gegner
5. März	Reichstagswahlen. NSDAP (43,9%) und DNVP (8%) erreichen zusammen die absolute Mehrheit
8.–10. März	Gleichschaltung der Länder
21. März	»Tag von Potsdam«
23. März	Der Reichstag verabschiedet das Gesetz »Zur Behebung der Not von Volk und Reich« (Ermächtigungsgesetz). Die Regierung Hitler kann nunmehr Gesetze ohne Zustimmung des Reichstages erlassen

Die wichtigsten Minister in den Regierungen der Weimarer Republik

Beginn	Reichskanzler	Vizekanzler	Äußeres	Inneres	Reichswehr
13. 2. 1919	Scheidemann (SPD)	Schiffer (DDP) ab 30. 4. 1919: Dernburg (DDP)	Graf Brockdorff-Rantzau (parteilos)	Preuß (DDP)	Noske (SPD)
21. 6. 1919	Bauer (SPD)	Erzberger (Zentrum) ab 2. 10. 1919: Schiffer (DDP)	H. Müller (SPD)	David (SPD ab 5. 10. 1919: Koch (DDP)	Noske (SPD)
27. 3. 1920	H. Müller (SPD)	Koch (DDP)	Köster (SPD)	Koch (DDP)	Geßler (DDP)
21. 6. 1920	Fehrenbach (Zentrum)	Heinze (DVP)	Simons (parteilos)	Koch (DDP)	Geßler (DDP)
10. 5. 1921	Wirth (Zentrum)	Bauer (SPD)	Rosen (parteilos)	Gradnauer (SPD)	Geßler (DDP)
26. 10. 1921	Wirth (Zentrum)	Bauer (SPD)	Wirth (Zentrum) 21. 1.–24. 6. 1922: Rathenau (DDP)	Köster (SPD)	Geßler (DDP)
22. 11. 1922	Cuno (parteilos)	–	von Rosenberg (parteilos)	Oeser (DDP)	Geßler (DDP)
13. 8. 1923	Stresemann (DVP)	Schmidt (SPD)	Stresemann (DVP)	Sollmann (SPD)	Geßler (DDP)
6. 10. 1923	Stresemann (DVP)	–	Stresemann (DVP)	Sollmann (SPD) ab 11. 11. 1923: Jarres (DVP)	Geßler (DDP)
30. 11. 1923	Marx (Zentrum)	Jarres (DVP)	Stresemann (DVP)	Jarres (DVP)	Geßler (DDP)
3. 6. 1924	Marx (Zentrum)	Jarres (DVP)	Stresemann (DVP)	Jarres (DVP)	Geßler (DDP)
15. 1. 1925	Luther (parteilos)	–	Stresemann (DVP)	Schiele (DNVP) ab 26. 10. 1925: Geßler (DDP)	Geßler (DDP)
20. 1. 1926	Luther (parteilos)	–	Stresemann (DVP)	Külz (DDP)	Geßler (DDP)

Wirtschaft	Finanzen	Ernährung	Arbeit	Justiz
Wissell (SPD)	Schiffer (DDP) ab 19. 4. 1919 Dernburg (DDP)	Schmidt (SPD)	Bauer (SPD)	Landsberg (SPD)
Wissell (SPD) ab 15. 7. 1919: Schmidt (SPD)	Erzberger (Zentrum)	Schmidt (SPD)	Schlicke (SPD)	ab 2. 10. 1919: Schiffer (DDP)
Schmidt (SPD)	Wirth (Zentrum)	Hermes (Zentrum)	Schlicke (SPD)	Blunck (DDP)
Scholz (DVP)	Wirth (Zentrum)	Hermes (Zentrum)	Brauns (Zentrum)	Heinze (DVP)
Schmidt (SPD)	Wirth (Zentrum)	Hermes (Zentrum)	Brauns (Zentrum)	Schiffer (DDP)
Schmidt (SPD)	Hermes (Zentrum)	Hermes (Zentrum) ab 31. 3. 1922: Fehr (BVP)	Brauns (Zentrum)	Radbruch (SPD)
Becker (DVP)	Hermes (Zentrum)	Luther (parteilos)	Brauns (Zentrum)	Heinze (DVP)
von Raumer (DVP)	Hilferding (SPD)	Luther (parteilos)	Brauns (Zentrum)	Radbruch (SPD)
Koeth (parteilos)	Luther (parteilos)	Graf v. Kanitz (parteilos)	Brauns (Zentrum)	Radbruch (SPD) bis 3. 11. 1923
Hamm (DDP)	Luther (parteilos)	Graf v. Kanitz (parteilos)	Brauns (Zentrum)	Emminger (BVP) bis 15. 4. 1924
Hamm (DDP)	Luther (parteilos)	Graf v. Kanitz (parteilos)	Brauns (Zentrum)	–
Neuhaus (DNVP) ab 26. 10. 1925: Krohne (DVP)	von Schlieben (DNVP) ab 26. 10. 1925: Luther (parteilos)	Graf v. Kanitz (parteilos)	Brauns (Zentrum)	Frenken (Zentrum) ab 21. 11. 1925: Luther (parteilos)
Curtius (DVP)	Reinhold (DDP)	Haslinde (Zentrum)	Brauns (Zentrum)	Marx (Zentrum)

Beginn	Reichskanzler	Vizekanzler	Äußeres	Inneres	Reichswehr
16. 5. 1926	Marx (Zentrum)	–	Stresemann (DVP)	Külz (DDP)	Geßler (DDP)
29. 1. 1927	Marx (Zentrum)	Hergt (DNVP)	Stresemann (DVP)	von Keudell (DNVP)	Geßler (DDP) ab 19. 1. 1928: Groener (parteilos)
28. 6. 1928	H. Müller (SPD)	–	Stresemann (DVP) ab 4. 10. 1929 Curtius (DVP)	Severing (SPD)	Groener (parteilos)
30. 3. 1930	Brüning (Zentrum)	Dietrich (DDP)	Curtius (DVP)	Wirth (Zentrum)	Groener (parteilos)
9. 10. 1931	Brüning (Zentrum)	Dietrich (DDP)	Brüning (Zentrum)	Groener (parteilos)	Groener (parteilos)
1. 6. 1932	von Papen (parteilos)	–	Frhr. v. Neurath (parteilos)	Frhr. v. Gayl (DNVP)	von Schleicher (parteilos)
3. 12. 1932	von Schleicher (parteilos)	–	Frhr. v. Neurath (parteilos)	Bracht (parteilos)	von Schleicher (parteilos)
30. 1. 1933	Hitler (NSDAP)	von Papen (parteilos)	Frhr. v. Neurath (parteilos)	Frick (NSDAP)	von Blomberg (parteilos)

Aus: K. Dederke, *Reich und Republik. Deutschland 1917–1933*. 2. Aufl. Stuttgart 1973, S. 281 f.

Wirtschaft	Finanzen	Ernährung	Arbeit	Justiz
Curtius (DVP)	Reinhold (DDP)	Haslinde (Zentrum)	Brauns (Zentrum)	Marx (Zentrum) ab 16. 7. 1926: Bell (Zentrum)
Curtius (DVP)	Köhler (Zentrum)	Schiele (DNVP)	Brauns (Zentrum)	Hergt (DNVP)
Curtius (DVP) ab 23. 12. 1929: Schmidt (SPD)	Hilferding (SPD) ab 23. 12. 1929: Moldenhauer (DVP)	Dietrich (DDP)	Wissell (SPD)	Koch (DDP) ab 13. 4. 1929: v. Guérard (Zentrum)
Dietrich (DDP)	Moldenhauer (DVP) ab 26. 6. 1930: Dietrich (DDP)	Schiele (DNVP)	Stegerwald (Zentrum)	Bredt (Wirtschaftsp.)
Warmbold (parteilos)	Dietrich (DDP)	Schiele (Landvolk-Part.)	Stegerwald (Zentrum)	Joël (parteilos)
Warmbold (parteilos)	Graf Schwerin-v. Krosigk (parteilos)	Frhr. v. Braun (DNVP)	Schäffer (parteilos)	Gürtner (DNVP)
Warmbold (parteilos)	Graf Schwerin-v. Krosigk (parteilos)	Frhr. v. Braun (DNVP)	Syrup (parteilos)	Gürtner (DNVP)
Hugenberg (DNVP)	Graf Schwerin-v. Krosigk (parteilos)	Hugenberg (DNVP)	Seldte (Stahlheim)	Gürtner (DNVP)

Wahlen zur Nationalversammlung und zum Reichstag 1919–1933[1]

		Wahl 19. 1. 1919		Wahl[2] 6. 6. 1920		Wahl 4. 5. 1924		Wahl 7. 12. 1924	
			%		%		%		%
Gesamtzahl der Bevölkerung	In Tausenden	63052,0		59198,8		59198,8		59198,8	
Stimmberechtigte	In Tausenden	36766,5		35949,8		38375,0		38987,3	
Gültige Stimmen	In Tausenden	30400,3	82,68	28196,3	78,43	29281,8	76,30	30290,1	77,70
Ungültige Stimmen	In Tausenden	124,5	0,34	267,2	0,74	427,6	1,11	414,9	1,06

Parteien	Stimmen *Mandate*	%	Stimmen *Mandate*	%	Stimmen *Mandate*	%	Stimmen *Mandate*	%
Deutschnationale Volkspartei	3121,5 *44*[3]	10,3	4249,1 *71*	15,0	5696,5 *95*	18,4	6205,8 *103*	20,4
Nationalsoz. Deutsche Arbeiterpartei	–		–		1918,3 *32*	6,5	907,3 *14*	2,9
Deutsche Volkspartei	1345,6 *19*	4,4	3919,4 *65*	13,9	2694,4 *45*	9,2	3049,1 *51*	10,6
Deutschsoziale Partei	–		–		333,4 *4*	1,1	159,1 *0*	0,5
Deutsches Landvolk	–		–		–		–	
Deutsche Bauernpartei	–		–		–		–	
Landbund	–		–		574,9 *10*	1,9	499,4 *8*	1,6
Wirtschaftspartei	275,1 *4*	0,9	218,6 *4*	0,8	693,6 *10*	2,3	1005,4 *17*[8]	3,3
Deutsch-Hannoversche Partei	77,2 *1*	0,2	319,1 *5*	1,1	319,8 *5*	1,0	262,7 *4*	0,8
Zentrum	5980,2 *91*	19,7	3845,0 *64*	13,6	3914,4 *65*	13,3	4118,9 *69*	13,5
Bayerische Volkspartei	–		1173,3 *21*	4,1	946,7 *16*	3,2	1134,0 *19*	3,7
Christliche Volkspartei	–		65,3 *0*	0,2	–		–	
Deutsche Demokratische Partei[9]	5641,8 *75*[10]	18,5	2333,7 *39*	8,2	1655,1 *28*	5,3	1919,8 *32*	6,3
Sozialdemokratische Partei	11509,1 *163*	37,9	6104,4 *102*	21,7	6008,9 *100*	23,9	7881,0 *131*	26,0
Unabh. Sozialdemokratische Partei	2317,3 22	7,6	5046,8 *84*	17,8	235,1 *0*	0,7	98,8 *0*	0,3
Kommunistische Partei	–		589,5 *4*	2,0	3693,3 *62*	12,5	2709,1 *45*	8,9
Andere Parteien	132,5 2	0,5	332,1 *0*	1,6	597,4 *0*	0,7	339,7 *0*	1,2

Aus: Dederke, ***Reich und Republik,*** S. 280f.

[1] Nach: Statistisches Jahrbuch für das Deutsche Reich, Bd. 27 (1928) S. 579, Bd. 33 (1934) S. 302.
[2] Die Hauptwahl fand 1920 statt. 1921 und 1922 wurden in den Abstimmungsgebieten Ergänzungswahlen vorgenommen.
[3] Einschließlich Bayerische Mittelpartei, Nationalliberale Partei in Bayern, Württembergische Bürgerpartei, Württemberg. Bauern- und Weingärtnerbund.
[4] Der völkisch-nationale Block erhielt 304000 Stimmen, die verlorengingen.
[5] Dazu kamen noch 5 Abgeordnete: Württembergischer Landbund (3) und Sächsisches Landvolk (2).
[6] Christlich-nationale Bauern- und Landvolkpartei.

Wahl 20. 5. 1928		Wahl 14. 9. 1930		Wahl 31. 7. 1932		Wahl 6. 11. 1932		Wahl 5. 3. 1933	
	%		%		%		%		%
62410,6		62410,6		62410,6		62410,6		62410,6	
41224,7		42957,7		44226,8		44373,7		44685,8	
30753,3	74,60	34970,9	81,41	36882,4	83,39	35471,8	79,93	39343,3	88,04
412,5	1,00	254,9	0,59	279,7	0,63	287,3	0,64	311,7	0,69

Stimmen *Mandate*	%	Stimmen *Mandate*	%	Stimmen *Mandate*	%	Stimmen *Mandate*	%	Stimmen *Mandate*	%
4381,6 *73*[5]	14,2	2458,3 *41*	7,0	2177,4 *37*	5,9	2959,0 *52*	7,2	3136,8 *52*	8,0
810,1 *12*[4]	2,6	6409,6 *107*	18,3	13745,8 *230*	37,2	11737,0 *196*	33,0	17277,2 *288*	43,9
2679,7 *35*	8,7	1578,2 *30*	4,5	436,0 *7*	1,1	661,8 *11*	1,7	432,3 *2*	1,0
–		–		–		–		–	
581,8[6] *10*	1,8	1108,7 *19*	3,1	90,6 *1*	0,2	46,4 *0*	0,1	–	
481,3 *8*	1,5	339,6 *6*	0,8	137,1 *2*	0,3	149,0 *3*	0,4	114,0 *2*	0,3
199,5[7] *3*	0,6	194,0 *3*	0,5	96,9[7] *2*	0,2	105,2[7] *2*	0,2	83,8[7] *1*	0,2
1397,1 *23*	4,5	1362,4 *23*	3,9	146,9 *2*	0,3	110,3 *1*	0,3	–	
195,6 *3*	0,6	144,3 *3*	0,4	46,9 *0*	0,1	64,0 *1*	0,1	47,7 *0*	0,1
3712,2 *62*	11,9	4127,9 *68*	11,7	4589,3 *75*	12,4	4230,6 *70*	11,9	4424,9 *74*	11,2
945,6 *16*	3,9	1059,1 *19*	3,0	1192,7 *22*	3,2	1094,6 *20*	2,9	1073,6 *18*	2,7
–		–		–		–		–	
1505,7 *25*	4,9	1322,4 *20*[11]	3,7	371,8 *4*	1,0	336,5 *2*	0,9	334,2 *5*[12]	0,8
9153,0 *153*	28,7	8577,7 *143*	24,5	7959,7 *133*	21,5	7248,0 *121*	20,4	7181,6 *120*[13]	18,3
–		–		–		–		–	
3264,8 *54*	10,6	4592,1 *77*	13,1	5282,6 *89*	14,2	5980,2 *100*	16,8	4848,1 *81*[14]	12,3
1445,3 *4*	5,5	1696,6 *18*	5,5	608,7 *4*	2,4	749,2 *5*	4,1	389,1 *4*	1,2

[7] Württembergischer Bauern- und Weingärtnerbund.

[8] Einschließlich Bayerischer Bauernbund.

[9] Seit 1930 Deutsche Staatspartei.

[10] Einschließlich Deutsche Volkspartei in Bayern.

[11] Sechs Abgeordnete der Volksnationalen Vereinigung bildeten nach der Wahl eine eigene Fraktion.

[12] Gewählt auf der Liste der Sozialdemokratischen Partei.

[13] Die Zuteilung von Sitzen wurde durch Verordnung vom 7. Juli 1933 unwirksam gemacht.

[14] Die Zuteilung von Sitzen wurde durch das Gesetz vom 13. März 1933 ungültig gemacht.

Arbeitslosigkeit 1919–1933

Jahr	abhängige Erwerbspersonen[1] 1000	Arbeitslose[6] 1000	Arbeitslosigkeit in % d. Gewerkschaftsmitglieder[7]	Arbeitslosigkeit in % d. abhängigen Erwerbspersonen[9]
1919	16950[2]		3,7	
1920	18367[2,3]		3,8	
1921	19126[4]	346	2,8	1,8
1922	20184[5]	215	1,5	1,1
1923	20000	818	9,6	4,1
1924	19122	927	13,5	4,9
1925	20176	682	6,7	3,4
1926	20287	2025	18,0	10,0
1927	21207	1312	8,7	6,2
1928	21995	1391	8,4	6,3
1929	22418	1899	13,1	8,5
1930	21916	3076	22,2	14,0
1931	20616	4520	33,7	21,9
1932	18711	5603	43,7	29,9
1933	18540	4804	(46,3)[8]	25,9

Aus: Petzina, Abelshauser, Faust, ***Arbeitsbuch***, S. 119

[1] Anhand der Statistik der gesamten Kassenversicherungsmitglieder der reichsgesetzlichen Krankenkassen, Knappschaftskassen, Ersatzkassen und ab 1928 der Seekrankenkasse.
[2] Ohne die Ersatzkassenmitglieder, deren Anzahl 1914 391000 betrug.
[3] Ohne Saarpfalz.
[4] Ohne Saargebiet.
[5] Ohne abgetretenen Teil Oberschlesiens.
[6] Für 1921–1928 nicht amtliche, errechnete Zahlen der Vollarbeitslosen unter teilweiser Schätzung der Abzüge. Ab 1929 amtliche Zahlen der Reichsanstalt.
[7] Von der Statistik sind durchschnittlich erfaßt worden 1921: 6,47; 1931: 4,05 Gewerkschaftsmitglieder. Quote relativ hoch, weil Anteil der konjunkturabhängigen Industriearbeiterschaft sehr hoch.
[8] Bezogen auf das 1. Halbjahr.
[9] Berechnet aus den Zahlen der Arbeitslosen und abhängigen Erwerbspersonen.

Deutsche Geschichte der neuesten Zeit
vom 19. Jahrhundert bis zur Gegenwart
Herausgegeben von Martin Broszat, Wolfgang Benz, Hermann Graml in Verbindung mit dem Institut für Zeitgeschichte

Die »neueste« Geschichte setzt ein mit den nachnapoleonischen Evolutionen und Umbrüchen auf dem Wege zur Entstehung des modernen deutschen National-, Verfassungs- und Industriestaates. Sie reicht bis zum Ende der sozial-liberalen Koalition (1982). Die großen Themen der deutschen Geschichte des 19. und 20. Jahrhunderts werden, auf die Gegenwart hin gestaffelt, in dreißig konzentriert geschriebenen Bänden abgehandelt. Ihre Gestaltung folgt einer einheitlichen Konzeption, die die verschiedenen Elemente der Geschichtsvermittlung zur Geltung bringen soll: die erzählerische Vertiefung einzelner Ereignisse, Konflikte, Konstellationen; Gesamtdarstellung und Deutung; Dokumentation mit ausgewählten Quellentexten, Statistiken, Zeittafeln; Workshop-Informationen über die Quellenproblematik, leitende Fragestellungen und Kontroversen der historischen Literatur. Erstklassige Autoren machen die wichtigsten Kapitel dieser deutschen Geschichte auf methodisch neue Weise lebendig.

4501 Peter Burg: Der Wiener Kongreß
Der Deutsche Bund im europäischen Staatensystem
4502 Wolfgang Hardtwig: Vormärz
Der monarchische Staat und das Bürgertum
4503 Hagen Schulze: Der Weg zum Nationalstaat
Die deutsche Nationalbewegung vom 18. Jahrhundert bis zur Reichsgründung
4504 Michael Stürmer: Die Reichsgründung
Deutscher Nationalstaat und europäisches Gleichgewicht im Zeitalter Bismarcks
4505 Wilfried Loth: Das Kaiserreich
Obrigkeitsstaat und politische Mobilisierung
4506 Richard H. Tilly: Der Gründerkrach
Die Industrielle Revolution und ihre Folgen
4507 Helga Grebing: Arbeiterbewegung Sozialer Protest und kollektive Interessenvertretung bis 1914
4508 Hermann Glaser: Bildungsbürgertum und Nationalismus.
Politik und Kultur im Wilhelminischen Deutschland
4509 Michael Fröhlich: Imperialismus
Deutsche Kolonial- und Weltpolitik 1880 bis 1914
4510 Gunther Mai: Das Ende des Kaiserreichs
Poltik und Kriegführung im Ersten Weltkrieg
4511 Klaus Schönhoven: Reformismus und Radikalismus
Gespaltene Arbeiterbewegung im Weimarer Sozialstaat

4512 Horst Möller: Weimar
Die unvollendete Demokratie
4513 Peter Krüger: Versailles
Deutsche Außenpolitik zwischen Revisionismus und Friedenssicherung
4514 Corona Hepp: Avantgarde
Moderne Kunst, Kulturkritik und Reformbewegungen nach der Jahrhundertwende
4515 Fritz Blaich: Der Schwarze Freitag
Inflation und Wirtschaftskrise
4516 Martin Broszat: Die Machtergreifung
Der Aufstieg der NSDAP und die Zerstörung der Weimarer Republik
4517 Norbert Frei: Der Führerstaat
Nationalsozialistische Herrschaft 1933 bis 1945
4518 Bernd-Jürgen Wendt: Großdeutschland
Außenpolitik und Kriegsvorbereitung des Hitler-Regimes
4519 Hermann Graml: Die Reichskristallnacht
Antisemitismus und Judenverfolgung im Dritten Reich
4520 Peter Steinbach, Hartmut Mehringer:
Emigration und Widerstand
Das NS-Regime und seine Gegner
4521 Lothar Gruchmann: Totaler Krieg
Vom Blitzkrieg zur bedingungslosen Kapitulation
4522 Wolfgang Benz: Potsdam 1945
Besatzungsherrschaft und Neuaufbau im Vier-Zonen-Deutschland
4523 Wolfgang Benz: Die Gründung der Bundesrepublik
Von der Bizone zum souveränen Staat
4524 Dietrich Staritz: Die Gründung der DDR
Von der sowjetischen Besatzungsherrschaft zum sozialistischen Staat
4525 Kurt Sontheimer: Die Adenauer-Ära
Die Grundlegung der Bundesrepublik
4526 Manfred Rexin: Die Deutsche Demokratische Republik
Von Ulbricht bis Honecker
4527 Ludolf Herbst: Option für den Westen
Vom Marshallplan bis zum deutsch-französischen Vertrag
4528 Peter Bender: Neue Ostpolitik
Vom Mauerbau zum Moskauer Vertrag
4529 Thomas Ellwein: Krisen und Reformen
Die Bundesrepublik seit den sechziger Jahren
4530 Helga Haftendorn: Sicherheit und Stabilität
Außenbeziehungen der Bundesrepublik zwischen Ölkrise und NATO-Doppelbeschluß

Personenregister

Deutsche Geschichte der neuesten Zeit

vom 19. Jahrhundert bis zur Gegenwart

Originalausgaben, herausgegeben von Martin Broszat, Wolfgang Benz und Hermann Graml in Verbindung mit dem Institut für Zeitgeschichte, München

Peter Burg:
Der Wiener Kongreß
Der Deutsche Bund im europäischen Staatensystem
dtv 4501

Wolfgang Hardtwig:
Vormärz
Der monarchische Staat und das Bürgertum
dtv 4502

Hagen Schulze:
Der Weg zum Nationalstaat
Soziale Kräfte und nationale Bewegung
dtv 4503

Michael Stürmer:
Die Reichsgründung
Deutscher Nationalstaat und europäisches Gleichgewicht im Zeitalter Bismarcks
dtv 4504

Wilfried Loth:
Das Kaiserreich
Liberalismus, Feudalismus, Militärstaat
dtv 4505 (i. Vorb.)

Richard H. Tilly:
Vom Zollverein zum Industriestaat
Die wirtschaftlich-soziale Entwicklung Deutschlands 1834 bis 1914
dtv 4506

Helga Grebing:
Arbeiterbewegung
Sozialer Protest und kollektive Interessenvertretung bis 1914
dtv 4507

Hermann Glaser:
Bildungsbürgertum und Nationalismus
Politik und Kultur im Wilhelminischen Deutschland
dtv 4508

Michael Fröhlich:
Imperialismus
Deutsche Kolonial- und Weltpolitik 1880 – 1914
dtv 4509 (i. Vorb.)

Gunther Mai:
Das Ende des Kaiserreichs
Politik und Kriegführung im Ersten Weltkrieg
dtv 4510

Deutsche Geschichte der neuesten Zeit
Klaus Schönhoven:
Reformismus und Radikalismus
Gespaltene Arbeiterbewegung im Weimarer Sozialstaat
dtv

Klaus Schönhoven:
Reformismus und Radikalismus
Gespaltene Arbeiterbewegung im Weimarer Sozialstaat
dtv 4511

Horst Möller:
Weimar
Die unvollendete Demokratie
dtv 4512

Peter Krüger:
Versailles
Deutsche Außenpolitik zwischen Revisionismus und Friedenssicherung
dtv 4513

Corona Hepp:
Avantgarde
Moderne Kunst, Kulturkritik und Reformbewegungen nach der Jahrhundertwende
dtv 4514

Deutsche Geschichte der neuesten Zeit
vom 19. Jahrhundert bis zur Gegenwart

Fritz Blaich:
Der Schwarze Freitag
Inflation und Wirtschaftskrise
dtv 4515

Martin Broszat:
Die Machtergreifung
Der Aufstieg der NSDAP und die Zerstörung der Weimarer Republik
dtv 4516

Norbert Frei:
Der Führerstaat
Nationalsozialistische Herrschaft 1933 bis 1945
dtv 4517

Bernd-Jürgen Wendt:
Großdeutschland
Außenpolitik und Kriegsvorbereitung des Hitler-Regimes
dtv 4518

Hermann Graml:
Reichskristallnacht
Antisemitismus und Judenverfolgung im Dritten Reich
dtv 4519

Hartmut Mehringer/ Peter Steinbach:
Emigration und Widerstand
Das NS-Regime und seine Gegner
dtv 4520 (i. Vorb.)

Lothar Gruchmann:
Totaler Krieg
Vom Blitzkrieg zur bedingungslosen Kapitulation
dtv 4521

Wolfgang Benz:
Potsdam 1945
Besatzungsherrschaft und Neuaufbau
dtv 4522

Wolfgang Benz:
Die Gründung der Bundesrepublik
dtv 4523

Dietrich Staritz:
Die Gründung der DDR
Von der sowjetischen Besatzungsherrschaft zum sozialistischen Staat. dtv 4524

Kurt Sontheimer:
Die Adenauer-Ära
Grundlegung der Bundesrepublik
dtv 4525

Manfred Rexin:
Die Deutsche Demokratische Republik
dtv 4526 (i. Vorb.)

Ludolf Herbst:
Option für den Westen
Vom Marshallplan bis zum deutsch-französischen Vertrag
dtv 4527

Peter Bender:
Neue Ostpolitik
Vom Mauerbau bis zum Moskauer Vertrag
dtv 4528

Thomas Ellwein:
Krisen und Reformen
Die Bundesrepublik seit den sechziger Jahren
dtv 4529

Helga Haftendorn:
Sicherheit und Stabilität
Außenbeziehungen der Bundesrepublik zwischen Ölkrise und NATO-Doppelbeschluß
dtv 4530